国家出版基金项目
NATIONAL PUBLICATION FOUNDATION

《三联经典文库》

第二辑

2012 年国家出版基金项目

三联经典文库

128

近代国际关系史

张铁生 著

生活·讀書·新知 三联书店

图书在版编目(CIP)数据

近代国际关系史 / 张铁生著. -- 北京 : 生活·读书·新知三联书店, 2014.1
（三联经典文库第二辑）
ISBN 978-7-108-04588-1

Ⅰ. ①近… Ⅱ. ①张… Ⅲ. ①国际关系史－研究－近代 Ⅳ. ①D819

中国版本图书馆CIP数据核字(2013)第152759号

128 近代国际关系史

责任编辑　胡群英
封扉设计　蔡立国
责任印制　李思佳
出版发行　生活·讀書·新知 三联书店
　　　　　(北京市东城区美术馆东街22号)
邮　　编　100010
经　　销　新华书店
印　　刷　北京市松源印刷有限公司
版　　次　2014年1月北京第1版　2014年1月北京第1次印刷
开　　本　787毫米×1092毫米 1/32　印张 15.125
字　　数　214千字
定　　价　55.00元

《三联经典文库》出版缘起

适逢生活·读书·新知三联书店八十华诞，为弘扬传统，接续文脉，回报读者，服务社会，我们决定策划出版《三联经典文库》。

1932 年 7 月，生活书店在上海创办，此后，读书出版社和新知书店相继成立。本文库第一辑、第二辑所选图书，来自于这三家出版单位及其分支机构，以及 1948 年生活·读书·新知三联书店成立后的出版物，始于 1932 年，截至 1951 年，两辑各一百种。此为第一辑，涉及政治、经济、社会、军事、思想文化诸领域，涵盖专著、文集、散文、小说、诗歌、传记、报道等体裁，既有直面现实、追求真理、讴歌真善美、抨击假恶丑的原创作品，又有引介世界各国先进文化、传播新知、开启民智的迻译之作，真实记录了那一代知识分子的思考与探索、理想与愿景和对中华民族文化传承与创新所做出的努力与贡献。

本文库所辑入各书，多为名家名作，在版本方面，以初版一印本或经著译编者审定、修订、增订过的版本为首选，因此本文库又具有较为珍贵的版本价值和收藏价值。

本文库还将编选续辑，使之成为恢弘文化工程。诚挚希望读者给予批评和指正，帮助我们完善编选工作，再现三联经典作品之风采。殊为遗憾的是，由于年代久远，一些原著译编者及其后人未能取得联系并奉付稿酬，诚盼版权所有者与我们联系。祈愿三联前辈所创造的精神财富能薪火相传，为中华文化的伟大复兴增光添彩。

《三联经典文库》编辑委员会

2013 年 8 月

凡　例

一、本文库为重排本，由繁体字竖排版改为简体字横排版。

一、以忠实于原作、整旧如旧为编辑原则，对当时使用的专有名词、外文译名，以及民国时期的语言和特色予以保留。

一、原书注释如旧，编者所出的注释，均以“编者注”标明，以示与原书注释的区别。

一、对原书残缺或字迹漫漶之处，以□示代。

一、对繁简文本转换时的“如右”、“见左”一类，对应改为“如上（前）”、“见下（后）”。

一、对原书中各种错讹脱衍之处，直接订正，不再以其他符号标示。

一、对数字、标点符号的用法，在不损害原文语义的情况下，做必要的规范。

一、本文库各书均前插原书书影、原书版权页和文库版“本书出版说明”。

一、本书出版说明的撰写，以客观中立为原则，扼要介绍本书的内容、版本流转、著译编者的情况。

本书出版说明

本书梳理了始于一七八九年法国革命、终于一九一八年第一次世界大战结束期间的近代国际关系史。作者将近代国际关系史分为两个阶段，第一阶段从法国资产阶级革命始到普法战争止，第二阶段从巴黎公社始到第一次世界大战止。因此本书分为两大篇，第一篇为资本主义胜利时期的国际关系，第二篇为帝国主义时期的国际关系。本书是一部当时为数不多的在马克思主义指导下写成的普及性读物，是一种新探索、新观点。它虽然不是精深的学术著作，但对于我国后来世界史学科的建立起了打基础的作用。

本书定稿于 1948 年，由生活 · 读书 · 新知三联书店初版于 1949 年 9 月，1950 年 1 月再版。此次出版，即以再版本为底本。

张铁生（1904-1979），又名张铭鼎，江苏高邮人。1927年加入中国共产党。1929年赴柏林学习。1936年重新入党。在民主革命时期，长期从事文化、新闻工作，尤其精于国际问题研究，著有《近代国际关系史》、《资本主义世界新形势》、《我们要不要承认意大利吞并阿比西尼亚》、《在西班牙》等。新中国成立后，因从事对非外交和研究工作，又著有《中非交通史初探》。历任中华人民共和国对外文化联络委员会副秘书长、亚非研究所副所长、亚非学会秘书长、中非友协副会长、西亚非研究所副所长、中共中央对外联络部三局顾问、中国人民政治协商会议第五届全国委员会委员等。1979年11月19日病逝于北京。

生活·读书·新知三联书店

2013年8月

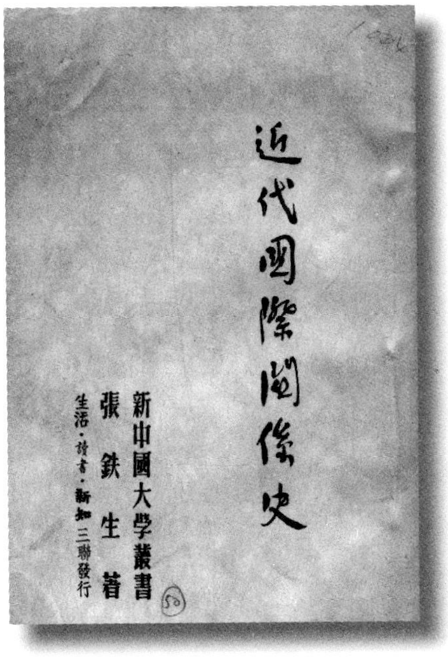

1950 年 1 月再版书影

新中國大學叢書

近代國際關係史

著者 張鐵生

發行者 生活·讀書·新知三聯書店
北京 天津 瀋陽 大連
哈爾濱 濟南 開封 西安
上海 廣州 重慶 香港 長沙

基本定價 十四元三角
外埠酌加郵運費

出版期 一九四九年九月初版（滬）
一九五〇年一月再版（滬）

印刷者 新華印刷廠
上海西康路四八九號

〔14〕〔D14〕2001—8000(P.340)

原书版权页

目次

第一篇

资本主义胜利时期的国际关系

——从法国资产阶级革命到普法战争

小 引

自从工业革命和科学发明一天天的缩小了世界以来，国际关系便跟着一天天的在一方面增加了密切性，在另一方面增加了变化性和复杂性。这样的情形，越到最近就越明显。

正由于近代的国际关系一天天的密切起来而又发生了千变万化和千头万绪的情形，一部近代国际关系史实在是需要的。因为这一部史不但能叫我们明白近代的国际关系，而且能帮助我们观察现代的国际关系，现代的国际关系不正是由近代的国际关系导源而出的吗?

不用说，近代国际关系史是和近代史同时开始的。近代史乃以法国资产阶级革命爆发而开端，以世界帝国主义大战告终而结束。所以近代国际关系史也始于一七八九年，而终于一九一八年。

更进一步说，近代国际关系史又可以分为两个阶段：第一个阶段和第二个阶段。第一个阶段是始于一七八九年而终于一八七一年。这就是说，从法国资产阶级革命始，到普法战争止。第二个阶段是始于一八七一年而终于一九一八年，这就是说，从巴黎公社始，到世界帝国主义大战止。

近代国际关系史的第一个阶段，乃是资本主义胜利的时期。在这个时期里，民主运动和民族运动抬头，资本主义国家的建立及其国内和国外矛盾的发展，都是特别值得注意的。

第一章　法国资产阶级革命前的欧洲形势

十八世纪的法国资产阶级革命，实在是当时欧洲的一种大风暴，这种风暴不但横扫了法国的封建制度，而且影响到整个欧洲。

为了解法国资产阶级革命对整个欧洲的影响，我们须先知道革命爆发前的欧洲形势。

在法国资产阶级革命以前，农奴制度的经济关系支配着整个欧洲，同时在政治上也流行着封建制度的关系。欧洲的君主之统治他们的国家，一如贵族之管理自己的地产。不过，欧洲资本主义的因素，这时却也在成长着了。

这时，在欧洲各国，一方面每一国的内部差不多都有资产阶级和地主、贵族在作无情的斗争，而另一方面，各国相互间的斗争也是激烈的。

英法的斗争

关于欧洲各国相互间的斗争，其特别令人注目的是英、法的斗争。

在十六世纪，欧洲最强有力的殖民国家要推西班牙和葡萄牙。但到了十七世纪，尼德兰已起而代替西、葡两国而雄视欧洲。当时除尼德兰外，还有两个国家也急起直追，而在夺取殖民地的斗争上崭然露了头角，那就是法国和英国。十七世纪的法国，曾在欧洲夺取了法兰德斯的一部分，洛林的一部分，亚尔萨斯的大部分，法兰斯孔德及斯特拉斯堡等地，并且在美洲夺取了加拿大及路易斯安那等地，在印度夺取了成德拉哥及笨第舍利等地。法国到了十七世纪末叶的地位可算是登峰造极的。

然而，自《乌德勒支（Utrecht）条约》在一七一三年缔结以及路易十四（Louis XⅣ，一六六一年——一七一五年）跟着死了以后，从一七一五年到一七八九年的期间，法国的地位却从最高峰走向下坡路。路易十四所得到的胜利其实是得不偿失的，例如《乌德勒支条约》

虽承认路易十四的孙子腓力第五（Philip V）为西班牙和西印度群岛的国王，而消除掉哈布斯堡（Hapsburg）王族的一部分势力，但西班牙和法国却不能合并，而且这种条约又表明英国在夺取殖民地的斗争上使法国失势。

从一七一五年到一七八九年的期间，法国不但在海外失势，就在欧洲也失势了，特别是在十八世纪的中叶以后。在七年战争（一七五六年——一七六三年）里，法国在欧洲大陆上既败于普鲁士，在海外又败于英国，法国在印度的大部分殖民地和在北美的近于全部的殖民地，都被英国夺去了。路易十四的穷兵黩武，劳师糜饷，已使得法国民穷财尽，而法国在七年战争里的损失更使法国走近革命的边缘。

七年战争大大改变了欧洲形势，《胡波都斯堡（Hubertusburg）条约》的缔结，使普鲁士在欧洲大陆上抬了头，她由于压倒奥地利、打败法国而成了头等国家，并且加速神圣罗马帝国的崩溃。另一方面，《巴黎条约》的缔结，又使英国在海上抬了头，她在打击了尼德兰以后再继之以对法国的打击，从此她就成了世界上的头等殖民国家。除去印度及美洲的殖民地（北美的十三个殖民地曾发动独立战争打败了英国而独立，但北美大陆上的其余部分还是英国的）以外，英国还占有非洲的冈比亚河口和塞拉勒窝内海岸，以及澳大利亚的许多殖民地。

欧洲政治重心东移

由于普鲁士在欧洲大陆上抬头，欧洲政治重心的东移便值得注意。霍亨佐伦（Hohenzollern）王族之在七年战争里和哈布斯堡王族争霸于德意志，已使它和后者站到并驾齐驱的地位。普鲁士既以军事力量占有了奥属西利西亚，为着防备奥地利的收复失土，她就和俄国缔结同盟。俄国之在七年战争开始后站在奥地利一方面，本引起普鲁士的恐慌，因此，普鲁士外交政策的主要目标之一，便在缓和普、俄的矛盾，而加强普、俄的邦交。在事实上，这两个由贵族和地主支配、并实行军国主义的新兴国家，有时都需要携手来扩张领土。而俄女皇喀德邻第二（或称为喀德邻大帝，Catherine Ⅱ或 Catherine the Great，一七六二年——一七九六年）和普王腓特烈第二（或称为腓特烈大帝，Frederick Ⅱ或 Frederick the Great，一七四〇年——一七八六年）的第一次分割波兰（一七七二年），就是普、俄携手的一个结果。

俄、普、奥分割波兰

在十八世纪的初叶，俄皇彼得（或称为彼得大帝，Peter 或 Peter the Great，一六七二年——一七二五年）企图把瑞典消灭掉。同样的情形，在十八世纪的中叶，喀德邻第二也企图把波兰消灭掉。而波兰的不振和腓特烈第二的怂恿，自更助长了喀德邻第二的野心。但当喀德邻第二和腓特烈第二分割波兰的时候，奥女皇马利亚·德利撒（Maria Theresa，一七四〇年——一七八〇年）为着补偿西利西亚的损失，并造成俄、普、奥三国之间的均势，也参加了分割。结果俄国分得了都纳河和聂伯河以东的土地；普鲁士分得了西普鲁士全省，只除去了但泽和佐隆两个城；奥地利分得了加里西亚全部，只除去了克拉科一个城。

普鲁士的分得西普鲁士省，这可算是一种重大的收获，因为她从此可把东普鲁士、波麦拉尼亚、白兰登堡、西利西亚联成一个地理上及政治上的单位。而奥地利所分得的土地则以在国境以外，反削弱了她的国势。后来当巴伐利亚选侯辖境的继承发生问题，而奥地利要求这邦的大部分领土时，普鲁士又起而反对奥地利的要求，不让哈布斯堡王族的势力扩大。

俄国的勃兴

俄国的勃兴，一部分由于她在瑞典及波兰所得到的胜利，一部分由于她在土耳其所得到的胜利。俄国在十八世纪所占领的土地，使她不但有了“西向的窗户”，同时还可伸足于东南欧。而俄国之在打败土耳其及瑞典的战争上一显身手，又使她在欧洲大陆上提高了地位。因此，土耳其和瑞典都不免相形见绌。土耳其在十七世纪已趋于衰颓，而到了十八世纪更丧失掉她以前的地位。至于在十七世纪占有重要地位的瑞典，一到了十八世纪也有一蹶不振的现象。

而其和瑞典有同样现象的则为荷兰，从十七世纪到十八世纪，荷兰也丧失掉她的地位而一蹶不振。若就尼德兰的南部来讲，却和荷兰不同。那里自在一七一三年从西班牙的哈布斯堡王族转入于奥地利的哈布斯堡王族之手以后，多少又以马利亚·德利撒而恢复了工业上的繁荣。惟奥地利的哈布斯堡王族在十八世纪也丢过一些地方。除去西利西亚以外，它在一七三五年把两个西西里王国让给西班牙的布尔邦王族，在一七四八年又把帕尔马公国让给那不勒斯的布尔邦王族。

改革运动和法国革命

以上所谈的许多国家，如法国、俄国、奥地利、普鲁士、土耳其、西班牙及葡萄牙等，都是君主专制的国家。她们相互间的斗争不是在杀人盈野的战争里表现出来，就是在充满阴谋的外交上表现出来。一直到法国资产阶级起而对法国地主、贵族发动革命的时候，才完全震动了欧洲大陆。不管那一国的君主，一听到“自由、平等、博爱”的革命口号没有不发生恐慌的。为什么？因为这种口号实在能得到当时广大群众的响应。

不过，在法国资产阶级革命以前，还有一件事情也要提一下，那就是欧洲一些君主专制国家在十八世纪末叶的改革运动。

在十八世纪，腓特烈第二、喀德邻第二、马利亚·德利撒和她的儿子奥地利大公爵兼神圣罗马帝国皇帝约瑟夫第二（Joseph Ⅱ，一七六五年——一七九〇年）等人，都曾从事于改革，而被称为“开明的专制君主”。可是好大喜功的他们，究其实则专制有余，开明不足。约瑟夫第二固下过解放农奴的命令，但他同时却是“开明的专制君主”里最失败的一个。而本不企图真正改革的喀德邻第二，一到法国资产阶级革命爆发的时候就恢复了本来面目。

此外，西王查理第三（Charles Ⅲ，一七五九年——一七八八年）、葡王约瑟夫第一（Joseph Ⅰ，一七五〇年——一七七七年）、瑞（瑞典）王革斯塔夫第三（Gustavus Ⅲ，一七七一年——一七九二年）等人，也曾实行过资产阶级性质的改革。不过他们的改革并不是彻底的，再加上贵族、僧侣及地主的反对，更使得不彻底的改革不能动摇那流行欧洲而根深蒂固的封建制度。

就是法国在一七七四年以后也有过一度改革，惟效果很小。

所谓改革运动的真相既是这样，这更证明法国资产阶级革命是必然的了。

第二章　法国资产阶级革命和欧洲

法国资产阶级革命产生的条件

在一七八九年爆发，而由法国最大多数人民参加的法国大革命，乃是资产阶级的革命。法国资产阶级革命造成了有利于资本主义发展的条件，并且开始了工业资本主义的时代。它的影响之大，可以用列宁（Lenin）的话来表明一下："它替本身的阶级……替资产阶级做出了这样多的事业，以致整个十九世纪……所做的，不过是进行了、部分实现了、完成了那些伟大的法国资产阶级革命家所已创造的事业。"

法国和英国在十八世纪里的斗争，一再遭受了重大的失败，并且她的国债也因此而增加到惊人的程度。不过，那时法国所具有的发展工业及农村经济的条件，并不比英国落后，而阻碍法国资本主义发展的只是法国的封建制度和政治制度。因此，十八世纪末叶的法国资产阶级革命，就是由生产力发展和新经济要求以及阻碍发展的封建制度或生产关系两方面的矛盾而产生的。

法国国债的不断增加以及财政情形的继续恶化，更以她参加北美十三个殖民地的独立战争即反英战争而达到破产的地步。这又使得法国资产阶级革命成了刻不容缓的事情。同时法国启蒙运动者如福禄特尔（Voltaire）、孟德斯鸠（Montesquieu）、卢梭（Rousseau）及百科全书派等人所点起的革命之火，也以美国的独立宣言而受到重大的刺激。法国的“激烈分子”既看见美国的革命成功，愿意献身于本国革命的他们就更显出是跃跃欲试的了。

法国资产阶级革命爆发后的影响

当法国资产阶级革命爆发以后，一种大风暴由法国波及了整个欧洲。从一七八九年到一七九一年的期间，欧洲对法国资产阶级革命的反响有两方面：一方面是欢迎，一方面是反对。现分述于下：

在一方面欧洲一切进步的主张民主的知识分子和

劳苦大众，都热烈欢迎法国的革命。一七八九年七月十四日，巴黎市民攻陷了法国专制主义的标帜：巴士的狱，有人以为这一天已替人类幸福的大厦奠定了一块基石，而法国国民议会在八月二十六日发表的《人权宣言》，如“人类生而享有并且永远享有自由平等的权利”云云，也使当时的人心为之一振。甚至性情严肃的康德（Kant）也看出理性在革命里得到胜利。在英国，主张改革选举制度的人在一七八九年向法国的立法会议致祝词，并且民主派在一七九〇年成立了革命团体。在德意志、义大利及瑞士，关于法国革命的消息使民众趋向实际的行动，不独莱因河的左岸有了骚动，同时特里尔及科恩等地也有了骚动。而比利时的革命则显然为法国革命的强烈影响所促成。在巴尔干半岛，法国革命的影响也是显著的，如塞尔维亚人及希腊人的独立斗争就是一个例子。甚至法国革命还影响到南美的西班牙殖民地。

在另一方面，欧洲的国王、贵族、官僚及僧侣，都反对法国革命。他们以为法国人民推翻君主政体的基础，推翻封建社会的组织，如果不加以干涉，则其结果一定会使各国人民纷纷响应，而危及他们在政治上及社会上的特权。因此，为路易十六（Louis XⅥ，一七七四年——一七九二年）打算，为自己打算，他们都是不能袖手旁观的。不过，他们不但准备帮助法国的亡命者或反动派而进行干涉，以图把法国革命的浪潮镇压下去，而且企图借此使法国一蹶不振。

俄、普、英准备干涉法国

当法国革命的消息传出以后，英国和普鲁士都以幸灾乐祸的态度来看法国。英国首相庇特（Pitt）和普王腓特烈·威廉第二（Frederick William Ⅱ，一七八六年——一七九七年）都以为革命可以使法国衰颓，而不能过问欧洲的政治。同时庇特的企图在尽速夺取法国的殖民地，而腓特烈·威廉第二及普鲁士外交家的企图也在夺取法国及奥地利的土地。普鲁士认为法国革命会破坏奥、法同盟，而使两国同样的衰颓，并且会破坏那反对瑞典和普鲁士的俄、法同盟。（腓特烈·威廉第二曾借口保卫波兰，而引诱瑞王革斯塔夫第三和普鲁士缔结同盟以进攻俄国，同时他又和喀德邻第二讨论分割波兰的条件。）

而到了法国国民议会发表《人权宣言》，以及法国革命横扫封建制度，并且整个欧洲受到影响的时候，俄、普、英等国就加速进行她们干涉的准备，以图挽救封建制度并维持统治阶层的权力。英国政府立刻放弃了改革运动，转而极力遏制一切带有革命性质的活动，而英国的“舆论”也起而抨击法国革命的危险性。一度以改革为幌子的喀德邻第二，不但恢复了她的本来面目，并且严厉压迫俄国的自由思想家。同时喀德邻第二果不出普鲁士之所料而断绝了俄、法的关系，法驻俄大使在一七八九年十月就被迫离开圣彼得堡，到了一七九〇年，喀德邻第二并且决心改变她的外交政策，她在一七九一年说：“使我自己头痛的，就在怎样使维也纳宫廷和柏林宫廷注意法国问题。”她向普鲁士和瑞典作种种让步，并设法和普鲁士、奥地利妥协，以准备进攻法国。

《丕尔尼兹宣言》

在和法国有密切关系的国家里，其值得注意的有西班牙的布尔邦王族，两个西西里王国的布尔邦王族，以及奥地利的哈布斯堡王族，前者都和法国王室有家族关系，而后者则和法国王后马利·安托列脱（Marie

Antoinette）有家族关系，因为她是马利亚·德利撒的女儿，而奥皇兼神圣罗马帝国皇帝利欧破尔德第二（Leopold Ⅱ，一七九〇年——一七九二年）就是她的兄弟。这几个国家都特别反对法国革命，西班牙及两个西西里王国的布尔邦王族认为革命对于法王的打击会联带的打击他们在国内的地位和对外的政策。奥地利的哈布斯堡王族认为革命也会损害他们家族的利益。当法国的贵族纷纷逃出了法国，要求欧洲各国为着援助法王并挽救君主政体而尽速干涉法国革命时，马利·安托列脱也派代表要求利欧破尔德第二对付法国的人民。当时利欧破尔德第二明白奥属尼德兰已深受法国革命的影响，甚至尼德兰境内的人民还有归并于法国的要求，因此他不但要保卫法国王室，而且要防止德意志各邦的革命运动。在一七九〇年，利欧破尔德第二要求法国政府让他的军队假道去扑灭比利时的革命，法国立宪会议根据宪法第六条“法国国民拒绝任何以侵略为目的的战争，并且在任何时候决不使用军事力量去损害任何人民的利益”，拒绝了他的要求。而奥、法关系的破裂，又使得利欧破尔德第二要加速打击法国，他就在一七九〇年十月和腓特烈·威廉第二缔结反法同盟，并在一七九一年八月（路易十六和马利·安托列脱逃到发棱，中途被逮后的第二个月）发表了《丕尔尼兹（Pillnitz）宣言》，声明奥、普两国认为法国秩序的恢复，实在和欧洲各国的君主有共同的利益。不过，这种宣言不过是一种虚张声势而意在恐吓的文字，因为普鲁士的军队还没有准备作战。

反法战争的危机

国际间对法国的压力，虽引起了法国人民的恐慌，但他们抵抗外国侵略的决心反一天天的加强。而路易十六之在一七九一年九月宣誓服从宪法，又使得法国的反革命亡命者愤而加紧要求利欧破尔德第二和腓特烈·威廉第二实现干涉法国的战争。甚至他们还集合在法国边境来恫吓法国民主派。此外喀德邻第二一方面和革斯塔夫第三商谈反革命军队的组织，一方面也极力催促普鲁士和奥地利干涉法国，并且她还允许以但泽及波兰的其他地方来报酬普鲁士。革斯塔夫第三准备率领俄军及瑞（瑞典）军二万人由英、普舰队运送到诺曼第登陆，要在一七九二年进攻法国。而同意参加反法的同盟的还有西班牙和撒地尼亚。这样，战争的危机就临到法国人民的头上了。

法国的主战派和反战派

法国内部对于战争的态度，可分为两派：一派是主张战争的，一派是反对战争的。

在主张战争的一派里，吉伦特党（Girondists）的看法是："如果外国实在想干涉，这对于法国倒是一件好事情，因为有结果的战争会逼得国王和法国的敌人公开联合，而法国人民就可以把他赶走了。"他们认为战争既可以曝露国王叛国的罪恶，而激起法国人民的普遍爱国心，又可以使资产阶级巩固得到的政权，因此他们都欢迎外国的干涉。其实吉伦特党主张战争的企图只在使法国人民拥护他们，并避免进一步改革的要求。马拉（Marat）在一七九二年的年初道破吉伦特党的企图，说他们所以希望战争，就因为他们不愿求助于人民而给王权以坚决的打击。法国立法会议的大多数人，都是一七九一年宪法和当时君主立宪政体的拥护者，他们也主张战争，而以为战争会使法国人民团结，新秩序巩固。他们的重要代表拉法夷特（Lafayette）是一个有野心的人，他希望得到军事上的胜利而增加个人的光荣，所以更主张战争。路易十六看出法国资产阶级在要求战争，他也成了拥护战争的一个人，但他在实际上希望法军在战争里打败，而使他能借外国军队的帮助来恢复权力，向革命分子复仇。就是法军打胜了，马利·安托列脱及宫廷里的人也以为王族的威望一定会因此复振，不难用宪法上的手段来恢复权力。

在反对战争的一派里，雅各宾党（Jacobins）的主张是特别令人注意的，尤其是罗伯斯庇尔（Robespierre）和马拉等人。一七九一年十二月十二日，罗伯斯庇尔在雅各宾党的俱乐部里说过："谁需要战争？亡命者和宫廷的阴谋家都希望战争。你们委托谁来进行这个战争？委托行政权的代表吗？你们这样就把国家的安全委托于那要毁灭它的人了！从此便得到一个结论：你们一定要更加谨防战争。"罗伯斯庇尔并且指出法军缺乏充分的战斗力，将领和军官除去极少数的例外都是反革命分子，整个法国并没有准备战争。他和马拉等人之所以反对战争，还怕战争的结果会促成军人独裁。这似乎预告着将来的拿破仑。

法对奥宣战

不过，法国亡命者要求欧洲各国干涉的叫嚣，以及欧洲各国对于干涉法国的积极准备，都使得法国群情激昂而倾向吉伦特党的主张。一七九二年二月，吉伦特党在组织新的内阁以后，就要求利欧破尔德第二令奥军从边界撤退，并且驱逐法国亡命者。这遭受到利欧破尔德第二的拒绝，但他到了三月就死了。他的儿子佛兰西士第二（Francis Ⅱ，一七九二年——一八〇六年）继位以后，对于法国更采取了公开仇视的态度。而在法国方面没有等到奥地利的进攻，吉伦特党的阁员便劝路易十六在一七九二年四月二十日对她宣战。当时路易十六在立法会议里提议“对波希米亚和匈牙利的国王宣战”，这得到了全场的拥护，只有十个人投反对票。

法攻奥失败

四月二十八日是革命势力对反革命势力发生武装冲

突的一天，是法国革命的战争时期开始的一天，也是延长到二十三年之久的欧洲战局开始的一天。当拉法夷特掌握着军事大权，而出动法军向奥地利进攻的时候，一方面，知道为自由、平等及法国前途而战的法国人，都充满了战斗的热忱，并且他们的数量也超过了奥军。另一方面，奥地利对于战争的准备不够，而且普鲁士还需经过两三个月的期间才能帮助奥地利作战，因此法军只要坚决而勇敢的前进，就可把奥军打败。但是成分复杂、组织和训练很差、而且给养和军械缺乏的法军，再加上暗中通敌的路易十六以及行动迟缓的法国将领，却不免在战事一开始的时候就节节溃退。在侵入比利时的三路法军里，不仅两路都败，就是拉法夷特所指挥的第三路也免不了失败的命运。显然的，拉法夷特的野心已超过了他的能力。而法军的失败既引起了法国亡命者的欢欣鼓舞，也引起了法国人民对于路易十六及马利·安托列脱通敌的怀疑。

法国在一七九二年八月十日的革命

七月六日，普鲁士对法国开始军事行动以助奥。奥、普联军由布伦斯威克公爵（Duke of Brunswick）任总司令，他率领着军队向法国前进，并且在七月二十五日发表宣言，声明他的目的在终止法国的内乱，阻止法国人民对于国王和教会的攻击，恢复合法的权力及国王已失的自由和安全，并且使国王恢复原有的地位，以行使合法的权力。宣言上又声明被俘的法军将处以背叛国王和扰乱治安之罪，如果法国的王族及贵族稍受了损害，则奥、普联军一定替他们报仇，并且屠杀巴黎全城的市民。这种宣言证明了法国王族勾通外国军队的目的不但要镇压革命，而且要推翻既成事实。

布伦斯威克公爵的宣言在恐吓法国人民，而逼迫他们起而推翻一七九一年的宪法，进行复辟，但结果适得其反。法国人民在一七九二年八月十日的革命，就是他们对于这种宣言的答复。当联军准备进占巴黎，只有凡尔登要塞障碍着他们的时候，由四十八个巴黎区分部代表组成的革命的巴黎公社，从八月九日到十日领导着法国人民打倒国王，推翻君主政体，造成挽救法国革命和独立的可能性。那反对这样举动的拉法夷特，就投降了联军。

法军在瓦尔米的胜利

联军仍在法境前进。八月二十三日，他们不战而下龙威。九月一日，又攻陷凡尔登。这时普军可长驱而入巴黎，一般预料巴黎最迟在十日以前就要陷落。但在到巴黎的道路上坚决抵抗的，却有克列曼（Kellermann）所率领的一部分军队。这时丹敦（Danton）已任命度穆累（Dumouriez）代拉法夷特而为法军总司令，但立法会议所设立的执行委员会下了几个命令，度穆累才带兵去援助他们。克列曼驻守着瓦尔米，他在九月二十日以率先冲锋阻止了普军的前进。在浓雾笼罩下的双方炮战里，法军又占了胜利，布伦斯威克公爵终于下令退兵了。而法军在瓦尔米战役里的胜利不仅使巴黎得免于危，并且使法国革命得免于危。这可算是法国人民自战争开始以来的第一次大胜利。

当法军逼迫敌人退兵的时候，普、奥两国正专心致志的要再度分割波兰。因此普王腓特烈·威廉第二对于这次侵法的战争并没有多大兴趣，而奥军也逗留不进。并且法军的胜利又使布伦斯威克公爵和腓特烈·威廉第二发生了意见。结果联军不再向巴黎前进，而普军也一退再退。由于普、奥之间的冲突，度穆累以及和他有关的吉伦特党，都以为法国会把普鲁士拉到自己的一边，这便使得他向普军开和平谈判而失掉争取最后胜利的机会。但以法国的宣布成为共和国，腓特烈·威廉第二却把这和平谈判停止了，而且从法国撤退的普军从容渡过莱因河，并没有什么损失。十月，奥军也从法国撤退了。

法军在东北境、东南境的胜利

法国国民大会是在瓦尔米告捷这一天开幕的，同时法军在东南境占领了萨伏衣和尼斯。九月三十日，科斯廷（Custine）率领着法军渡过莱因河占领斯帕埃尔。他们在十月二十三日，又占领马因兹和法兰克福。十月底，度穆累率领着法军侵入比利时。他们在十一月六日大败奥军于宅马普，并在十四日占领布鲁塞尔。他们在比利时受到人民的热烈欢迎。欧洲各国毫不重视的法军仅在一个半月里就改变了欧洲的地图，而大大提高了法国在国际的地位。

由于法军在东北境及东南境的胜利，欧洲的进步分子更对法兰西共和国寄以无限的希望，同时反动派则企图组织更强大的联盟来打击她。法军的侵入比利时，使得庇特公开的反对法国。自一七九二年的秋季起，英国便成了整个欧洲的反法堡垒，伦敦便成了一切反对法国人民的阴谋家的中心。

反法大同盟

法国在一七九二年八月十日的革命，使吉伦特党得到了政权。但吉伦特党得到政权后的努力，却不在解决当时法国的革命问题，而在加强进行对雅各宾党的斗争，并援救路易十六。不管吉伦特党或欧洲各国君主怎样关心路易十六的命运，怎样设法援救，他的通敌和反革命两大罪状却使得他终于在一七九三年一月二十一日被处死刑。

路易十六的被杀，再加上国民大会在一七九二年十二月十五日的声明扩大革命事业于整个欧洲，更引起了欧洲各国君主、王族及特权阶级的恐慌，也引起了他们更大的愤怒，而以和法国长期从事商业竞争及殖民地争夺的英国为尤甚。英国政府既逐出法驻英的代表，庇特复在一七九三年二月一日表示英国要联合欧洲各国抵制法国的革命。就在这一天，法国也对英国及荷兰宣战。法国在一七九三年二月以后所碰到的一个“反法大同盟”，既有奥地利和普鲁士，也有英国和荷兰，还有西班牙、撒地尼亚及壁蒙特等国。这时英国固然成了法国的劲敌，就是在一七九三年一月第二次分割波兰的奥、普两国，也专心于对法的战争。俄国已和法国断绝一切外交关系，在一七九二年——一七九三年仍和法国维持着正常外交关系的，只有丹麦、瑞典、瑞士及美国四国了。

四面楚歌的法国，渐渐面临着失败的局势。普鲁士有了援军，逼迫德意志境内的法军退到莱因河的左岸。三月十八日，奥军又大败度穆累于尼尔温登，结果法军被赶出了比利时，而且度穆累带着军队数百人，投降了敌方。吉伦特党候选人度穆累的叛变，曝露了吉伦特党的真面目。

雅各宾党专政及法军的转败为胜

法国在一七九三年五月三十一日及六月二日的革命，把吉伦特党逐出了国民大会，开始了雅各宾党的专政。从一七九三年雅各宾党开始专政，到一七九四年该党为资产阶级反革命政变所打倒的时期里，“国民大会正是下层分子的专政，即城市贫民和乡村贫民里最下层的专政”，当时在国民大会里，“完全而整个支配着的并不是大资产阶级或中等资产阶级，而是普通人民、贫民，也正是我们所说的‘无产阶级和农人’”。（列宁的话）

法军的失败，使得英、奥、俄等同盟国有了分割法国而除去欧洲之患的企图。法国芬底的骚乱，不但受了联军宣传的影响，而且得到了英国的援助。在法国的北境、东境、东南境及南境，奥地利人、荷兰人、埃森人、汉诺威人、普鲁士人、壁蒙特人及西班牙人，都像趁火打劫一样的围攻着法军。而英国除对法国实行着海上封锁外，她和荷兰还帮助奥军向巴黎前进。一七九三年春季的法国，遭遇类似一七九二年夏季的危急情形。在一七九三年七月十日以后，甚至奥军占领了康狄，英军占领了筏仑西恩，把法军赶出马因兹的普军向着亚尔萨斯前进，而英国人、西班牙人、壁蒙特人及那不勒斯人还参加了土伦的叛乱。但因公安委员会的改编军队，发展军事工业，组织前线，以及卡诺（Lazare Carnot）的提出作战计划并沉着应战，指挥得宜，法军在一七九三年十月间就对奥军打了两个胜仗，在十二月又把英国人赶出了土伦。到了一七九三年的年底，法军在各个前线上都得到了胜利，而肃清掉法国境内的敌人，使得战争转移到荷兰、莱因河、萨伏衣及庇里牛斯山以外。其在战争里崭然露头角的法国青年将领，有拿破仑（Napoleon Bonaparte）、朱尔丹（Jourdan）、摩鲁（Moreau）及庇舍格律（Pichegru）等人。

到了一七九四年六月，法国的敌人还企图以庇特的积极援助而用全力来进攻法军，并且把他们包围起来，但法军在比利时的弗勒鲁村大败联军（六月二十六日），不但使得他们占领了整个比利时，并且使得革命的法国战胜了整个欧洲，而保卫了法国的独立。

法国革命的终结

然而铲除阿贝尔（Hébert）派和丹敦派而独握全权的罗伯斯庇尔，在法国革命的恐怖肃清了旧制度的拥护者，以及法军的胜利粉碎了保王党借外国干涉而进行复辟的希望以后，却成了法兰西共和国的敌人、群起而攻的众矢之的，尤其是获得全部革命果实的资产阶级。而罗伯斯庇尔在七月二十七日（热月九日）的上断头台，便意味着法国革命的终结和反动的开始。

第三章 拿破仑时代的战争和外交

《巴塞尔条约》及《海牙条约》

在法国革命终结以后的一七九五年，一方面，热月党的国民大会或“新财主”的国民大会宣告结束，一方面，“反法大同盟”或第一次同盟，又以法军的一再胜利而归于破裂。普鲁士、西班牙两国和法国缔结《巴塞尔（Basel）条约》。普鲁士承认法国合并比利时和荷兰的事实，而莱因河左岸则为法国和德意志的天然疆界。当英国企图拉拢瑞典、挪威及但泽等国参加反法战争的时候，普鲁士宣布中立，转而和俄、奥两国在一七九五年十月第三次分割波兰，而使波兰完全丧失独立的地位。此外荷兰也和法国缔结《海牙（Hague）条约》，并且她还改称为巴达维亚共和国。由于“反法大同盟”的破裂以及《巴塞尔条约》和《海牙条约》的缔结，法军已把法国的疆界扩大到了莱因河、阿尔卑斯山及庇里牛斯山。而其继续和法国作战的就只有英国、奥地利及撒地尼亚了。

拿破仑打败撒军及奥军

当法国督政官就职的时候，英国、奥地利及撒地尼亚还在和法国作战，当时法国的作战计划，在以一部分军队渡莱因河通过德意志南部而进攻维也纳，更以一部分军队越阿尔卑斯山通过义大利北部而进攻维也纳，指挥前一部分军队的是朱尔丹、摩鲁等人，指挥后一部分军队的是拿破仑。

拿破仑曾把英国人赶出了土伦，后来以督政官巴拉斯（Barras）叫他率兵保卫国民大会而打败暴动的王党，又露了头角。一七九六年的春季，拿破仑进攻义大利，他以迅雷不及掩耳的手段越阿尔卑斯山，并由萨窝那北进，逼迫撒地尼亚军队向吐林撤退，在六天里他连胜了六次。四月二十八日，拿破仑强迫撒地尼亚退出同盟并割萨伏衣及尼斯予法国。撒地尼亚既屈服，于是拿破仑沿着波河而前，又逼迫奥军向东撤退，而占领米兰，更由米兰东向追击奥军，并围攻曼都亚。接着在特棱特、亚尔柯勒、里伏利等地一再把奥军打败。到了一七九七年二月便攻克了曼都亚，占领了义大利北部所有的要塞。二月十九日，教皇庇厄斯第六（Pius Ⅵ）和法国缔结和约，割给法国一大部分领土并偿付赔款三千万法郎，其负担赔款的乃是义大利境内的其他各邦。

《卡波伏米奥条约》

拿破仑既在义大利打败并肃清了奥军，于是他越阿尔卑斯山直捣维也纳。一七九七年四月七日，前进的法军距离维也纳只在八十哩以外，手足失措的奥地利乃向法国求和，而在十八日和法国缔结《勒奥本（Leoben）预备和约》，并在十月十七日缔结《卡波伏米奥（Compo Farmio）条约》，把属地尼德兰割给法国，放弃伦巴底，同时允许帮助法国得到莱因河左岸的一大部分土地。此外，奥地利又承认了拿破仑在义大利北部所建立的西萨尔平共和国，这包括着米兰、摩德拿、教皇领土的一部分，以及威尼斯共和国领土的一部分，而威尼斯共和国的其余领土则归奥地利所有，惟奥地利不得干涉义大利其他地方的政治。

当拿破仑在义大利节节胜利的时候，朱尔丹和摩鲁所率领的两支法军在一七九六年秋季就败退到莱因河左岸。而法军在一七九六年冬季进攻爱尔兰的结果也完全失败。因此，从一七九六年到一七九七年的第一次义大利战争便特别提高了拿破仑在法国的地位，而使他成为近代法国的第一流军人。那时撒地尼亚和奥地利先后退出同盟，虽然英国还继续和法国作战，但第一次同盟已经解体了。

拿破仑征埃及

一七九七年十二月，拿破仑回巴黎。备受欢迎的他，已有推翻政府而自任元首的企图，但以时机还没有成熟，他一方面为着再立战功以博得人民的拥戴，一方面为着通过“大英帝国的神经中枢”埃及进攻印度而逼迫英国向法国求和，乃在一七九八年的春季提议法国远征埃及，这得到了督政部的同意。

一七九八年五月十九日，拿破仑率领军队三万人自土伦乘军舰向埃及出发。在夜间碰到英国海军上将纳尔逊（Nelson）所率领的军舰，幸而没有被发觉。七月二日，拿破仑在亚历山大里亚登岸就占领了它，二十二日，他又以金字塔一役占领了开罗。但法国军舰却在阿布吉尔港（尼罗河口的附近）被纳尔逊所指挥的海军完全消灭掉（八月一日），因此拿破仑的军队回到欧洲的一条路便断绝了。

当土耳其对法国宣战以后，拿破仑决定从陆上去进攻她，而在一七九九年的春季向叙利亚前进。三月六日，法军占领了扎发，二十日，他们开始围攻阿克尔，但不久为土军及英国海军所击退。六月十四日，拿破仑退回开罗。这时法军虽以战争及疫疠而有重大的死伤，可是他们的实力还能把在亚历山大里亚登岸的土军消灭掉。

第二次同盟

拿破仑的远征埃及，本来打算抽出法国的精锐部队而使督政部有大感狼狈的一天，然后他再回国做一个救国之士。这一点，拿破仑是料中了。我们在上面已经提过：和法国缔结《海牙条约》的荷兰，曾改称为巴达维亚共和国，并且拿破仑在义大利北部建立了西萨尔平共和国，此外督政部又使热那亚成了里格利亚共和国，使教皇领土成了罗马共和国，使那不勒斯成了巴撒诺比亚共和国，使瑞士成了赫尔维特共和国。这些共和国都环绕在法国的周围而隶属法国。她们之追随法国以及督政部之继续实行侵略政策，自使欧洲各国感受到威胁。而为消除共同的危险并在法国恢复布尔邦王朝起见，英国就在一七九八年的年底组织了反法的第二次同盟。参加同盟的有俄国、奥地利、葡萄牙、两个西西里王国及土耳其。更由于英国的巨大资助，第二次同盟的实力是不容轻视的。

一七九九年三月，第二次同盟在德意志西南部、上义大利及瑞士和法国开始了战争。由三月到八月底，联军的捷报频传。苏瓦罗夫（Suvorov）所率领的俄军和奥军既把法军赶出了义大利（只除去热那亚），而在荷兰登陆的英军又击溃了那里的法军，控制了荷兰的北部，跟着还合并了荷兰的全部海军。至于隶属法国的一切共和国也纷纷瓦解了。

拿破仑任第一执政官

在政治上异常腐败的督政部，再加上军事上的失败，更引起了法国人民的不满。拿破仑听到巴黎传来的这样消息，他以为果实已经成熟，当他丢掉军队，离开埃及，闪避着地中海上的英国军舰，而在一七九九年十月九日逃回法国的时候，正碰到大好的机会。一七九九年十一月九日到十日（雾月十八日到十九日），拿破仑利用民意而以武力推翻督政部，颁布新宪法，并在三个执政官里被任为第一执政官，借此来保护资产阶级自一七八九年以来所得到的果实。这时法国在名义上虽还叫做共和国，但在实际上却已开始军人独裁的时期，而促成拿破仑在军事上的胜利。

一七九九年的秋季，法国在军事上已开始得到胜利了。法军既在荷兰肃清了英军，又在瑞士打败俄军而逼迫他们撤退。同时苏瓦罗夫以得不到奥地利的支持，也在冲破法军的包围以后撤退了。奥地利对于俄军的态度，使得俄国在一七九九年十月召回军队并和她绝交。

拿破仑在当第一执政官以后，更明白法国在军事上继续胜利的重要。为着运用外交的手腕，拿破仑在耶稣圣诞节先写信给英王乔治第三（George III，一七六〇年——一八二〇年）及佛兰西士第二，表示和平的重要，而试探他们对于和平的态度。英、奥的答复都声明她们不愿对法国谈和。于是拿破仑又运用外交的手腕，使那反对英国占领马耳他岛的俄皇保罗第一（Paul Ⅰ，一七九六年——一八〇一年）退出同盟，并联合普鲁士、瑞典、丹麦等国组织武装中立同盟以抵制英国。当拿破仑在一八〇〇年十二月写信给保罗第一，提议和平友好，并得到保罗同意的时候，法、俄还决定了共同从陆上进攻印度而打击英国的计划。但这个计划后来以保罗被暗杀（一八〇一年三月二十三日）而没有实现。并且保罗的死以及纳尔逊在哥本哈根的胜利（一八〇一年四月二日）又破坏了那武装中立同盟。

《吕内维尔条约》和《亚眠条约》

一八〇〇年的春季，拿破仑率领法军越阿尔卑斯山到上义大利准备进攻奥军的主力，他在六月二日抵米兰，飞将军从天而下，奥军异常惊愕。拿破仑在恢复西萨尔平共和国以后，更向西前进。六月十四日，拿破仑在马仑哥一役里大败奥军，而完全恢复了法军在义大利的阵地。再继以十二月三日摩鲁在德意志南部荷恩林登的胜利，就又使得奥地利表示屈服。一八〇一年二月九日，拿破仑逼迫奥地利退出同盟而和法国缔结《吕内维尔（Lunéville）条约》，奥地利仍遵守《卡波伏米奥条约》的条件，并承认巴达维亚、西萨尔平、赫尔维特及里格利亚等共和国。

在一八〇一年到一八〇二年里，法国除和罗马教皇订立宗教条约以外，又和交战过的各国缔结了和约，就是英国也在一八〇二年三月和法国缔结《亚眠（Amiens）条约》。根据这个条约，英国除去锡兰和特里尼达而外，应放弃她在战争里所侵略的一切殖民地，同时法国承认伊奥尼七岛共和国。这乃是英、法在一七九三年到一八一四年的战争里所缔结的唯一和约。

新兴的资产阶级的法国和英国的旧矛盾及新矛盾，当然不会以《亚眠条约》而消除。法国和英国争夺殖民地的斗争，自拿破仑在法国独揽大权以后更加尖锐化。在埃及、印度、土耳其、波斯、阿富汗、西印度群岛、西班牙、葡萄牙，以及西、葡的美洲殖民地，差不多到处可以看出拿破仑的征服企图和英国的利益相冲突。因此，《亚眠条约》就只是英、法两国的暂时停战，她们在这个条约缔结以后都没有完全实行条约上的要求。并且英国对于拿破仑在欧洲的称霸和在殖民地的活动是不满的。

拿破仑恢复殖民帝国的企图

拿破仑在殖民地的活动，的确有恢复法兰西殖民帝国的企图。一八〇〇年，拿破仑在打败西班牙以后，要求西班牙政府把路易斯安那让给法国。美国和法国缔结了商约。一八〇二年，为着镇压在圣多明各岛上起义并宣布独立的黑人，拿破仑派军队三万五千人到那里去作战，结果黑人的首领杜撒特·鲁佛求尔（Taussaint L'Ouverture）被俘，并在一八〇三年死在法国的炮台里。但战事并没有因此而中止，杜撒特的部下在一八〇三年又起而反抗法军，而法军以有三分之二的人死于热带病，补充困难，终于败退。同时拿破仑为着准备和英国作战，又把路易斯安那卖给美国。

拿破仑虽以出卖路易斯安那而放弃了在北美恢复领土的企图，可是他还想再度占领埃及和叙利亚，而且他也没有忘掉印度。因此他除派人在土耳其、波斯等国活动以外，又派狄堪（Decan）到印度向英国索还《亚眠条约》上所规定的五个城市（笨第舍利等城）。同时，狄堪还负有把英国人赶出印度的秘密使命。但英国并没有退还城市，甚至又在一八〇三年五月对法宣战。

拿破仑称帝

一八〇二年，拿破仑以国民的表决成了终身执政官。一八〇四年三月十八日，法国宣布为帝国，而拿破仑就是“法国皇帝”的继承人，到了十二月二日，他在巴黎圣母院举行加冕典礼，称作法国皇帝拿破仑第一。并且拿破仑还把环绕在法国周围的共和国改为君主国，他使巴达维亚共和国成了荷兰王国，而命他的弟路易（Louis Bonaparte）当荷兰王国的国王，又使巴撒诺比亚共和国成了那不勒斯王国，而命他的哥约瑟夫（Joseph Bonaparte）当那不勒斯王国的国王，更使西萨尔平共和国成了义大利王国，而以自己为国王，以继子波哈拿（Eugéne Beauharnais）为总督，至于里格利亚共和国，义大利西北部的壁蒙特、热那亚等地则合并在法兰西帝国的领土以内。此外汉诺威、普鲁士、布伦斯威克及赫塞等地又划出了领土建立威斯特法里亚王国，也由拿破仑的弟舍洛麦（Jerome Bonaparte）统治她。一八〇八年，拿破仑在推翻西班牙的布尔邦王朝以后，便调他的哥约瑟夫当西班牙的国王，而以他的妹婿缪拉（Murat，他在一八〇六——一八〇八年是贝尔格大公国的统治者）当那不勒斯王国的国王。

拿破仑的侵略战争

在一七九四年七月二十七日以后，法国对外战争的性质已由民族解放的战争变为侵略的战争。这以拿破仑的实行军人独裁，建立帝国而变本加厉。列宁曾经说过："当拿破仑建立帝国来奴役欧洲大多数早已形成的、大的、有生存力的民族国家时，法国的战争就由民族战争变成帝国主义战争了，现在轮到她来引起反抗拿破仑帝国主义的民族解放战争了。"

不管拿破仑的企图恢复法兰西殖民帝国或称霸欧洲，他的战争主要的是在替法国资产阶级争取新市场。法国的胜利有利于法国商品的输出。一八〇九年当法国和奥地利作战的时候，拿破仑在写给一个大臣的信上说："必须利用我们进攻维也纳的时机，把法国的罗纱和瓷器运入奥地利，这些物品一直到现在都受高税率的压迫，我使得它们避免了关税而以最高限度推销于维也纳的各商店。”法国在一八〇一年到一八一一年的十年内输入义大利王国的商品，差不多不纳关税，并且增加了六倍。义大利的生丝只可以输入法国。此外拿破仑又以捐税、没收及公开掠夺的手段从附属国和半附属国搜括巨大的资本。这种“特别收入”在一八〇四年占有法国收入总额的七分之一以上。法国从一八〇七年到一八〇九年在占领普鲁士以后，征收普鲁士及其盟国的款项大概有十亿法郎之多。不用说，法国的军官和军队在战争里也以掠夺而发了财。

拿破仑只把战争看作得到胜利和实现个人野心的捷径，他的战争纵有进步的地方如动摇欧洲各国的封建制度，促成她们的改革和前进，并打开资本主义发展的道路而使得欧洲社会能由封建制度过渡到资本主义制度，然而这并不是他的企图，而只是势所必至的结果罢了。

第三次反法同盟

拿破仑的战争既重在替法国资产阶级争取新市场，

因此英国就成了他的主要敌人。而英、法资产阶级在商业及殖民事业上的争霸便是两国冲突的真正原因。英国的工商业，大大超出于法国以上，她要努力维持海外市场及海上势力。法国援助北美的英属殖民地的革命（一七七八年——一七八三年），英国固未尝忘掉，而英国还防备法国恢复她在十八世纪里失去的殖民地和商业地位。拿破仑在比利时、荷兰、莱因河流域、义大利全部乃至西班牙等国扩张势力之影响英国的商业，以及他的殖民计划之威胁英国的殖民事业，都使得英国发生重大的恐慌，何况英国输入法国领土的商品又要纳巨额的关税。所以，为着达到最后胜利的目的，英国不但在一八〇三年重新对法宣战，而且在一八〇五年又组织了反法的第三次同盟，这特别是由于庇特的外交所致。庇特既借英国的金钱要求俄国加入同盟，而奥地利也以防止法国在义大利的发展而参加了同盟，同时参加的还有瑞典。庇特又要求普鲁士加入同盟，但普王腓特烈·威廉第三（Frederick William III，一七九七年——一八四〇年）胆小而犹豫，不敢加入。虽然拿破仑要把汉诺威让给普鲁士，普王也不敢和拿破仑合作，因此普鲁士就宣布中立。

法国的盟国有西班牙，而巴伐利亚和瓦尔腾堡也以畏惧奥地利而和法国缔结了同盟。当英国又对法国宣战以后，拿破仑是愿意作战的，他明白法国要摧毁英国才能贯彻他在大陆上的计划，贯彻他的殖民计划及商业计划。为准备进攻英国起见，拿破仑占领了汉诺威，封锁了从汉诺威到奥特兰多的海岸，禁止英国船入口。而且拿破仑除要求西班牙及荷兰等国供给军队或资助军饷以外，并派兵驻布伦，在英吉利海峡的东岸调集舰只，训练士兵。同时英国一方面调集舰队在英吉利海峡布防，捕获西班牙从美国开来的货船，一方面组成第三次同盟以图打倒拿破仑。但以组织的松懈和同盟国的自私，第三次同盟在一八〇五年的年底以前就被拿破仑击溃了。

一八〇五年八月二十七日，拿破仑在第三次同盟的联军还没有进攻法国以前，就中止了入侵英国的准备，而令驻在布伦的法军转向德意志南部前进，企图先以迅雷不及掩耳的手段攻打奥军。

《普勒斯堡条约》

拿破仑扬言把他的军队集中在斯特拉斯堡附近，

当奥地利的一个司令麦克（Mack）率兵到乌尔穆阻止法军前进的时候，法军已在斯特拉斯堡的北面由马因兹及科不林斯等地绕道到奥军的后方，而在十月十四日占领慕尼黑，并在二十日把奥军围于乌尔穆，逼迫奥军六万余人全部投降。跟着法军又沿多瑙河而下，所向披靡，他们在十一月十三日就占领了维也纳。佛兰西士第二既北遁求援于俄军，于是法军也北向进击俄、奥联军。十二月二日，他们在奥斯特里兹一役里对联军获得了决定性的胜利。这就是拿破仑的一次最光荣胜利，也就是历史上的最大决战之一。因此，俄国和法国签订停战协定而撤兵，而奥地利乃不得不退出第三次同盟，在十二月二十六日缔结《普勒斯堡（Pressburg）条约》，承认拿破仑是义大利的国王，除偿付巨大的赔款以外，并割让威尼西亚及伊斯特里亚、达尔麦迪亚等地。此外奥地利又须把提罗尔割给巴伐利亚，把其他领土割给瓦尔腾堡和巴敦（巴伐利亚和瓦尔腾堡都被拿破仑改为王国）。甚至佛兰西士第二还须正式取消神圣罗马帝国皇帝的称号，他在一八〇六年八月六日退位，只称为奥地利皇帝兼匈牙利王，从此一千八百年来的神圣罗马帝国就亡掉了。

第四次反法同盟

一八〇六年，英国和俄国组织了反法的第四次同盟，除瑞典外，就是普鲁士也加入了。拿破仑之拒绝撤退德意志南部的法军，以及汉诺威转让问题之发生波折（汉诺威本暂由普鲁士统治，拿破仑既答应把它让给普鲁士，同时又向英王乔治第三表示把它交还英国），都逼得普鲁士在一八〇六年十月一日冒险对法宣战。但到了十月十四日这一天，拿破仑既在耶拿击溃了普军，同时旦佛（Davoust）又在奥埃尔斯塔特打败了他们，一天以内两次有决定性的战斗就一下子把普军歼灭掉。因此法军便在十月二十七日长驱而入柏林，普鲁士的大部分领土都入他们的手了。

普王腓特烈·威廉第三逃到俄国的边境。拿破仑也在一八〇六年十一月由柏林向波兰前进，准备和俄军一战。法军经过了两次和俄军的激烈战斗（在勃尔杜斯克和埃伊牢）以后，终于在一八〇七年六月十四日以弗里德兰一役而打败了他们。

《铁尔西特条约》及其他

一八〇七年六月二十五日，拿破仑和俄皇亚历山大第一（Alexander Ⅰ，一八〇一年——一八二五年）会于尼门河的木筏上，商讨法、俄、普三国间的《铁尔西特（Tilsit）条约》，七月七日，亚历山大签订了这个条约，并宣布退出同盟，承认法国所侵略的一切土地，且和法国缔结同盟以反英。同时拿破仑除和亚历山大计划进攻印度及大部分的亚洲以外，并允许亚历山大可夺取瑞（瑞典）属芬兰以及土属摩尔达维亚和华莱启亚。此外法国和普鲁士也签订了和约。

《铁尔西特条约》使普鲁士丧失了易北河左岸的土地，丧失了波森及但泽，并须把军队裁减到四万人。普鲁士所放弃的波兰属地建立了华沙大公国，那和拿破仑共同作战的萨克森选侯不但得到了王号，而且当了华沙大公国的君主。拿破仑在一八〇六年七月十九日所建立的莱因河同盟（参加同盟的有巴伐利亚、瓦尔腾堡、巴登及其他十三邦，她们都奉拿破仑为保护者，并出六万三千人充作拿破仑的军队），经过他在一八〇七年到一八〇八年完全控制了德意志以后就更加扩大而巩固了。

普鲁士的失败和俄国的屈服，使得法国的敌人只剩下英国和瑞典两国，而且法国在进攻瑞典的时候还可以得到俄国和丹麦的帮助。在一八〇八年的年初，俄军不宣而战，突然进攻芬兰，同时丹（丹麦）军也假道挪威进攻瑞典，瑞（瑞典）王革斯塔夫第四（Gustav Ⅳ，一七九二年——一八〇九年）以得到英国的援助击退了丹军，但芬兰（和亚兰德群岛）却以战败而被瑞典割给俄国（瑞典在一八〇九年和俄国缔结了《腓特烈汉［Friedrichsham］条约》）。再经过俄国的调停，瑞典又和法国缔结了《巴黎条约》，同意抵制英货输入她的商埠，并因此保存了她的波麦拉尼亚。《腓特烈汉条约》和《巴黎条约》，都是代替革斯塔夫第四的瑞典新王查理十三（Charles ⅩⅢ，一八〇九年——一八一八年）缔结的。查理十三年老而没有儿子，拿破仑的将领伯拿多泰（Bernadotte）就被选为他的继承人，因此瑞典的军队和外交便又受拿破仑的支配。

特拉法加一役

至于英国却远非瑞典所可比了。一八〇五年六月，英国将军卡尔德（Calder）在比斯开湾打败了法国舰队。虽然法国陆军在一八〇五年十月二十日大败了奥军，可是胜利后的第一天（二十一日），纳尔逊所率领的英国海军却又在特拉法加海角摧毁了法国和西班牙的联合舰队，纳尔逊的死于是役毕竟使法国海军因此而一蹶不振。特拉法加一役不但使拿破仑放弃了在英国登陆、直接进攻英国的企图，而且英国还毫无顾虑的占领荷兰、西班牙等国的殖民地，如荷兰的锡兰、基亚那、南非及西班牙的特里尼达、洪都拉斯等是。

大陆制

拿破仑既放弃入侵英国的企图，乃转而努力破坏英国的工商业，以逼她求和。当拿破仑在一八〇六年十月战胜了普鲁士以后，到了十一月二十一日就在柏林下了一个命令，宣布封锁英伦三岛。欧洲大陆各国凡是附属法国的都不得和英国通商；凡寄到英国或用英文写成的书信及包裹，都禁止邮递；凡法国及其盟国的海港，都不许由英国或其殖民地开来的船只入口；而英国一切的商品和商船则都在没收之列。拿破仑以为有了柏林命令就可以缩小英国的市场，而重重打击到英国的工业和商业，使英国因此而发生工人失业、经济恐慌及严重的社会问题。这便是所谓大陆制或大陆封锁制的根据。事实上，大陆制在督政部及执政政府的时期就已开始了。

法国所有的公国和盟国都参加了大陆制。俄、奥联军在奥斯特里兹的失败既使庇特绝望而死，而大陆制的雷厉风行也特别增加了英国的经济困难。为着抵制拿破仑的大陆制命令，英国政府的要人如卡斯尔累（Castlereagh）和卡宁（George Canning）等人也下了枢密院令（一八〇七年一月到十一月），宣布一切和法国或其盟国通商的船只英国都要捕拿，而中立国的船只在某种情形下一定要到英国的海港停泊。不过，虽然英国以其海上霸权而较易于实行枢密院令，但这在中立国却有困难。如丹麦就主张严格维持她在政治上及商业上的自由，因此她在一八〇七年自英国远征军炮轰哥本哈根并攻击她的海军以后，便和拿破仑缔结同盟以抗英。此外美国也以受拿破仑的大陆制之惠而反对英国的枢密院令，美、英两国的恶感甚至引起了一八一二年的战争。并且拿破仑又继续下了华沙命令（一八〇七年一月）、米兰命令（一八〇七年十二月）及芬泰奈布罗命令（一八一〇年十月）来加强封锁的力量。米兰命令规定一切商船凡是由英国海港、英国殖民地或英军所占领的国家开来，或开到这些地区的，法国的战舰或私掠船都要捕拿；芬泰奈布罗命令规定英国的一切商品凡是在附属法国的国家发现的，都要没收或公开焚毁。显然的，拿破仑之厉行大陆制，这正是法国资产阶级所需要的，他甚至实施对殖民地商品的禁止税，以图破坏英国的商业。

拿破仑一方面借《铁尔西特条约》要求俄、普两国抵制英货入口，一方面在法兰西帝国、义大利王国、莱因河同盟及华沙大公国注意他的命令的实行。同时帮助他厉行大陆制的还有那不勒斯王国的约瑟夫，荷兰王国的路易，威斯特法里亚王国的舍洛麦及突斯加尼的爱列斯（Elise）。而瑞典的抵制英货又使大陆制扩大到斯坎的纳维亚半岛的一切海港。为着使教皇领土实行命令，拿破仑不惜和教皇庇厄斯第七（Pius Ⅶ）发生冲突，并且在一八〇九年正式把教皇领土并入法兰西帝国。一八一〇年，荷王路易以允许英货输入的原故为拿破仑所废，而荷兰及德意志北部（包括布累门、汉堡及吕伯克等地）也被并入了法兰西帝国以内。

法军侵入葡萄牙和西班牙

而且拿破仑特别注意的是葡萄牙和西班牙抵制英货的态度。自一七〇三年的《麦撒恩（Methuen）条约》成立以后，葡萄牙和英国保持着密切的商业关系，而法国的商品则显受她们的排斥。企图破坏英、葡商业关系的拿破仑，在一八〇一年就要求西班牙进攻葡萄牙，而强迫她取消《麦撒恩条约》，并采取反英的态度。到了一八〇七年十月，拿破仑更进一步的要求仍和英国来往的葡萄牙对英宣战，并逮捕葡萄牙境内的一切英侨，没收他们的财产。葡萄牙只允许宣战。拿破仑在和西班牙缔结分割葡萄牙的条约以后，便派居诺（Junot）率兵向葡萄牙进攻。十一月十九日，法军侵入葡萄牙，在十二月一日占领里斯本，并宣布葡萄牙实行大陆制。惟葡萄牙的王室已由英国舰队护送到她的殖民地巴西（十一月三十日）。

拿破仑并不以占领葡萄牙为已足，他借口对葡作战，继续使法军开到西班牙，而企图占领伊伯利安半岛的全部。一八〇八年三月二十三日，法军占领马德里。但西王查理第四（Charles Ⅳ，一七八八年——一八〇八年）已以人民反对其宠臣哥多伊（Godoy）而暴动，在十九日被迫退位，由太子斐迪南第七（Ferdinand Ⅶ）接着做了国王。拿破仑利用西班牙王室的纠纷，以欺骗的手段召查理·斐迪南及哥多伊等人相会于贝约拿，而强迫查理父子都放弃王位。此后查理就退居罗马，而斐迪南则在泰里兰（Talleyrand）的别墅过着俘虏生活。六月六日，拿破仑命他的哥约瑟夫当西班牙的国王。七月二十日，约瑟夫到了马德里，实行大陆制。

西班牙抗法和半岛战争

但拿破仑的占领西班牙却引起了西班牙人民的反抗，这是民族解放斗争开始的一个信号。

西班牙的人民反对法国的占领，反对法国干涉他们的内政，为着争取西班牙的独立，他们甚至以武装力量来反抗法国的侵略者。农人和手工业者组织了游击队，在全国各地进行反法的斗争，就是教士也是同他们一致的。西班牙的民众不但在七月二十三日包围了贝伦，并俘获法军一万七千人，而且在各省成立了革命议会。八月一日，约瑟夫逃出了马德里，而法军也向庇里牛斯山撤退。

同时葡萄牙也发生了反法的武装斗争，一向煽动欧洲各国反抗拿破仑的英国，立刻抓住了这个机会，派威利斯莱（Wellesley——后称惠灵吞公爵［Duke of Wellington］）率远征军去援助葡萄牙，而开始了所谓半岛战争。八月底，法军退出葡萄牙，英军在到葡萄牙的三个星期内就占领了葡萄牙全境。并且马德里的法军也被赶走了。

一八〇八年十一月五日，拿破仑亲率大军十八万人进攻西班牙。西班牙的军队也许有十万人，但饷械缺乏，挡不住拿破仑的精兵良将。马德里到了十二月五日又告陷落；约瑟夫恢复了他的王位。惟西班牙人仍进行反法的斗争。其表现得特别英勇的是萨拉加塞的居民，法军经过两次的围攻（第一次从一八〇八年六月到八月，第二次从一八〇八年十二月起），才在一八〇九年二月二十八日占领了萨拉加塞。

在一八〇九年的一年里，西班牙人、葡萄牙人和英国人合作来抵抗法国人。虽然法国人在一八一〇年的年初克服了西班牙的大部分，可是侵略者却绝不能使富于爱国心的西班牙人完全屈服，甚至拿破仑就在西班牙留下二十五万法军也不能达到目的。西班牙的游击队是常使法军和约瑟夫不安的。

第五次反法同盟及奥国的又一次屈服

英国一方面援助西班牙和葡萄牙，一方面在一八〇九年又组织了反法的第五次同盟。由于二十五万法军留在西班牙，以及英国准备援助任何反法的国家，企图复仇的奥地利也参加了这次同盟。但俄国则以拿破仑和亚历山大第一的埃尔伏特（Erfurt）会谈（一八〇八年九月二十七日到十月十四日）而维持中立。至于法国的盟国则为莱因河同盟，德意志的公国，以及萨克森人和波兰人。

奥地利在一八〇五年及一八〇六年失败以后，曾改革军队，准备复仇的战争，并在一八〇九年四月九日冒险对法宣战。十日，查理（Charles）大公爵率领奥军进攻巴伐利亚。拿破仑急引兵东进，在巴伐利亚打败了查理的军队，在一个星期内逼迫他退回维也纳。但从五月二十一日到二十二日的战斗里，拿破仑却在维也纳下部多瑙河畔的阿斯本被查理打败了。并且拿破仑的失败还引发了提罗尔农人的起义。就是在德意志北部也爆发了反抗拿破仑的民族战争，惟孤军奋斗，他们终于被法军各个击破。

奥军其实也是孤立无援的，从七月五日到六日，拿破仑又大败奥军于瓦格拉姆，强迫奥地利在十月十四日缔结《维也纳（Vienna）条约》（或称《勋布隆［Schönbrunn］条约》），根据条约上的条款，把加里西亚西部割给华沙大公国，把加里西亚东部割给俄国，把提罗尔和上奥地利割给巴伐利亚，并且把的里雅斯特和伊利连各省割给拿破仑。奥地利一共失去四百五十万的人口，偿付赔款八千五百万法郎，并须把军队裁减到十五万人，更不得和英国通商。奥皇佛兰西士第一（就是以前的神圣罗马帝国皇帝佛兰西士第二，自一八〇六年以后，他改称此名）在一八一〇年四月又把他的女儿路易莎（Maria Louisa）大公主嫁与拿破仑（他已和皇后约瑟芬 [Josephine] 离婚）。一八一一年，路易莎生了一个儿子，称为罗马王。

普鲁士的改革

自民族解放斗争在西班牙开始以后，这才影响到奥地利，更影响到普鲁士。从一八〇一年的《吕内维尔条约》到一八〇七年的《铁尔西特条约》，法国既合并了莱因河左岸的德意志小邦九十七邦（同时莱因河右岸的小邦被大邦合并的有一百十二邦），又获得了普鲁士三分之一的领土。法国侵略者的强迫推行法语，严厉征兵抽税，以及极端推行大陆制，都唤起了德意志人民的民族意识，鼓动了他们反抗法国的情绪，尤其是普鲁士。

从一八〇七年到一八一三年，普鲁士在政治、经济、教育及军事上实行了种种改革，其在政治经济上从事改革的有须太因（Stein）和哈登堡（Hardenberg），其在教育上从事改革的有菲希特（Fichte）和赫姆波尔特（Humboldt），其在军事上从事改革的有沙恩浩斯特（Scharnhorst）和格努塞诺（Gneisenau）。但须太因和哈登堡对于农人问题的解决都是不彻底的，而哈登堡则更不彻底。一八〇九年，拿破仑以反对普鲁士的改革，而强迫普王腓特烈·威廉第三把须太因撤职，并逐出于普鲁士以外。惟离开普鲁士的须太因不但煽动奥地利的人民反抗拿破仑，且到俄国劝俄皇反对他。而且普鲁士的继续改革以及菲希特和阿恩特（Arndt）等人的宣传，也不是拿破仑的压迫所能奏效的。沙恩浩斯特在一八一一年也以拿破仑的要求而被免职，可是他到一八一三年却又复职了。

普鲁士八年来的改革却替一八一三年的民族解放斗争做了准备工作。并且德意志其他各邦也同时实行了一些改革，这显出她们也在做民族解放的准备。

西班牙的改革

当普鲁士日益反对法国压迫的时候，西班牙仍以武装力量继续反抗着侵略者。一八一二年，惠灵吞所率领的英、西联军在萨拉曼加大败了法军，收复马德里，而把约瑟夫和法军赶到瓦棱西亚去。同时许多西班牙的自由主义者也集合在加的斯替未来的西班牙草成宪法。西班牙从一八〇八年到一八一三年的改革不但使西班牙人坚决走着民族解放的道路，甚至推动了西班牙的南美殖民地的独立斗争。

大陆制的失败

法国或法兰西帝国虽在一八一一年有了一百三十个省和七千五百万人民（三倍于革命前法国的人民，而将达当时欧洲人口的一半），但国内及国外的困难却不断增加。法国在一八一〇年到一八一一年所发生的工商业危机，使得她的对外贸易总额由七万万零五百万法郎降低到六万万二千七百万法郎。这一部分由于物价昂贵和原料不足（尤其是棉花），一部分由于市场缩小而为英国的走私及法国附属国的捣乱所促成。更由于英国的反封锁，法国的商港马赛，波耳多及德意志，荷兰的商港都遭受了重大的打击。拿破仑的大陆制的失败不仅增加了法国人民的不满，同时还使得法国资产阶级离开了他。而且除英国及法国附属国破坏大陆制外，就是法国的盟国俄国也以需要英国输入的商品而不愿继续实行大陆制，甚至俄国在拿破仑看来却同英国一样的成了他企图建立的世界君主制（在法国支配下）的主要敌人。拿破仑在一八一一年说：“再过五年我将是世界的主人，现在只剩下一个俄国，可是我将踏碎她。”即此已可见一斑了。

《圣彼得堡条约》和《布加勒斯特条约》

老实说，拿破仑固然要“踏碎”俄国，而亚历山大第一对于拿破仑的不满也与日俱增。《铁尔西特条约》的缔结，亚历山大就以为这有助于拿破仑统治西欧和中欧，而增加自己对付瑞典、波兰及土耳其等国的困难。华沙大公国之建立而成为法兰西帝国在东方的前哨，拿破仑之废黜俄国皇室在奥尔登堡公国的亲属而把公国合并于法兰西帝国以内，以及他的和路易莎结婚而巩固法、奥关系，更增加了亚历山大的不满。而拿破仑之强迫瑞典和英国作战（一八一〇年——一八一二年），反使亚历山大在一八一二年四月和瑞典签订《圣彼得堡（St. Petersburg）条约》以巩固俄国的右翼，并且他在五月又和土耳其签订《布加勒斯特（Bucharest）条约》以巩固俄国的左翼，跟着瑞典在七月也和英国缔结了和约。俄、瑞、英的联合以及俄、土的媾和都显然是准备对付拿破仑的。

拿破仑攻俄

而亚历山大的断然放弃大陆制却更成了法、俄冲突的导火线，因为这在拿破仑是丝毫不能忍受的。一八一〇年十二月十九日，亚历山大就对法国输入俄国最多的奢侈品如丝织品、天鹅绒及酒等颁布命令，征收禁止税。而拿破仑自一八一〇年起也开始准备对俄的战争。在一八一二年的年初，拿破仑便同亚历山大一样的准备巩固法军的两翼，他的岳父奥皇允许出兵三万人保卫法军的右翼，同时普王被迫允许法军假道进攻俄国，并答应出骑兵二万人保卫他们的左翼。不过拿破仑拉拢瑞典参战的活动却失败了。同时和瑞典签订协约的亚历山大，也以允许瑞典取得丹属挪威而要求德意志北部瑞军的援助。

拿破仑所率领的四十二万远征军，包括着法国人及德意志人、义大利人、波兰人、荷兰人、瑞士人，他们在一八一二年六月二十三日、二十四日没有宣战就渡过尼门河而攻入俄国。俄军只有二十四万人。陶利（Tolly）所指挥的俄军不战而退，诱敌深入。法军节节进逼，占领了斯摩棱斯克。八月二十九日，苏瓦罗夫的学生库图索夫（Kutuzov）代替了那以不抵抗而受指摘的陶利。九月七日，库图索夫在波罗的诺大举反攻，他率领俄军十二万零八千人和拿破仑的军队十八万五千人进行血战，结果双方损失都很大，而英勇的俄军在损失五万八千人后才又撤退，但仍保存着战斗力而准备决战。当拿破仑在十四日进莫斯科的时候，他的军队经过疾病、逃跑及战争的损失只剩下十万人。

拿破仑在俄国的失败

当拿破仑占领了莫斯科以后，俄国的人民就替他造成一种严重的灾难，而在莫斯科放了一把大火，把大部分的建筑物品和粮食烧个精光。莫斯科的焚毁乃是俄国人起而反抗法军的一个信号，他们不分阶层，踊跃参加游击队，而给库图索夫的军队以很大的援助，尤其是农人。

拿破仑既怕俄国农人的暴动，又怕俄国游击队的袭击，而库图索夫的军队退避在莫斯科附近的也常常威胁他，因此不得不在十九日离开莫斯科而开始沿着旧路从俄国撤兵。

由于俄国军队和游击队的追击，再加上饥饿和严寒的交迫，拿破仑的“大军”终于碰到了毁灭的惨剧。拿破仑是在十二月十八日先逃回巴黎的，当他的残军败将在同时再渡尼门河的时候，仅仅剩下二万人到二万五千人左右。英勇的俄国人毕竟打垮了当时欧洲最强大的军队，保卫了民族的独立，而且引起了欧洲民族解放斗争的高潮。

第六次反法同盟

拿破仑在俄国大败的消息传遍了欧洲以后，这不但影响到西班牙，同时还影响到德意志和奥地利。当拿破仑进攻俄国的时候，普鲁士所供给的军队是由约克（York）率领的，他并没有同拿破仑一样的陷入失败的命运。而拿破仑一从俄国败退，约克就首先背叛他而同穷追到德意志边境的俄军联合在一起。由于约克的行动以及普鲁士一些军人和政治家的压迫，腓特烈·威廉第三乃在一八一三年二月三日下令号召普鲁士人民组织义勇队，并在二十八日和俄国缔结《卡利什（Kalisch）条约》，成立攻守同盟，俄国并允许打败拿破仑后恢复普鲁士在一八〇六年的领土。三月十七日，普鲁士对法宣战，开始了“解放战争”。同时反法的第六次同盟又宣告成立，而参加这次同盟的除普鲁士、俄国、英国外，还有瑞典、西班牙及葡萄牙，就是不愿完全打垮拿破仑的奥地利，到八月十二日也参加了。

三月二十七日，俄军和普军占领萨克森的首都德勒斯登。过了四月底，拿破仑率领新军十八万人到萨克森进攻普、俄联军，五月二日，他在吕层打败了他们，重新占领了德勒斯登。到了二十日及二十一日，拿破仑又在宝层和窝尔勋打胜了。

奥地利在拿破仑和同盟国之间曾作一度的调停，她提议建立欧洲的一般和平，而其条件则为普鲁士的重建，俄、普、奥的再分华沙大公国，奥地利的收复伊利连各省，莱因河同盟的解散，以及汉堡和吕伯克两地的解放。但这遭受到拿破仑的拒绝。因此，奥地利在八月十二日也对法宣战了。

拿破仑在德意志的失败

同盟国都受英国的资助，她们有三军：一军驻在波希米亚，其中包括奥军二十五万人，由什瓦采堡（Karl Philipp Schwarzenberg）指挥，一军驻在西利西亚，其中包括普军及俄军十万人，由布吕谱尔（Blücher）指挥，一军驻在柏林附近，其中包括瑞典军、普军及俄军十万人，由瑞典太子伯拿多泰指挥；此外预备队还有三十万人。而拿破仑则集中新军四十万人来对付同盟国。八月二十六日及二十七日，拿破仑在德勒斯登大败什瓦采堡所率领的奥军，这是他在德意志最后一次的大胜，同时他的将领却都打了败仗。从十月十六日到十九日，拿破仑和联军在莱比锡进行决战，当时联军有三十万人，拿破仑的军队只有十七万人，在先后三天的战斗里，萨克森及瓦尔腾堡的军队又背叛拿破仑而加入联军一方面，结果拿破仑大败，他损失了六万五千人，而联军则损失了六万人。这就是历史上所谓“列国之战”。

拿破仑又在德意志失败了，其首先因而瓦解的就是莱因河同盟。威斯特法里亚王舍洛麦被迫逃出了卡塞尔，这意味着威斯特法里亚王国的终结。并且贝尔格大公国及法兰克福大公国也沦入了和威斯特法里亚王国相同的命运。荷兰人起而把国内的法军赶走。奥地利收复提罗尔和伊利连各省，并占领威尼西亚和瑞士。就是那不勒斯王缪拉，也背叛拿破仑而和奥地利成立协定，以图把王位保留住。此外丹麦则以《基尔（Kiel）条约》（一八一四年一月十四日）而把挪威割给瑞典，同时她得到了瑞属波麦拉尼亚西部和卢根。至于得到惠灵吞援助的西班牙人，又在一八一三年肃清了法国的侵略者。

拿破仑坍台

在一八一三年的年底，同盟国还企图和拿破仑媾和，而以法国保存她的“天然国境”（以莱因河、阿尔卑斯山及庇里牛斯山为界）为条件，但又遭受到拿破仑的拒绝。到了一八一四年的年初，联军四十万人便分三路侵入法国的北部，而以进攻巴黎为目标。布吕谐尔所率领的德军到了南锡，什瓦采堡所率领的奥军到了巴塞尔和纽布勒沙哈的南面，而伯拿多泰则在比利时集合瑞典人、荷兰人及普鲁士人组成北路军。三月十二日，波耳多不满大陆制的资产阶级，把波耳多送给从西班牙侵入法国南部的英军，因此在陀罗附近又有第四路军出现，从南路威胁着法国。而且在威尼西亚和伦巴底还有一部分奥军或第五路军在威胁着法国。

在一八一四年年初，拿破仑还把联军打败了几次。他在二月如肯和同盟国媾和，仍可保存着法国在一七九二年的国境。然由于拿破仑自己的始终醉心胜利，而法国又精疲力尽，以及英、俄、奥、普四国的缔结《硕蒙（Chaumont）条约》（三月九日）而加强作战到底的决心，再加上泰里兰（曾任拿破仑的外交部长，在一八〇七年被免职）所指挥的背叛者的混进法国政府，俄皇亚历山大第一和普王腓特烈·威廉第三所率领的联军，终于在三月三十一日攻入了巴黎。四月一日，泰里兰领导下的法国新政府成立，六日，拿破仑退位，同盟国允许他住在厄尔巴岛上仍用帝号，并由法国给他二百万法郎的年金。五月四日，拿破仑到了厄尔巴岛。拿破仑的坍台促成法国布尔邦王族的复辟，但法国资本主义制度并没有因此而被推翻掉。

拿破仑的重握政权和第七次同盟

一八一四年五月三十日，法国和英、俄、奥、普四国签订第一次《巴黎条约》，恢复布尔邦王朝及一七九二年的国境。但路易十八（Louis XⅧ，一八一四年——一八二四年）在即位后的不满人意，同盟国在维也纳会议（一八一四年九月）里的不能一致，却又引起了拿破仑重握政权的野心。一八一五年三月一日，拿破仑逃出厄尔巴岛，回到法国。二十日，他占领巴黎，赶走了路易十八。

拿破仑的重握政权，立刻使得同盟国又一致对法，并由英、俄、奥、普等国组织了反法的第七次同盟。为着实现英、俄、奥、普四国打倒拿破仑的宣言，联军七十万人分六路向巴黎前进。而拿破仑的军队则仅有二十六万人。一八一五年六月十二日，拿破仑由巴黎向比利时前进，其目的在使联军分散而各个击破。

拿破仑的最后失败

六月十四日，拿破仑越过比利时的边境，打败了戚腾（Ziethen）所指挥的普军。十六日，他又打败了布吕谐尔。同时惠灵吞所率领的联军（包括英国人、汉诺威人、荷兰人及德意志人）已在集中。十八日，拿破仑率兵到滑铁卢进攻惠灵吞的军队，但惠灵吞终以布吕谐尔的来援而完全击溃了法军。此外又和拿破仑联合的缪拉也在五月二十二日被奥军赶出了那不勒斯。这便是拿破仑的最后失败，而他的第二次统治就仅仅延长了一百天。

六月二十二日，拿破仑第二次退位。七月七日，联军以法国临时政府的投降再度占领了巴黎，而路易十八就在八日回巴黎重登王位。拿破仑后被英国流放在大西洋南部的圣海伦岛，一八二一年五月五日死。

英国在拿破仑时代里所得的胜利，不但使她摧毁了法国在政治及经济上对欧洲大陆的领导权，而且使她加强了本国在海上及商业上的优势，并夺得了法国、荷兰及西班牙的殖民地。此外俄国也夺得了芬兰、波兰及土耳其的领土而把国境扩大到普鲁斯河。

第四章　从维也纳会议到威罗纳会议

维也纳会议

我们在上面已经提过，法国曾在一八一四年五月签订第一次《巴黎条约》。但由于重视奥地利的功绩和奥地利首相梅特涅（Metternich）的活动，维也纳却被选为一个重大国际会议的地点。欧洲比较重要的问题，如拿破仑所合并的别国领土或他所建立的与国之处置，都是留待维也纳会议解决的。因此，第一次《巴黎条约》的第三十二条就有这样的规定："凡加入战争的国家，无论属于那方面，都应在两个月内派遣全权代表到维也纳开会，议决一切完成本条约规定的必要协定。"惟和约既已在巴黎缔结，所以维也纳会议并不是一个和会。同时同盟国虽允许法国出席这个会议，但不承认她是普通的一分子。而且同盟国还秘密规定这个会议的重要分子至多是和法国缔约的英、俄、奥、普、瑞、西、葡七国，甚至她们以后又把英、俄、奥、普等四国规定为最重要的分子。所谓名副其实的维也纳大会绝没有正式开过一次。不过在维也纳会议举行的时候，法国代表泰里兰却利用这四国的矛盾而使四强会议在事实上成了英、俄、奥、普、法五强会议，至于出席会议的其他国家就不过根据五强的协议再规定一下罢了。

第一次《巴黎条约》的第三十二条固规定维也纳会议须在两个月内开会，可是各国的代表在一八一四年九月十三日才一齐到了维也纳。君主出席维也纳会议的有六个人：俄皇亚历山大第一，奥皇佛兰西士第一，普王腓特烈·威廉第三，以及丹麦、巴伐利亚、瓦尔腾堡的国王。外交使节出席维也纳会议的有奥地利的梅特涅，英国外交部长卡斯尔累和惠灵吞，普鲁士的哈登堡和赫姆波尔特，俄国的沙杜里斯基（Czartoryski）和尼塞尔洛德（Nesselrode）等人，以及法国的泰里兰。会议里的五巨头是梅特涅，亚历山大，腓特烈·威廉，卡斯尔累和泰里兰。而梅特涅，亚历山大和泰里兰则为更重要的巨头。

维也纳会议可算是欧洲反动派胜利的一个会议。参加这个会议的外交家和政治家，都着重在分配同盟国的胜利品，恢复欧洲的均势和旧秩序，并消灭法国大革命的民主原则。他们只注意王室或统治者的利益，不注意人民幸福和民族主义。

当维也纳会议举行以后，同盟国的不能一致，发生了不少的困难，一直到拿破仑由厄尔巴岛逃回法国的时候，她们才感觉形势严重，而求互相让步，趋于一致。维也纳会议的最后决议是在一八一五年六月九日（滑铁卢一役前的十日）签订的。

参加维也纳会议的外交家和政治家既有了一定的目的，所以这个会议的主要企图，就在恢复法国大革命及拿破仑时代以前欧洲各国的领土和王朝，同时英、俄、奥、普四强则以胜利品的分配来造成她们的新均势。不过，这在四强之间并不是没有矛盾的，而其冲突的焦点则表现在波兰问题及萨克森问题两方面。

英、奥、法阵营对抗俄、普阵营

本来俄国想占领波兰的全部，她根据一八一三年二月二十八日的《卡利什条约》认为她可以自由处置波兰，而要求把华沙大公国和俄属波兰合并起来建立一个王国，由她统治。俄国的要求得到了普鲁士的赞助，但普鲁士同时以萨克森国王效忠于拿破仑应受处分，也就要求把萨克森的全部合并于她的领土以内，这样她便可以把波兰的一部分让给俄国。俄国及普鲁士两国的计划遭受到英国和奥地利的反对，因为卡斯尔累固不愿俄国过于强大而西进，梅特涅也不愿俄国占领加里西亚及克拉科和维斯杜拉河的一线（华沙大公国的一部分如加里西亚西部本来就是奥地利的），又不愿普鲁士合并萨克森而日益强大。因此，维也纳会议里的四强便分成两个对立的阵营，俄、普站在一个阵营里，而英、奥又站在另一个阵营里。甚至亚历山大第一在一八一四年十月二十二日还对泰里兰说："在华沙我有二十万兵，让她们来赶出去罢，并且我已把萨克森给了普鲁士。"即此已可见两个阵营之间剑拔弩张的一斑。而四强的矛盾便是狡猾的泰里兰认为可以利用的一个大好机会。

由于阻止俄国的合并波兰以及普鲁士的合并萨克森，泰里兰就经英、奥的拉拢而站在她们的阵营里来反对俄、普的阵营。他不但因此便破坏了英、奥和俄、普的关系，并且借英、奥的提议而使法国参加了四强会议。自然，俄、普也拉拢过泰里兰。

法国的策略

当法国参加了四强会议以后，泰里兰常用“合法”的“原则”来保存法国的领土，此外他又用“赔偿”的“原则”以补其不足。他倡议为维也纳会议应当把拿破仑所占领的土地归还那些“合法的”君主即从前的君主，如果这个“原则”不适用，就应退一步用“赔偿”的“原则”以相等的东西来赔偿每个统治者的损失。“合法”和“赔偿”甚至变成了《维也纳和约》的两个“原则”。可是这两个“原则”却完全不合于民族主义和自由主义的精神，因为君主的要求并不是人民的要求，一向反对法国革命的梅特涅，不是就借“合法”的“原则”来遏制民族主义和自由主义的浪潮吗？

法国是在一八一四年十二月二十四日参加会议的，到了十二月二十九日，哈登堡联同亚历山大提议普鲁士合并萨克森，而以萨克森王在莱因河左岸建立新王国为交换条件，但这遭受到卡斯尔累、梅特涅及泰里兰的一致反对。一八一五年一月三日，卡斯尔累为保持秘密，亲自写了一个对付俄、普的同盟条约，并且签了字，梅特涅和泰里兰也签了字，各国答应出兵十五万人；甚至他们还草成了一个作战计划。因此法国就摆脱掉孤立的地位而成了英、奥的盟国，难怪泰里兰在一月四日欣然写信给路易十八说：反法的同盟已经永远解散了。

维也纳会议的结果

英、奥、法的团结，终于使俄、普决定和她们妥协，而各以折衷的办法来解决问题。结果普鲁士得到了萨克森北部五分之二的土地和八十万人口，此外她又得到了莱因河流域的大部分（威斯特法里亚和莱因兰）及波麦拉尼亚的一部分，而莱比锡仍给了萨克森。至于俄国则除普鲁士所保有的波森和西普鲁士，奥地利所保有的加里西亚，以及克拉科共和国外，的确得到波兰的大部分而建立了波兰王国。同时俄国继续占领着荷兰和贝萨拉比亚，而且她还从东欧注视着近东。

奥地利不仅收复了加里西亚，并且收复了提罗尔和伊利连各省，她虽把比利时（即奥属尼德兰）让给荷兰，但在义大利北部得到了赔偿，即伦巴底威尼西亚王国，而哈布斯堡王族的亲戚则统治着突斯加尼大公国、帕尔马公国及摩德拿公国。

至于英国，也得到了德意志海岸附近的海利哥兰岛，地中海上的马耳他岛、伊奥尼群岛，印度洋上的锡兰、法兰西岛，西印度群岛里的圣鲁西亚岛、托巴哥岛，以及南非的好望角。

此外荷兰合并了比利时，瑞典合并了挪威。而把挪威割给瑞典的丹麦，则取得瑞属波麦拉尼亚（斯出拉森德和卢根等地）和一点钱作赔偿。惟丹麦以波麦拉尼亚距离本土太远，又把它和普属劳恩堡相交换。同时丹麦所失掉的殖民地或岛屿除海利哥兰岛外，英国都退还了。可是普鲁士不但在五年后以武力夺回了劳恩堡，而且在一八九〇年用条约取得了英国手里的海利哥兰岛。

其被承认为永久中立国的是瑞士。维也纳会议为解决瑞士问题而成立的一个瑞士委员会，包括着卡宁（Strafford Canning），的斯特利亚（Count Capo d' Istria），及哈勃（Harpe）。他们根据拿破仑在一八〇三年颁给瑞士的仲裁法，使维也纳会议承认瑞士联邦共有二十二州，即十九个旧州还加上了三个新州日内瓦、瓦莱及劳却特尔。中立的领土还有撒地尼亚的福西尼和贾布莱，借以保卫瑞士南部日内瓦湖附近的边境，那里倘若发生了战争，撒地尼亚须撤退驻军而让瑞士军驻防。

在义大利，除去一部分土地划归奥地利以外，教皇庇厄斯第七复位了，其属于教皇的各邦也恢复了。同时撒地尼亚王也恢复了原来的领土，并且他还得到了热那亚。此外那不勒斯则仍由布尔邦王族的裴迪南第一（Ferdinand Ⅰ）统治着，同时他兼两个西西里王国的国王。

在德意志，神圣罗马帝国并没有恢复，几百个被合并的小邦也没有恢复，维也纳会议在一八一五年只建立了一个松弛的组织：德意志同盟。它包括着三十八邦，并且有一个由各邦代表组成的议会，由奥地利主持着。因此，奥地利在德意志同在义大利一样的占有优越的地位。

在西班牙及葡萄牙，旧日的国王都复位了。

维也纳会议还讨论过两个国际问题：一个是缔约开

放国际河流，不管是在几个国家之间分界的河流，或是经过几个国家的河流，从可通航的地方一直到河口，各国人民都可自由航行，惟须受警察法规的处置，并缴纳一定的卡税；另一个是禁止贩卖奴隶，这特别是在一八〇七年自动停止奴隶贸易的英国所主张的，但维也纳会议所能实行的，不过是发表了一纸宣言而已。

综观维也纳会议的结果，一方面，奥地利代替了法国而执欧洲大陆的牛耳，另一方面，英国以取得殖民地和海军基地而巩固了她在世界上的霸权。由于这个会议不顾人民的要求及民族的意识，而一味恢复欧洲各国的旧势力或扩张反动派的新势力，它所造成的一种假和平就只有促成此后的种种战争和革命，如挪威人的反抗瑞典，比利时人的反抗荷兰，以及德意志、义大利、波兰等民族的争取统一，都显出民族问题绝不是任何外交家所能抹杀的。

第二次《巴黎条约》

第一次《巴黎条约》既以拿破仑的重握政权而被破坏掉，到了拿破仑第二次退位以及路易十八回巴黎重登王位以后，法国又在一八一五年十一月二十日和同盟国签订了第二次《巴黎条约》。在第一次《巴黎条约》成立以后，法国除从同盟国手里恢复她在一七九二年的国境以外，并且还在东部添加了萨尔布吕克、兰道、安奈塞及强伯里四个地方，赔款是没有的。但拿破仑的重握政权却使法国遭受了重大的损失。靠近法国的普、奥两国为防止法国的再度侵略起见，对于法国的要求很苛，如普鲁士就要求法国割让亚尔萨斯和洛林，至于俄、英两国则仅仅主张占领法国的要塞，不要求法国的领土。由于奥地利同意俄、英的主张，普鲁士便不得不和俄、英、奥三国决定了一个折衷的办法，叫法国把萨尔路易和萨尔布吕克的炮台让给鲁普士，把菲列派维尔和马林堡的炮台让给尼德兰王国，把兰道的炮台让给德意志同盟，并且法国根据第一次《巴黎条约》而收复的萨伏衣则割给撒地尼亚，她只保存着一七九〇年的国境，这就是第二次《巴黎条约》的重要内容的一部分。

此外，法国还须偿付赔款七万万法郎，一部分用以加修各国靠近法国边境的炮台，一部分分给受法国蹂躏的各国政府。赔款用发行公债的办法在五年内分十五次还清，在没有还清以前，同盟国派兵十五万人驻守法国东北部的要塞，每年由法国另支五千万法郎作为联军的驻兵费。而拿破仑从战败国里夺去的美术品，法国也须退还。

均势局面出现

由维也纳会议最后决议的签订到第二次《巴黎条约》的成立，欧洲出现了均势的局面。西方的英、法和东方的奥、俄、普共同支配着欧洲。虽然梅特涅和俄皇亚历山大第一常以操纵欧洲政局的原故而争胜，但五强在事实上却是势均力敌的。除五强外，德意志同盟代替了神圣罗马帝国，同时奥属尼德兰和荷属尼德兰则合并成一个尼德兰王国，至于旧日的波兰就只剩下一个克拉科共和国。

神圣同盟

为着保存维也纳会议的结果并防止革命的再度爆发，同盟国间的同盟自然有继续维持的需要。于是易于冲动的亚历山大第一要求普王及奥皇同他组织神圣同盟，在一八一五年九月二十六日发表宣言，并以俄、普、奥三国君主的名义邀请各国签字。

神圣同盟的《宣言》包括一段绪言三条约文，绪言里指出俄、奥、普三国君主鉴于过去三年的事变，深感他们需要根据基督教的真理来处理他们的相互关系，而约文第一条则表示三国君主遇事常相援助，第二条则恳劝他们的人民实行救主的教义，第三条则要求各国赞助这个《宣言》。这个《宣言》之带有宗教的意味，就是神圣同盟一名的由来。

不过，除俄皇及普王以外，当时欧洲的外交家多以为神圣同盟不过是亚历山大的一种幻想，而梅特涅则尤加讥笑。梅特涅之所以劝奥皇签字的原故，乃是想利用俄皇及神圣同盟以实现压制革命的目的。欧洲其他国家则以不欲拂俄皇之意而纷纷签字。其不签字的，只有英国、土耳其及罗马教皇。

而在十九世纪的民族主义者或民主主义者看来，所谓神圣同盟实在是一个镇压任何革命运动的机关。不管亚历山大有什么幻想，他在实际上所走的还是梅特涅的反动道路。

四国同盟

自然，为着进一步支配欧洲，英、奥、普、俄四强又需要一个更切实际的协定，那就是四强在一八一五年十一月二十日所缔结的四国同盟。

《硕蒙条约》的缔结，曾加强了四强对拿破仑作战到底的决心，而她们之在第二次《巴黎条约》成立后又缔结四国同盟，就在把《硕蒙条约》的原则应用到和平时期，声明:（一）拥护同日签字的对法和约（即第二次《巴黎条约》);（二）如果将来有任何一方被法国攻击，当出兵六万人相助;（三）常在一定的时期举行会议（四强元首亲自或派代表出席），协商共同的利益，并讨论各国能获得安全繁荣，欧洲能维持和平的最有效办法。显然的，最后的一条，已为此后的国际会议及“欧洲协调”奠定了基础。

把四国同盟和神圣同盟比较一下，分明是不同的。参加神圣同盟的各国，仅有“遇事常相援助”的一句空话，而没有规定互助的具体条件。所以这个同盟不过是一种谅解，而不是一个协定。至于四国同盟则除规定具体条件外，还担保对法和约的执行，这才是四强所需要的一个更切实际的协定。而且梅特涅还想利用四国同盟形成一种国际警察的力量，来压迫一切对于专制君主及一八一五年解决领土办法的反抗，以保存专制政治和奥地利。四强所需要的一个更切实际的协定也就是一个更有害的协定。

爱斯拉沙伯会议

四国同盟之担保对法和约的执行，是有效果的。法国在一八一五年履行了和约，并且法国资产阶级在和平恢复后就不断发展工商业，使法国在三年以内恢复了元气。因此，占领法境的军队要不要撤退就成了问题。一八一八年六月五日，英国驻海牙公使克兰卡迪（Clancarty）在给卡斯尔累的报告里说：奥地利政府正提议召集同盟国开会讨论法国的情形，特别是占领军要不要撤退的问题。梅特涅对于这个会议，的确抱着很大的希望。

会议决定在爱斯拉沙伯（Aix-la-Chapelle）举行。在还没有举行以前，俄皇亚历山大第一本主张依照维也纳会议召集欧洲各国一齐出席，但梅特涅不愿使许多国家参加讨论，所以结果出席的就只有奥、俄、普、英四个老同盟国再加上了法国，并且四个老同盟国还决定她们只讨论有关法国的问题。

一八一八年九月二十日，奥、俄、普、英、法五国代表都到了爱斯拉沙伯。奥地利代表是奥皇佛兰西士第一和梅特涅；俄国代表是俄皇亚历山大第一、的斯特利亚和尼塞尔洛德；普鲁士代表是普王腓特烈·威廉第三、哈登堡和拜恩斯托夫（Bernstorff）；英国代表是卡斯尔累、惠灵吞（驻法联军总司令）和卡宁；而法国代表则为利却鲁（Richelieu）、雷奈渥（Rayneval）和孟尼（Mounier）等人。

根据第二次《巴黎条约》，法国须偿付赔款七万万法郎，而在五年内分十五次还清，第一次交赔款的时期是一八一六年三月三十一日，此后每四个月交一次，一直到还清为止。当爱斯拉沙伯会议举行以后，利却鲁提议法国政府除已还的以外，余款将以二万万六千五百万法郎的数目还清，其中一万万法郎由法国政府发行公债（从一八一八年九月二十二日起计算利息），一万万六千五百万法郎由英国的两个银行借款分九次（其后改为十二次）还清；惟驻法联军须在十一月三十日从法境撤退。由于同盟国的让步，驻法联军马上撤退了。老实说，同盟国害怕驻军受法国革命的影响，她们是很愿意撤兵的。

《爱斯拉沙伯条约》及四国秘密协定

解决法国赔款问题和撤兵问题的《爱斯拉沙伯条约》，奥、俄、普、英和法国两方面是在一八一八年十月九日签字的。十一月四日，四强给法国一个通牒，表示“她们认为这个庄严的条约造成了普遍的和平”，并且请法国加入同盟；这立刻得到了法国的同意。到了十一月十五日，爱斯拉沙伯会议便发表共同宣言，声明五强的目的在维持和平，保障一切已成立的协定。但四个老同盟国却在十一月一日秘密续订了同盟协定，准备用她们的力量对付法国可能发生的任何革命。这个反动协定的成立，以及俄皇亚历山大第一和梅特涅的一鼻孔出气，都可算是梅特涅政策的胜利。

梅特涅曾欢呼过：“各种事物的现状不会再有变化了。”不过，他错了。

自由主义的呼声

法国革命的影响和欧洲自由主义的呼声，绝不是任何反动派的压迫所可消除的。欧洲各国的人民，大都渴望着自由、平等和立宪政体，特别是西欧；而资产阶级也富于自由主义的思想，在资本家和商人里面不乏被称为“自由主义者”的人物。至于作家、教师、律师及大学生等人都同样是自由主义的宣传家。他们要求信仰的自由、出版的自由，要求工业和商业上的自由，而反对专制政治，反对封建势力的特权。若就德意志和义大利一类不统一的国家，波兰和比利时一类被压迫的民族来讲，则国家统一和民族解放又成了一般爱国者的要求。

自由主义的大敌梅特涅，不但在奥地利禁止自由思想，而且排斥德意志人民的自由主义，甚至他还想使神圣同盟变成维持欧洲固有政治制度的正式机关。到了爱斯拉沙伯会议举行以后，同梅特涅站在一起的还有亚历山大第一，他也要求各国压迫反抗西班牙的南美殖民地。

德意志学生的反抗精神

然而，自由主义者和民族主义者并没有因此而保持沉默。在爱斯拉沙伯会议举行前一年（即一八一七年）十月十八日，德意志的大学生在瓦尔特堡开会庆祝德意志打败拿破仑的四周年纪念日和路得（Luther）反抗教皇的三百周年纪念日，他们并且烧毁了许多反对爱国的书籍。一八一九年三月二十三日，亚历山大派在德意志的一个侦探科采标（Kotzebue），在曼哈姆被一个有爱国心的大学生暗杀了。

卡尔斯巴德命令

德意志大学生的开会庆祝，已引起欧洲专制君主的恐惧，而科采标的被暗杀就更惹起梅特涅的愤怒。一八一九年七月三十日，梅特涅在卡尔斯巴德举行德意志会议，除奥地利外，普鲁士、巴伐利亚、巴敦、那梭、瓦尔腾堡、麦克伦堡、赫塞及萨克斯魏马都派代表参加。由这个会议通过的许多命令，规定每个大学须由该大学所在国的君主指派监督一人，监督政治课程，所有未立案的学生团体都要禁止，报纸和书籍都要受检查，主张自由和爱国的人都要受罚，以“推翻现政权”的学说讲课的大学教授都要撤职。马因兹甚至设立了一个委员会来侦查革命运动的线索，凡是这个委员会指出的人，就是只有一点嫌疑，各个会员国也要加以逮捕。这便是有名的卡尔斯巴德命令。

卡尔斯巴德命令虽执行到差不多二十年，可是自由主义和民族主义反流行得格外厉害。在爱斯拉沙伯会议结束后不到两年，西班牙、葡萄牙、那不勒斯、撒地尼亚及希腊等国又先后发生了革命。一八二〇年可算是常常发生革命的一年，而其打击梅特涅最厉害的则为那不勒斯的诺拉及亚威林诺两地在七月二日的起义。梅特涅之在十月二十三日举行特罗波（Troppau）会议，就在应付这威胁义大利全部的革命运动。

《特罗波议定书》

参加特罗波会议的，奥地利是佛兰西士第一和梅特涅、庚兹（Gentz）、赖拜尔曾（Lebeltzern）、迈西（Mercy）；俄国是亚历山大第一和的斯特利亚、尼塞尔洛德；普鲁士是腓特烈·威廉第三和哈登堡、拜恩斯托夫；英国政府没有派特别代表，只令驻奥公使司徒瓦特（Stewart）出席；法国政府也没有派特别代表，只令驻俄大使佛郎奈（Ferronays）和驻奥大使卡拉曼（Caraman）出席；在会议里，英、法代表都不参加干涉独立国家的表决，五强的“欧洲协调”终于破裂了。但梅特涅却以普鲁士的帮助说服了亚历山大（亚历山大和法国代表都主张先和那不勒斯王裴迪南第一举行谈判，以消除新宪法上的革命色彩，而英国代表则反对任何干涉），结果普、俄两国同意奥地利干涉那不勒斯的提议，并签订《特罗波议定书》，反对一切“妨碍和平”的革命，不承认任何由革命造成的改变，在必要时还准备用武力来“纠正”“犯罪的”国家。当时俄军的哗变以及自由主义在各处促成的反抗和背叛，还使得亚历山大对梅特涅说过这样的话：“把你要我去做的事告诉我，我一定去做。”

芮巴赫会议

最初组织神圣同盟的三国既在特罗波会议里一致采取了干涉政策，跟着她们又在一八二一年一月二十一日举行了芮巴赫（Laibach）会议。这可算是特罗波会议的继续，参加的有佛兰西士第一、梅特涅及亚历山大等人。其被邀参加的那不勒斯王裴迪南第一，虽已对人民宣誓效忠于新宪法，而出席芮巴赫会议来“调解”人民和列强间的意见，但实际上则在要求这个会议帮助他取消新宪法，结果奥、俄、普三国决定取消那不勒斯的《宪法》，并由奥地利派兵到那里去镇压革命。而在佛利蒙（Frémont）进行短期战争以后，裴迪南第一就恢复了他在那不勒斯的权力。法国和平谈判主张失败了，奥地利武力干涉政策胜利了，当芮巴赫会议结束的时候，奥地利还因此发表了一个宣言，表明列强意见和她的政策一致，但这遭受到法国通牒的驳斥。

东方问题及西班牙革命

在芮巴赫会议还没有结束以前，撒地尼亚王以壁蒙特的人民发生了革命，也要求这个会议援助。由于驻在伦巴底的奥军早有准备，经过“讨伐军”四月八日在洛瓦拉的一战，就打败了革命党，占领了吐林，并使壁蒙特恢复了旧制。接着壁蒙特革命的消息而令人注意的，便是希腊人对土耳其的反抗。从前当过土皇的勤务，并且逃到俄国而在俄军里服务的伊普西兰狄（Ypsilandi），在一八二一年三月渡过普鲁斯河侵入了摩尔达维亚，他为着争取希腊的独立而率兵反对土耳其，可是他所希望的俄国并没有援助他，同时摩尔达维亚及华莱启亚的农人也反对土皇的勤务，不久他就被土军打败了。而希腊人的反土便是东方问题进一步的发展。此外，裴迪南第七在西班牙复位以后，曾以厉行专制政治而引起西班牙的革命（一八二〇年一月一日），结果马德里的守备兵哗变，逼得他不能不实行让步而恢复一八一二年的宪法。但实际上在一八二三年八月以前，西班牙的革命党却是把他当作俘虏看待的。同时南美的西班牙殖民地又到处发生了反对西班牙的革命。

在神圣同盟方面，特别注意西班牙及其殖民地的革命的是俄皇亚历山大第一。他既命驻西公使包加里（Bougary）在马德里帮助西班牙的反动派，又要派俄军到西班牙恢复裴迪南第七的权力，但法国首相威莱尔（Villèle）却不让俄军假道法国到西班牙去，威莱尔是在一八二一年十二月二十二日代替了去职的利却鲁的。

威罗纳会议

除俄皇外，法国的王党也怕法国人民受西班牙革命运动的影响，因此法国政府就借口防止黄热病传染到法国南部，派“卫生”军十万人驻在庇里牛斯山的附近。为着进一步解决西班牙问题，列强乃在一八二二年十月举行威罗纳（Verona）会议。这是爱斯拉沙伯会议以后的第三个重大会议，也是会议制度的最后一次会议。

俄皇、奥皇、普王、撒地尼亚王、那不勒斯王、突斯加尼大公爵、帕尔马女公爵及摩德拿公爵都参加了威罗纳会议，而和奥皇一齐出席的当然少不了梅特涅。至于法国的代表则有外交部长蒙特摩伦西（Montmorency——法国外交团的领袖）和驻英大使却托白里安（Chateaubriand）。英国的代表则有惠灵吞和伦敦代里侯爵（Marquis of Londonderry——即司徒瓦特）；被派为英国外交团的领袖的卡斯尔累却在一八二二年八月十二日自杀了，代替他而当英国外交部长的就是反对梅特涅的卡宁。

武力干涉西班牙的空气笼罩着威罗纳会议。蒙特摩伦西在这个会议里表示法国对西班牙的叛乱要实行武力干涉；却托白里安认为除干涉西班牙外，还要压迫那些反抗西班牙的殖民地，使她们服从布尔邦王室的统治。

俄、奥、普三国都赞成法国的提议，她们在十一月十九日给西班牙国会一个最后通牒，宣布她们的干涉政策，其后她们又撤回驻西的大使。只有英国反对干涉西班牙的提议，她并且反对帮助西班牙制止殖民地的反抗。卡宁说，他害怕法国会控制西班牙的殖民地。而且西班牙殖民地的革命政府又比西班牙本国更有助于英国的商业。英国之特别关心西班牙的殖民地，实在是由于商业上的考虑。

威罗纳会议所要讨论的除西班牙问题外，还有义大利问题及希腊问题。梅特涅提议在庇亚森萨设立一个侦查革命阴谋的委员会，由于罗马教皇代表斯平纳（Spina）的反对而失败，斯平纳还要求威罗纳注意“许多人痛恨奥地利，许多人由于奥地利之压迫义大利而在奴隶状态下呻吟着”。而梅特涅之企图使义大利各邦组成同盟而由奥地利领导，又为俄、法所打消。希腊问题也被提出了，但几乎没有什么讨论，因为梅特涅和亚历山大第一对于这个问题的意见是冲突的。梅特涅认为希腊人是反抗合法政府的叛徒，而亚历山大则认为他们是正教的同志，虽然他也反对他们的革命。威罗纳会议是在一八二二年十二月十四日结束的。

威罗纳会议决定干涉西班牙的任务由法国担负。一八二三年一月二十八日，法王路易十八乃对西班牙国会宣战，他的侄儿安哥莱（d'Angoulême）在三月被任为总司令，指挥法军进攻西班牙。五月二十四日，法军占领了马德里。八月三十一日，安哥莱强迫西班牙国会缔结《特拉卡代罗（Tracadero）条约》。当西王裴迪南第七被西班牙国会无条件的释放以后，他就被法国枪炮护送到马德里恢复了权力。但威罗纳会议之使法军侵入西班牙而恢复裴迪南的权力，英国是反对的。英国之拒绝和列强合作，虽不能阻止她们干涉西班牙，可是使欧洲协调的会议制度破坏了。

英美的携手与门罗主义

法国之以武力干涉西班牙，显然有利于梅特涅，因为这除维持了西班牙的专制政治以外，还可以使法国无暇援助希腊的革命党。自然，继蒙特摩伦西而当法国外交部长的却托白里安，更想把干涉政策推行到南美，同时亚历山大第一也有帮助他的可能。惟英国（及美国）

在实际上却正以金钱、军用品甚至义勇军来援助南美的西班牙殖民地，因此卡宁便打算承认这些殖民地的独立，并且他还和美国进行携手，一八一二年到一八一四年的英、美战争并没有阻碍英、美的接近。一八二三年三月三十一日，当法军攻入西班牙的时候，卡宁就宣布西班牙的殖民地已经独立，但对于她们独立的正式承认还要看她们国内外的情形而定。这暗示法国倘若长期占领西班牙或干涉她的殖民地，则英国就要对被干涉的殖民地实行保护。在法军占领整个西班牙以后，法国政府提议由神圣同盟召集会议解决西班牙殖民地问题，英国立刻表示反对，而美国也发生疑虑。卡宁抓住了这个机会，在八月三日向美国国务卿亚丹斯（Adams）提议英、美合作，一齐反对法国干涉西班牙殖民地的主张。美国大总统门罗（Monroe）在十二月二日致国会的宣言，便是美国对英国的回答。

门罗在反对法国干涉西班牙的殖民地这问题上，是和英国一致的。他的宣言可分为三部分，即：（一）美国不干涉欧洲的政治；（二）美国要求欧洲各国也不要干涉新大陆的政治，否则美国不惜开战；（三）美国同样的不干涉欧洲各国的殖民地或附属国。这便是有名的门罗主义。而关于门罗主义的宣言之发表是得到英国的同意的。

西班牙殖民地独立

英国先曾发表通牒，声明西班牙倘若得到外国的援助而以武力制服殖民地，或禁止通商，她就承认西班牙殖民地的独立。其后，英国在门罗发表宣言前的十月十七日，又派领事驻在西班牙殖民地的各重要城市，保护英国商业。当西军到一八二四年十二月八日在秘鲁失败以后，英国就在一八二五年一月一日对各国驻英公使声明她承认布宜诺斯艾利斯，哥伦比亚及墨西哥的独立。一个月后（二月二日），英国和阿根廷缔结《修好通商航运条约》，完全承认阿根廷的独立。此外英国又承认葡萄牙殖民地巴西的独立，并阻止法国派兵到葡萄牙和巴西。到了一八三〇年，南美的西班牙帝国已完全消灭，而墨西哥、危地马拉、哥伦比亚、秘鲁、智利、玻利维亚、巴拉圭、拉巴拉他或布宜诺斯艾利斯，都成了独立共和国。英国（及美国）之承认脱离西班牙及葡萄牙的殖民地为独立国，这不但如卡宁所说，“促成了一个新世界而保持着旧世界的均势，甚至还破坏掉神圣同盟的干涉政策而重重打击了神圣同盟”。不过，卡宁在给一个大臣的信上却说过一句更坦白而可耻的话：“倘若我们极其巧妙的来做事，则那被解放的美洲将成为英国的了。”

希腊独立

威罗纳会议没有怎样讨论到的希腊问题，事实上自希腊人在一八二一年反抗土耳其以后，并没有以伊普西兰狄的失败而消灭，倒促成了东方问题的发展。如马克思（Marx）所说，奥图曼（Ottoman）帝国“乃由完全不同的三部分构成，即非洲的附庸埃及和突尼斯，亚洲的土耳其以及欧洲的土耳其”。欧洲的土耳其就是巴尔干半岛，这是争夺的真正目标，也是整个东方问题的轴心。在这里，俄、土之间，俄、奥之间及英、俄之间都有了矛盾。但以资产阶级和农人为主力的希腊民族革命，却有赖于英、法、俄的援助。自俄皇亚历山大第一暴死（一八二五年十二月一日），而由他弟弟尼古拉第一（Nicolas Ⅰ，一八二五年——一八五五年）继位以后，俄国才改变了态度。

摩利亚半岛（即比罗奔尼苏半岛）上的希腊人，在一八二一年肃清了回教的封建领主和特种步兵。一八二二年一月十三日，他们又在埃庇达卢斯附近召集希腊的国民大会，宣布希腊的独立，他们并且订立了宪法，选举了总统（马夫卢科达托斯［Mavrokordátos］），组织了立法院。当时希腊的解放运动引起欧洲许多进步分子及知识分子的同情和援助，而英国的大诗人拜伦（Byron）就是其中的一个人，投笔从戎的他，是死在土军所包围的米梭隆基炮台里的。

可是这种情形到一八二五年就发生了大变化。一八二五年二月，埃及总督麦海麦特·阿利（Mehemet Ali）的儿子伊布拉希姆（Ibrahim）应土皇马麦德第二（Mahmoud II，一八〇八年——一八三九年）之召，率领埃军在摩利亚半岛登岸，沿途烧毁城市和乡村，屠杀人民，迅速占领了半岛的全部。一八二六年四月，埃军和土军占领了希腊人的重要堡垒米梭隆基，几乎完全消灭了那里的居民，而且他们在一八二七年六月又占领了雅典。希腊的解放运动除去希腊的岛屿以外，在大陆上已完全失败。

土耳其的胜利，再加上土皇的军事改革对土耳其实力的加强，这威胁着俄国而逼得她要利用希腊问题来打击土耳其，因此新俄皇尼古拉第一就参加了英、法方面的活动，并且借此不让英国单独的保护希腊。同时英国及法国也不愿让俄国领导摩利亚半岛及希腊的岛屿。

一八二七年十月二十日，英、法、俄三国联合舰队总司令科德林吞（Codrington）下令军舰进驻挪瓦里诺湾。他想要求土耳其司令停止对希腊人的残暴举动。但以一艘土耳其军舰的开炮，结果两方面发生了战争，而土耳其及埃及的军舰完全被击沉。

《阿德里亚诺堡条约》

土耳其在海战失败后又继之以陆战的失败。一八一八年四月二十六日，俄国以土耳其否认《阿卡曼（Akerman）条约》（这是俄国和土耳其在一八二六年十月七日缔结的）而对她宣战。狄毕奇（Diebitsch）在一八二九年八月二十日率领俄军占领了阿德里亚诺堡，威胁着君士坦丁堡，惟俄军已多死于病。普鲁士驻君士坦丁堡的代表庙夫林（Müffling）乘机出而调停，乃在一八二九年九月十四日缔结《阿德里亚诺堡条约》，俄国得到了多瑙河的河口和大批赔款，而希腊则被承认为完全独立的国家，此外塞尔维亚也得到了实际上的自治权。《阿德里亚诺堡条约》的另一个后果而值得注意的，是俄国允许法国在一八三〇年占领阿尔及耳，借此来报答法国友好的中立。而这又严重威胁到奥图曼帝国，并引起了对她的其他打击。

英、俄、法三国的干涉土耳其以及希腊的独立，当然无异推翻了神圣同盟及四国同盟，推翻了梅特涅的政策。梅特涅在奥地利的地位虽然还维持到一八四八年，但他在欧洲的地位到了一八三〇年就动摇了。这就是说，自由主义和民族主义在一八一五年以后虽然遭受了挫折，但只是暂时的。

第五章　一八三〇年和一八四八年

第一节　工业革命和政治

英国的工业革命

当法国在一七八九年爆发了资产阶级革命的时候，欧洲还有另一种革命在进行着，那就是英国所从事的工业革命。在十八世纪七十年代左右开始的工业革命，显出了资本主义正向着新的技术基础——机器工业进展。到了十九世纪的五十年代，工业革命在基本上已经完成了，而由机器出现，大规模机器工业产生，到资产阶级和无产阶级形成的过程，同时也算告一段落了。

机器发明了，装置机器、雇用大批工人的工厂建立了。“在一种工业部门里，所完成的生产方法的革命，引起别种部门里的同样革命。”（马克思的话）在工业上，机器既代替了手工劳动，在运输上，轮船就代替了帆船，火车就代替了马车。而且工业的发展还引起人口的集中和都市的繁荣。

工业革命既开始于英国，所以她也最先有了收获。在十九世纪的初叶，工业革命在英国已产生了效果。当这种革命传播到欧洲大陆的时候，英国的工业已有重大的发展。在十八世纪的开头，英国的铁每年只出产一万二千吨，一七四〇年增加到一万七千三百五十吨，一八〇〇年增加到十九万吨，一八五〇年又增加到二百二十五万吨。英国的棉花在一七二〇年的总产额是二百万磅，一八二〇年增加到六十倍，一八五〇年又差不多增加到三百倍。英国工业的发展同时意味着她的商业的发展，如棉织业在一七八八年到一八〇三年就增加到三倍，英国的输出在一七〇〇年到一八五〇年一共增加到十倍。一方面，英国要从俄国和加拿大输入小麦，另一方面，她又要把棉织品和毛织品输出到俄国、德意志、南美及远东，而且她的钢铁制成品也受别国的欢迎。因此，一个最先从事工业革命的国家，就成了世界上一个最大的工业国，资格最老的先进资本主义国家。

法国的工业革命

法国的工业较英国落后，她的大部分纺织品到一八一五年还是用手制造的，铁也是用旧式的木炭炉镕化的。到了一八二五年英国取消机器输出的禁令以后，法国才开始真正的工业革命。一八五〇年，法国的矿厂、镕铁厂、布厂及糖厂已采用了五千架汽机。卢昂和其他古城也像英国曼彻斯特一样的变成了有工厂的城市。法国的煤在一七八九年只出产了二十五万吨，在一八三〇年就增加到一百八十万吨。一八二二年，法国运到英、美两国的生丝只值九千九百万法郎，在一八四七年就增加到一万六千五百万法郎。一七八八年，法国羊毛的输出只值二千四百万法郎，在一八三八年就增加到八千万法郎。法国的棉织业在一八一五年到一八四〇年增加了三倍。即此可见法国工业及商业迅速发展的一斑。不过，法国一七八九年的资产阶级革命已消灭掉封建的贵族，大多数的农人并没有跑到城市去，仍留在乡间耕种小农场，所以法国的小农却比英国多，他们代表着乡村小私有主的利益而和城市里的工业资产阶级对立着。只有几个区域的工业才超过了农业，特别是法国的北部。

德意志及大陆上其他国家的工业革命

德意志的工业革命更比法国迟，但是比法国快。她的土地上曾发生过战争，战争的后果一直到十九世纪的初叶还影响着她，资本是缺乏的，工业是落后的，大多数人民都是贫农。而且英国在欧洲各国不断从事战争的时候（一七九三年到一八一五年），还以机器工业所制造的廉价商品来打击德意志的商业。为着扶助本邦的工商业并抵制输入的商品，德意志各邦实行过保护关税，但重重关税反足以妨碍各邦相互间的商业。因此，十九世纪初叶在经济上力谋进步的普鲁士，就在一八一八年规定了划一的征税法，对商品课税百分之十，对殖民地的物产课税百分之二十，而取消了许多妨碍商业的省税。一八三四年一月一日，普鲁士、萨克森、巴伐利亚及德意志的其他十五邦成立关税同盟，而以普鲁士为领袖。其后参加的有汉诺威、巴敦、那梭、布伦斯威克、卢森堡及法兰克福等邦。各邦的商人可以自由贸易，而厂主的商品则受共同关税的保护，以抵制英国及法国的商品。

到十九世纪的中叶，德意志开始了工业革命，从英国输入大批的机器。德意志的工业以关税同盟的保护有迅速的发展，不久机器工业就代替了手工业。在一八三六年到一八四〇年的期间，德意志的厂主每年所用的棉花为一千八百五十万磅，在十五年后就超过了五千万磅。而一个纺绳在一八五二年的工作速度又两倍于一八三六年。德意志的化学工业和电气工业在十九世纪的末叶已超过了其他各国，而她关于煤、铁、机器及棉布的生产甚至成了英、美的劲敌。

欧洲大陆上法、德以外的任何国家都发生过工业革命，其较早的有荷兰、比利时及瑞士三国，其较迟的有义大利、奥匈帝国、斯坎的纳维亚半岛及俄国。她们的工业革命在十九世纪的中叶固已开始，但迟到这一世纪的最后十年才有进步；而其更迟的则有西班牙及巴尔干半岛。

工业革命和各国政治

欧洲各国的工业革命，不用说，对于政治是有重大影响的，因为新兴的资产阶级既在经济上占有重要的地位，也要在政治上占有重要的地位。由十八世纪末叶的法国资产阶级革命到十九世纪，他们在政治斗争一方面可算是着着胜利的；凡是受工业革命影响的国家如英、法、德、奥、匈、义、比等，都发生了民主运动。不过，工业革命的结果，同时也推进了工人运动以及无产阶级对于社会主义的努力。

在英国，工业革命使资产阶级发了财。而英国资产阶级的经济力量不但提高了他们在国会里的地位，甚至使得英国政府变成他们和贵族的“公司”。

在法国，工业革命也使资产阶级发了财，同时又促成了社会上及政治上的大变化。力量雄厚的厂主要求政治上的发言权，从一八三〇年到一八四八年，他们的势力已值得注意了。法国在工业革命方面既受英国的影响，英国在政治革命方面也受法国的影响。法国在一八三〇年的革命既使她的资产阶级更进一步的得了势，英国在一八三二年的改革也使她的资产阶级更进一步的得了势。而得势的英、法资产阶级都不管劳动阶级在经济上所受的痛苦以及在政治上所受的压迫，他们一致拒绝把政权扩大到工人一方面。结果两国的工人都热望着真正民主主义和社会主义的实现。

在德意志，资产阶级同样以工业革命发了财，并且他们在一八四八年也模仿着英、法资产阶级而要求参政权。德意志的工业革命既促成了国家的统一，又促成了政治的改革。自然，德意志资产阶级的抬头，同时加强了劳动阶级的阶级意识。

工业革命和梅特涅

而且，反对自由主义和民族主义的梅特涅，为着维持奥地利的领土，以及控制义大利和德意志，一方面，他以捷（捷克）军防守奥地利本部，以南（南斯拉夫）军防守匈牙利，以匈军防守义大利，以义军防守奥属波兰，以德军防守波希米亚，另一方面，对于任何政治运动或社会运动，他都加以严厉的镇压。可是工业革命一开始以后，资产阶级的自由主义和民族主义却因此不断增加了力量，而打破了重重障碍，推翻了梅特涅的反动制度，就是梅特涅本人也在一八四八年被赶出了奥地利。

第二节　一八三〇年的革命

一八二〇年和一八三〇年

我们在上面曾经提过，一八二〇年可算是常常发生革命的一年。但其更值得注意的却是一八三〇年，因为我们如果把一八二〇年的革命同一八三〇年的革命比较一下，立刻就可以看出后者的声势和影响实在超过了前者以上。自从法国在一八三〇年发生了七月革命以后，欧洲各国接着便纷纷出现了革命运动。由于法国的七月革命成了一八三〇年革命的主要枢纽，我们就先从法国谈起。

法国七月革命

在法国，路易十八的重登王位，虽然欧洲的反动派如梅特涅一流人想借此恢复法国的旧制，可是法国资产阶级在一七八九年革命以后所得到的地位，路易十八却无法推翻。在他所颁布的《宪章》（一八一四年六月）里，法国的资本家是同贵族一样的具有选举权和被选举权。就在查理第十（Charles X）即位于一八二四年以后，反动派的日益猖獗也没有削弱工商业资产阶级的势力。而且巴黎工人、学生及革命的小资产阶级在一八三〇年七月二十七日“打倒布尔邦王朝”的革命，又被大资产阶级夺去了果实，银行家和自由党所拥护的新国王路易·腓立（Louis Philippe），就是一个金融资本家，他“更像资产阶级的一个自由党员，不像路易十三（Louis XIII）和路易十四（Louis XIV）的子孙”。从一八三〇年七月革命到一八四八年二月革命的所谓“七月王朝”，马克思认为统治法国的只是资产阶级的上层分子，而银行家、投机家、厂主及商人的政府就代替了贵族及教士的政府。

法国的七月革命，乃是维也纳会议后改变欧洲政局的重大事件，这显然破坏了一八一五年的条约，并且接着西班牙殖民地独立及希腊独立又彻底推翻了梅特涅的政策。自然，当时想干涉法国的也大有人在，尤其是梅特涅。不过，一八三〇年的欧洲形势毕竟有异于一八一五年的欧洲形势。在一八三〇年，梅特涅在欧洲的地位已经动摇，他虽有反对法国七月革命的企图，但没有反对的力量；且列强间的同盟已经破裂，他虽欲组织同盟进攻法国，但不能得到列强的同意。再加上英国的拉拢法国，路易·腓立的亲英，以及法国实力的不可侮，不仅奥地利对于革命中的法国并没有干涉的表示，而且俄、普两国都承认了七月革命后的法国政府。

法国七月革命的成功，也震动了整个欧洲，如比利时、波兰、义大利、德意志及瑞士等国，都受到这次革命的影响。

比利时独立运动成功

维也纳会议之决定由荷兰合并比利时，这早已引起了比利时人的不满，而荷王威廉第一（William Ⅰ）在政治上及宗教上（荷兰人多信新教，而比利时人则多信旧教）对比利时人所加的压迫，更增高了比利时人的反抗情绪。当法国七月革命成功的时候，比利时人民也起来“干法国已经干过的事情”，反抗荷兰（一八三〇年八月二十五日）。他们不但在布鲁塞尔举起了反抗的旗帜，而且使整个比利时都卷入武装反抗的浪潮。结果比利时人在一八三〇年十月四日成立了临时政府，宣布比利时的独立。

荷王在失败后就向列强要求恢复一八一四年共同保证的领土，但这时欧洲形势对于比利时的独立是有利的。英国新外交部长巴玛斯敦（Palmerston）仍实行卡宁的政策，关心那增进英国经济利益的贸易条约，他在前任外交部长阿伯定（Aberden）所召集的伦敦会议里主张承认比利时的独立。同时法国政府为自由党的政策所左右，她不但赞成巴玛斯敦的主张，而且对主张武力干涉的普鲁士表示，普军一旦由东方派兵到比利时援助荷兰，则法军就由西方前进，使普鲁士知难而退。此外梅特涅以迫于对付义大利及德意志各邦的叛乱，俄皇尼古拉第一以迫于对付波兰的革命，都没有实行干涉的可能。因此，英、法、奥、普、俄和比利时就在一八三一年十一月十五日缔结了《伦敦条约》，承认比利时完全脱离荷兰而独立，并且比利时还被定为一个永久中立国，至于卢森堡和林姆堡则由荷兰和比利时分占，而些尔德河口的左右岸仍属荷兰。但这一直到一八三九年四月十九日才获得威廉第一的承认。

法国的七月革命既影响到比利时，又影响到波兰。

波兰独立运动失败

在维也纳会议里，俄国曾取得波兰的大部分建立了立宪王国，但以俄国的专制皇帝来兼波兰的立宪国王，波兰人的不满，自也是意料中的事情，尤其是在尼古拉第一即位以后。波兰人本来准备在一八三一年二月全国同时起义，但以有了俄皇将调波军镇压法国七月革命及比利时革命的传闻，他们就利用这个机会起而反抗俄国。一八三〇年十一月二十九日的夜间，华沙发生兵变，杀掉许多俄官，总督被赶走了。十二月五日，克洛丕基（Chlopicki）被任为波兰临时政府的总司令，到了一八三〇年的年底，波兰人已经肃清了境内的俄军。一八三一年一月，波兰国会乃宣布推翻罗曼诺夫（Romanov）王朝，并宣布波兰和立陶宛永远联合在一起。

不过，从一八三一年一月到九月，孤军作战的波兰人却发生了内讧，对俄军众寡不敌，乃不能不求助于列强。当时整个欧洲的舆论差不多一致同情波兰的革命，可是奥、普既站在俄国的一边，反对波兰独立，而法、英则仅仅要求俄国避免残暴的行动，并没有提出积极的办法，结果俄军在一八三一年九月就占领了华沙，击溃了波军，恢复了俄皇在波兰的权力。尼古拉第一不但把波兰干脆并入俄罗斯帝国的版图（波兰的最后遗迹克拉科共和国则在一八四六年并入奥地利），甚至取消了亚历山大第一颁给波兰的宪法。比利时的独立运动是成功了，而波兰的独立运动则失败了。

在比利时和波兰以外，义大利和德意志也受了法国七月革命的影响。

七月革命对义、德、瑞士的影响

神圣同盟在一八二一年的干涉义大利，固然压制了那不勒斯及壁蒙特的革命，可是义大利的革命运动并没有因此而销声灭迹。法国七月革命的成功，既使得教皇领土上的各邦起而反对新任教皇格勒哥里十六（Gregory XⅥ）的统治，又使得帕尔马和摩德拿起而反对哈布斯堡王族的统治。胜利的革命党并且在波罗格纳设立了临时政府。但由于梅特涅军队的干涉以及法王路易·腓立的口惠而实不至，义大利的革命却又失败了。

其后奥军虽以法国的要求而在一八三一年七月撤出教皇领土，但在一八三二年一月又以教皇的要求再度开入。因此法军在一八三二年二月也占领安可拿港，以表示抵制。奥军到了一八三八年才又撤出教皇领土，法军也到这一年才撤出安可拿港。

在德意志，汉诺威、布伦斯威克、萨克森及赫塞卡塞尔等邦，都发生过以法国革命及比利时革命为模范的革命运动，但结果却同义大利的革命运动一样的没有成功。

此外，瑞士的乡镇居民曾反对城市的压迫，而企图建立一种民主的新省制，这也是由法国的七月革命得到了激励而发生的。

一八三二年的英国改革

到最后，法国的七月革命甚至刺激了英国的资产阶级。英国的厂主、矿场主及其他资本家，本来就非常需要改革来消除他们的痛苦，并提高他们的政治地位。而在一八三〇年以后，增加了勇气的他们，就以不纳税造成财政上的恐慌来威胁政府。同时劳动阶级也在磨拳擦掌。因此上院的贵族不得不表示让步，而在一八三二年通过了改革法案。这意味着控制英国政府的贵族地主终于让资产阶级在国会里有了充分的发言权，而英国的统治阶层因此就包括着资本家和贵族两方面。不过，英国的劳动阶级仍旧得不到什么好处，他们的状况甚至比以前还要恶化。

英国资产阶级的逐渐得势，在英国的外交政策上也有显著的反映。英国在一八二〇年以后之赞助欧、美各国的革命，其目的乃在增进英国商业上的利益，而不是真正热心于自由主义或民主主义，因为英国所需要的并不是专制政体所意味着的重商主义和高关税，而是资产阶级新政权所意味着的低关税和多通商，也就是资产阶级新政权通常允许的更有利的通商条件。

自由主义的胜利

从法国在一八三〇年的革命到英国在一八三二年的改革，不管有什么成功或失败，都显出了资产阶级的自由主义在西欧的胜利，在中欧的进展。无论梅特涅怎样妨碍自由，阻止进步，无论俄、普、奥三国怎样缔结秘密同盟条约来镇压革命，但旧制度的命运却已决定了。

不过，其更令人注意的，是一八三〇年以后的斗争，却不限于资产阶级和封建特权阶级的斗争，而且扩大到资产阶级和无产阶级的斗争了。

第三节　一八四八年的革命

一八三〇年和一八四八年

欧洲在一八三〇年的革命，首先是由法国发动的，欧洲在一八四八年的革命，首先也是由法国发动的，那就是法国的二月革命。而接着发生的则有奥、义、德、匈、波（波希米亚）的革命。

同时值得注意的，马克思和恩格斯（Engels）在一八四八年二月二十一日发表的《共产党宣言》，对革命的无产阶级世界观的发展又是极其重要的文献。这宣言在十九世纪告终以前就成了几百万工人的信条和全世界社会主义政党的党纲。

法国二月革命

工业革命从英国传播到欧洲大陆上，最早受到影响的就是法国。法国资本主义的发展，工人的大批增加以及资本家对于工人的尽量剥削和压迫，都成了法国二月革命的主要因素，而法国二月革命又成了欧洲一八四八年革命的主要枢纽。

金融资本家路易·腓立一即位以后，就特别注意法国金融资本家的利益。而统治法国的上层资产阶级既压迫着一部分中等资产阶级和小资产阶级，更压迫着劳动阶级。因此法国劳动阶级的状况就比七月革命以前更恶化，而在欧洲经济恐慌蔓延到法国以后，更逼得他们除作经济上的反抗以外还要作政治上的反抗。同时法国的中等资产阶级也以要求扩充选举权及言论自由而反对路易·腓立和他的大臣基佐（Guizot）。

再就法国的外交来讲，路易·腓立的软弱外交政策也引起了法国一切爱国分子的不满，如他对于波兰革命和义大利革命的袖手旁观，以及对于反抗土耳其的埃及总督麦海麦特·阿利的始援终弃，都是显著的例子。所以法国各方面都要求改革。

不过，当巴黎工人、学生及革命的小资产阶级在一八四八年二月二十二日发生暴动，跟着又赶走了路易·腓立以后，革命的果实却重复被资产阶级夺去了。

而劳动阶级在六月暴动的失败又增加了资产阶级的反动声势，其“在人数上极占优势的小资产阶级便成了资产阶级的尾巴”（列宁的话），虽然法国又变为一个共和国（第二共和国）。

拉马丁的宣言

法国二月革命的爆发，又引起了整个欧洲的注意。欧洲各国所关心的，就在法兰西第二共和国会不会煽动欧洲人民从事革命运动，并帮助他们得到解放，以破坏一八一五年的条约。为表示法国对外的态度，法国临时政府的临时领袖兼外交部长拉马丁（Lamartine）在三月五日发表宣言，声明法兰西共和国不会侵略任何国家，但别国如果要挑衅，她也准备应战。拉马丁认为一八一五年的条约从法兰西共和国的立场来说，在法律上已不存在，惟她仍承认这些条约所定的国界是一种事实，而为她同别国的关系的根据和出发点。他又声明过不干涉政策，说法国不会煽动别国人民从事革命，但外国也不得干涉别国人民自发的解放运动。

欧洲的第二个一七九三年

在事实上，不需要法国的煽动，欧洲的革命却又以二月革命的刺激而爆发；同时也打破了欧洲君主国家联合反对法国新政府的可能，因为她们都自顾不遑了。梅特涅说:“今日的欧洲已面临着第二个一七九三年。”这话充分表现了他对法国二月革命的恐惧。

一八四八年的欧洲革命在一方面固有关于梅特涅的反动政策，在另一方面又有关于工业革命的后果，而因此包括着民族问题、民主问题及工人问题。这在义大利、德意志及奥匈帝国等的革命运动上都可以看出。就在英国也有民宪党的民宪运动，而瑞士则以新联邦宪法代替了一八一四年的宪法。

义大利人的民族问题在赶走奥地利人而统一各邦。他们的民主问题在仿效一八一二年的西班牙而订立一种宪法。义大利资产阶级深印着关于民权、立宪政体及爱国的思想，在吐林、米兰及威尼斯等城，他们竟进行反对专制政治，拥护民族统一的运动，他们里面最进步的分子甚至希望义大利成为一个共和国。而义大利劳动阶级这时和资产阶级抱着共同的主张。因此，直属奥地利的伦巴底威尼西亚王国、受哈布斯堡王族的亲戚统治的突斯加尼大公国、帕尔马公国、摩德拿公国、撒地尼亚王国以及两个西西里王国、教皇领土，照义大利的革命家看来，应当合并为一个统一的国家——这种运动是在进行着。而撒地尼亚王阿伯特（Charles Albert）则在一八四八年三月四日宣布那类似一八三〇年法国宪法的根本法，并和有同样改革的突斯加尼、罗马成立关税同盟。

德意志人的问题和义大利人的问题是一样的，他们也以为德意志各邦应驱除奥地利的势力而进行民族统一，订立自由的宪法。德意志的资产阶级热烈鼓吹着民族主义和自由主义，同时无产阶级也注意着民主运动。

义大利人和德意志人的民族运动，再加上波兰人、捷克人及匈牙利人的民族运动，这已显然威胁到奥匈帝国。而且奥地利的内部也发生了民主问题，同时她还受着工业革命的影响。因此，“国际警察”梅特涅不但难于维持欧洲大陆的和平，甚至连奥地利本国的秩序也难于维持了。

梅特涅垮台

一八四六年波兰的革命，一八四七年西西里岛和那不勒斯的骚动，瑞士的内乱，都已预示着更大的风暴快要来临。到了一八四八年的年初，巴勒摩的革命又成了一八四八年欧洲革命的信号。追及法王路易·腓立被赶走以后，梅特涅在奥地利、匈牙利、义大利及德意志的敌人都跃跃欲试，想把他的反动制度根本推翻掉。而首先发难的就是维也纳在三月十三日的革命。维也纳工人、学生和军队的冲突以及“打倒梅特涅”的呼声，终于逼迫革命大敌梅特涅仓皇离开奥地利，逃到了英国。于是奥地利就成立了新内阁，开始编订宪法。

义、德、匈、捷都起来反抗奥地利的统治

梅特涅的垮台，立刻影响哈布斯堡王族的统治权。从三月十六日到二十二日，威尼斯在马林（Manin）的领导下赶走了奥军，恢复了共和制。从三月十八日到二十二日，伦巴底的首都米兰也赶走了奥军，震动了整个伦巴底。跟着威尼西亚人又起而宣布独立，建立了圣马克（St. Mark）共和国。同时摩德拿公爵和帕尔马公爵

都被赶出了公国。三月二十四日，撒地尼亚王阿伯特发表宣言，要求义大利人一齐起来参加争取独立的战争，两天以后，他率领军队进入了米兰，并且突斯加尼大公、那不勒斯王及罗马教皇都派兵帮助他。

维也纳的革命和义大利的战争又引起了德意志自由主义的运动。一八四八年三月，德意志各邦差不多都在要求出版自由、集会自由、君主立宪及德意志的统一。除去巴敦、瓦尔腾堡、巴伐利亚及萨克森差不多同时都发生过暴动以外，就是普鲁士也发生了暴动。柏林从三月十三日到十六日的骚动和备战状态，使普王腓特烈·威廉第四（Frederick William Ⅳ，一八四〇年——一八六一年）大感不安，而答应召集普鲁士议会制定宪法。十八日，柏林群众闻普王让步，不断集合在王宫的前面，但卫兵竟加以射击而引起冲突，结果普王再度让步，进行组织自由党政府。

在维也纳的革命爆发后的第二天，匈牙利议会派代表要求奥皇裴迪南第一实行责任内阁制，允许出版自由，采用陪审制度及国民教育制度。其后又在匈牙利领袖噶苏斯（Kossuth）的影响之下赶走了奥国皇帝所派的官吏，自己设立了财政、军事及外交三部而作为独立的第一步，并且释放了农奴——这是匈牙利反抗奥地利的统治而实行的改革。

奥地利继续遭遇到的打击就是捷克的要求。三月十五日，布拉格的捷克人举行群众大会，要求公民的自由权及农奴制的废除。他们也派代表向奥皇提出这样的要求，当时奥皇对波希米亚代表用捷克话答应了他们大多数的提议。

欧洲革命由胜而败

欧洲在一八四八年三月到四月的革命运动，大有成功的希望，梅特涅被赶走了，匈牙利及波希米亚的要求得到了满足，维也纳的一个委员会在编订奥地利各省的宪法，伦巴底和威尼西亚都宣布独立，义大利还有四邦享受到宪法上的权利，普鲁士允许了改组政府，德意志国民议会就要在法兰克福举行，以准备制定德意志的宪法。共产主义者同盟的盟员也纷纷参加德意志的革命运动，而发生了重大的影响。不过，一时得到胜利的革命党，却也碰到了更大的困难，而资产阶级的动摇和妥协又促成了各国革命党的分裂，使反动派易于恢复从前的势力。法兰西第二共和国终究以路易·拿破仑（Louis Napoleon Bonaparte）做了法国皇帝（即拿破仑第三，一八五二年——一八七〇年）而被推翻了，英国民宪党的民宪运动立刻就一蹶不振了，而且义大利及德意志的革命也不免归于失败了。马克思和恩格斯都严厉批评过德意志资产阶级的动摇和变节。

欧洲反动派的胜利乃开始于捷克人的失败。一八四八年六月十二日，当布拉格的斯拉夫人大会要结束的时候，捷克人因不满现状，发生暴动，攻击奥军元帅文狄什格累兹（Windischgrätz）的住宅。十七日，文狄什格累兹用炮轰击布拉格城，并入城宣布捷克人的革命完全平定。

在维也纳当奥皇已在五月十八日逃到尹斯布鲁克以后，革命党成立了临时政府，并召集议会，着手于宪法的编订。文狄什格累兹到一八四八年的秋季获得奥皇的同意又用对付布拉格的手段来对付维也纳。十月三十一日入城，革命党死二十余人。

十一月二十一日，奥皇任命须瓦层堡（Félix

Schwartzenberg）为首相，他又是一个梅特涅，而且这个新梅特涅在就职以后，便强迫软弱的奥皇让他的侄儿佛兰西士·约瑟夫（Francis Joseph，一八四八年——一九一六年）继位。这时奥军在义大利已胜利了，拉得兹基（Radetzky）重占了米兰，威尼斯虽仍为共和国，不愿屈服，但威尼斯的革命党却被严密的包围着。而业拉契赤（Jellachich）则率兵渡得老河侵入匈牙利。匈牙利在一八四九年四月十四日一度宣布独立，惟奥军以得到俄军的援助，在八月十四日完全摧毁了匈牙利的独立运动，并使这个王国沦于附庸的地位。在这里，俄国正如马克思所说的，是欧洲反革命的最强支柱。

义大利的失败和匈牙利的失败是同时的。罗马教皇之声明维持国际的和平，那不勒斯王之撤回军队，都使撒地尼亚王阿伯特孤立而无援。接着阿伯特便在一八四八年七月二十四日一败于柯斯多萨，又在一八四九年三月二十三日再败于洛瓦拉，因此他就不得不传位于他的儿子伊曼纽尔第二（Emmanuel Ⅱ）。由于奥地利的胜利，在罗马、威尼斯及突斯加尼建立的共和国都被推翻了，义大利各邦的宪法都被消灭了，只有壁蒙特是例外。

路易·拿破仑统治下的法国，一方面派兵到义大利援助教皇推翻罗马共和国（一八四九年六月），赶走玛志尼（Mazzini）和加里波的（Garibaldi），一方面又和英国调和伊曼纽尔第二和奥地利，使前者同后者媾和时并没有失掉领土，只赔偿了七千五百万法郎（一八四九年八月六日，见《米兰条约》），伊曼纽尔第二在壁蒙特不仅保存着他的父亲所设立的代议政府，而且罗致著名的自由主义者帮助他做解放义大利的准备。

最后，奥地利在和普鲁士的斗争里也胜利了。一八四八年五月十八日，德意志国民议会举行于法兰克福，草成宪法，并在一八四九年三月十二日以德意志帝国的世袭帝位献给普王腓特烈·威廉第四。但胆小的普王却不愿引起奥、俄两国的反对，而且他也不愿从下层阶级组成的革命会议接受“可耻的帝位”，考虑再三，他对这个帝位终于在四月二十八日明白拒绝了。普王的拒绝帝位，再加上奥地利的破坏，法兰克福的议会以及德意志自由主义的试验乃宣告完全失败。接着由于须瓦层堡和普鲁士代表曼特菲尔（Manteuffel）在奥尔末兹会谈的结果，奥地利又破坏了普鲁士想做德意志局部领袖的计划，而恢复了她所主张的旧德意志同盟（一八五一年）。因此，德意志的统一也同义大利一样的有待于将来。

一八四八年的革命是失败了，可是封建势力又一度的局部消除仍有助于资本主义的发展，而且欧洲自由主义和民族主义的运动也没有因为失败而告终，这在实际上仍占有重要的地位。

第六章　东方问题和西方

第一节　土埃战争和《伦敦协定》

俄土、英俄、英法间的矛盾

我们在上面谈希腊独立的时候曾提到东方问题。但希腊问题之促成东方问题的发展还只是局部的，而东方问题更进一步的发展则有待于一八三〇年以后。

俄、土之间的矛盾，在十八世纪里就日益显著了。自俄、土两国在一七七四年七月十五日缔结了《柯恰克卡纳齐（Kutschuk-Kainardji）条约》以后，俄国的领土扩大到黑海沿岸，她的势力的扩张不断威胁着奥图曼帝国。接着土耳其在一七九二年的《甲西（Jassy）条约》里承认俄国占领了克里米亚半岛，而俄国在一八一二年的《布加勒斯特条约》里又得到了贝萨拉比亚。并且俄国还利用巴尔干半岛上的民族革命来干涉土耳其，如一八二八年到一八二九年的俄土战争便是一个显著的例子。

俄国之侵略奥图曼帝国以及伸足于巴尔干半岛，她还有一种重大的企图，那就是占领君士坦丁堡和海峡，因为这不但使得她能够掌握近东全部贸易的钥匙，并且使得她可以由黑海进入地中海。“如果俄国占领了土耳其，那她的力量差不多就要增加到两倍。而且她比欧洲其余的部分完全合并在一起还要强。”（马克思的话）

不过，当苏彝士运河凿成以后，地中海却更成了英国的生命线。所以英国认为俄国的占领君士坦丁堡和海峡就足以危害她在近东的利益，而土耳其帝国的维持便是和英国利害相关的一个重大问题。这便发生了英、俄之间的矛盾。

英国固主张维持土耳其帝国，法国也主张维持土耳其帝国，如基佐在法国众议院里曾经说过：“为着维持欧洲的均势，正确的政策就在维持土耳其帝国。”（一八三九年七月二日）但他跟着又说：“如果由于环境的关系，大势所趋，有些地方脱离了这个老大帝国，则正确的政策还在帮助她们成为新的独立国，并在国际关系里占一地位，以维持欧洲的新均势，而代替不复存在的旧分子。”这却显出了法国对东方问题的看法有普通问题和特殊问题的不同。普通问题如基佐所说，可称为君士坦丁堡问题，而特殊问题则指埃及而言，又可称为亚历山大里亚问题。由于法国占领了阿尔及耳而特别关心非洲的北岸，法、英之间在东方问题的特殊问题上却有了矛盾。

土埃的冲突

埃及总督麦海麦特·阿利曾做过阿尔巴尼亚的烟商，他虽是埃及的一个最大的封建领主，但实行过不少的改革。法国的教官帮助他建立了强大的正规军，法国的工程师又帮助他建立了埃及舰队。埃及当局甚至极力仿效俄皇彼得的改革。在马克思和恩格斯看来，麦海麦特·阿利乃是“能在实际上使‘被结起来的头巾’（这指中世纪的土耳其而言——引用者）变为真正活动的头脑”的唯一人物。而且他还企图替埃及的地主和商人扩大埃及的领土，从一八一一年到一八二二年，他先后克服了阿拉伯和东苏丹。

当希腊独立的战争结束了以后，土皇马麦德第二就把克里特岛送给麦海麦特·阿利作酬报，但后者还要求前者把叙利亚再送给他，以代替那已允许他的摩利亚半岛。由于土皇拒绝埃及总督的要求，土、埃之间的冲突就酿成了土埃战争。

一八三一年十一月，麦海麦特·阿利的儿子伊布拉希姆率兵侵入了叙利亚。

有组织有训练的埃军再加上小亚细亚人民的欢迎，就使得他们迅速得到了胜利，而进展到小亚细亚。十二月二十一日，土军大败，他们的首领在柯尼亚被俘，埃军由小亚细亚直向博斯普鲁斯海峡推进，并威胁着君士坦丁堡。

痛恨麦海麦特·阿利的马麦德第二既丧失了大部分领土，不得已乃在一八三二年的夏季求援于英、法，但遭受了她们的拒绝。跟着土皇又求援于俄国，俄皇尼古拉第一欣然允许了他的要求，因为俄皇希望土耳其由依靠俄国而变成俄国的附属国。

一八三三年二月，俄国的舰队开入了博斯普鲁斯海峡，陆战队登了岸。不久又有俄军五千人在君士坦丁堡附近的拜犹克德登了岸。这样，和俄国对立的英、法就特别紧张了。

英、法本来都愿意援助土皇，同时她们也都防备土耳其变成俄国的附属国。所不同的，法国认为埃及总督是她的一个好顾客，因此她除援助马麦德第二外，还希望麦海麦特·阿利能保存着一部分的胜利果实。可是，英、法之间这种矛盾还没有妨碍她们共同反对俄国。

《科塔希亚条约》

由于俄军的示威，埃及并没有提出过分的要求，再加上英、法对双方的压力，土耳其就和埃及在一八三三年五月缔结了《科塔希亚（Kutahia）条约》，麦海麦特·阿利仍然是隶属土皇的埃及总督，但获得了叙利亚、西勒西阿及克里特岛的统治权。不过马麦德第二和麦海麦特·阿利都不愿遵守这个条约。

《安基阿尔·斯开莱西条约》

在土、埃媾和以后，五月底，伊布拉希姆开始从土耳其撤兵，到七个星期后撤完。七月十日，俄国的海陆军也完全离开了土耳其。在俄军还没有撤退以前，一八三三年七月八日，俄军的领袖奥罗夫（Orlov）和土耳其政府缔结了《安基阿尔·斯开莱西（Unkiar-Skelessi）条约》。

《安基阿尔·斯开莱西条约》包括着公开的和秘密的两部分。根据公开的条约，俄、土两国结成防守同盟，期限为八年，而土耳其则受俄国海陆军的保护。根据秘密的条款，俄国并不要土耳其的物质帮助，但土耳其必须封锁达达尼尔海峡，不让外国军舰进去，只有俄国军舰可以自由出入。这样，俄国在战时就可以要求土耳其封锁海峡，使任何国家都不能由海峡去进攻她，而她却能由海峡到地中海随意进攻别国。显然的，《安基阿尔·斯开莱西条约》主要的是在对付英、法，因为当时能从地中海经过海峡进攻俄国的只有她们。

一直到一八三四年的春季，俄国才把《安基阿尔·斯开莱西条约》的内容通知西欧各国，可是伦敦《晨报》却在一八三三年八月二十一日刊载了君士坦丁堡通讯员所报道的公开部分，跟着又在十月十六日刊载了秘密部分。这使得英国及法国都大吃一惊，并且英、法表示不承认这个条约，甚至英国外交部长巴玛斯敦认为要撕掉它才行。

《慕尼黑格雷兹协定》

不过，在一八三三年九月，《安基阿尔·斯开莱西条约》却以俄、奥两国的《慕尼黑格雷兹（Münchengrätz）协定》而巩固了，她们都不允许麦海麦特·阿利做土耳其的皇帝，并且尼古拉第一在声明维持奥图曼帝国以后，还表示这个帝国如不免有被分割的一天，他一定要先得到奥地利的同意才做。在九月十日到二十日的慕尼黑格雷兹会议里，除俄皇及尼塞尔洛德，奥皇佛兰西士第二及梅特涅外，参加的还有普鲁士的太子，这个会议所讨论的除土耳其问题外，还有德意志问题，比利时问题及波兰问题。

《英土贸易条约》

一八三八年，英、法强迫土耳其签订不平等的经济条约，作为她们帮助土耳其抵抗俄国的代价，而土耳其的取消贸易独占制便是《英土贸易条约》的一种重要结果。但埃及总督麦海麦特·阿利却在他的领土上拒绝实行《英土贸易条约》，因为这会妨碍埃及的贸易独占制和法国的贸易，他不愿让埃及和叙利亚成为英国商品的市场。为着夺取埃及、叙利亚、阿拉伯及西勒西阿的市场，英国资产阶级便企图用力量使埃及总督屈服。

土军进攻叙利亚

鉴于麦海麦特·阿利有宣布埃及独立的可能，土皇向英国提议缔结攻守同盟，巴玛斯敦只答应他缔结一种防守公约。但英国却利用土、埃的矛盾逼迫土皇复仇。同时麦海麦特·阿利对于自己的领土又要求有世袭权。因此，一八三九年四月二十一日，土皇就派土军渡幼勿拉的河进攻叙利亚，借此来回答埃及总督的要求。

巴玛斯敦一方面反对俄国实行《安基阿尔·斯开莱西条约》，一方面企图限制埃及总督的权力。他和法国内阁总理梭尔特（Soult）同意的地方是，倘若土耳其和埃及发生战争，而俄国军舰根据《安基阿尔·斯开莱西条约》开到君士坦丁堡，则英、法舰队决同它开战。不过，法国政府一方面固反对俄国控制海峡，一方面却希望麦海麦特·阿利成功；同时在实际上还希望避免战争。

当土耳其和埃及发生了战争以后，在六月二十四日就起了大变化，伊布拉希姆在幼勿拉的河以西纳西布的附近给了土耳其军队重大的打击，土军被俘的有九千人。七月一日，土耳其舰队开到亚历山大里亚投降了麦海麦特·阿利；同日，马麦德第二又死了，继位的土皇是他的儿子阿布杜·美地（Abdul Mejid，一八三九年——一八六一年）。

英法矛盾的展开

新土皇只是一个小孩子，他准备求和，并准备把埃及和叙利亚交给麦海麦特·阿利作为世袭的领土，但英国不能同意。并且英国和俄、奥、普、法四国都认为土、埃问题必须由她们一齐来解决，而不能由没有经验的土皇和麦海麦特·阿利直接交涉。因此五强就起草了一个通牒，由五强代表卢兴（Roussin）在七月二十七日交给土政府，要求她对埃及停止谈判，而等待五强共同讨论的结果。

法国固然参加了共同行动，可是她和英国的意见却不一致。六月十七日，英国外交部长巴玛斯敦就在伦敦外交部和法国驻英代理大使布昆奈（Bourqueney）举行过一次谈话，他主张给麦海麦特·阿利在埃及的世袭权，但埃及总督同时必须放弃叙利亚。这在法国是不能同意的，她主张麦海麦特·阿利保有叙利亚。

为着直接打击麦海麦特·阿利并间接打击法国，英国在消除俄国单独干涉土耳其的危险以后就拉拢俄国；同时俄国不愿让麦海麦特·阿利的势力扩大到道鲁斯，她也决定跟在英国的后面援助土耳其，而采取同样步骤的还有俄国的盟国奥地利及普鲁士。法国本以为英、奥拉拢俄国参加伦敦的会议，在于不让俄国有实行《安基阿尔·斯开莱西条约》的机会，她在伦敦希望借此造成反俄的英、法同盟。但这时英、俄的矛盾在东方问题上并不如英、法的矛盾尖锐，俄皇以得到巴玛斯敦的帮助反结成了反法的同盟。为着加深英、法的矛盾，俄皇在九月派代表布伦诺夫（Brunnov）到伦敦提出解决土、埃问题的办法，他表示可以强迫麦海麦特·阿利放弃叙利亚，而且俄国决不到博斯普鲁斯海峡，倘若英国在达达尼尔海峡没有同样的行动。这等于俄国表示放弃了《安基阿尔·斯开莱西条约》的秘密条款。

当第尔（Thiers）在一八四〇年三月一日代替梭尔特做了法国内阁总理以后，他同梭尔特一样，还在投两种机：（一）倘若别国联合起来从麦海麦特·阿利手里夺去叙利亚，他会拼命抵抗；（二）一切压迫他的办法都会无效。第尔仍坚决反对一切压迫麦海麦特的提议，他甚至企图调和土耳其和埃及而不让别国过问。可是结果却完全出于他的意料以外。

《伦敦协定》

一八四〇年七月十五日，英、奥、普、俄四强协定由四强和土耳其在伦敦签字，法国被一脚踢出了门外。《伦敦协定》的规定是：麦海麦特得享有埃及总督的世袭权，并终身统治阿克尔和南叙利亚，但须放弃克里特岛、北叙利亚、麦加和美第纳，并交还土耳其舰队。如果麦海麦特在十天以内不接受这些条件，其意义就等于撤销终身统治阿克尔和南叙利亚的提议，如果他再过十天不接受修改的提议，其意义就等于撤销全部的提议，而再由土皇自由处置。此外四强决定用封锁的方法强迫麦海麦特就范，假使埃军到了君士坦丁堡，则四强在土皇的要求之下负担共同防御的任务；而这在俄国一方面又等于放弃了《安基阿尔·斯开莱西条约》上单独保护土耳其的规定。并且四强还有一个议定书，声明她们不等待批准立刻就实行《伦敦协定》。

法国终于退却

当英国把《伦敦协定》交给法国的时候，法国的威望受了重大的打击，巴黎震动了。法国的资产阶级最初以战争威胁欧洲其他的国家，法国的军队动员了，第尔和法国报纸都表示要打，一时战云笼罩着莱因河和海峡。

同时依赖法国的麦海麦特·阿利拒绝了《伦敦协定》上的条件。英国驻土大使潘森比（Ponsonby）已在黎巴嫩煽动叙利亚人反对麦海麦特。九月十一日，英、奥联合舰队轰击贝鲁特，英国的海军总司令纳披尔（Napier）并且把这个地方占领了（十月三日）。接着纳披尔又占领了阿克尔（十一月三日）。同时叙利亚人也起而反抗埃及人。结果伊布拉希姆所指挥的埃军不得不从叙利亚完全撤退出来。这样，就要看法国怎样支持埃及了。

在英、奥联合舰队轰击贝鲁特后的第三天，土皇宣布把埃及总督免职。

法国听到了贝鲁特被轰击及麦海麦特·阿利被免职的消息，更加愤激，战争的空气更加浓厚。同时德意志也在防备法国的进攻。但巴玛斯敦看到法国的大工业家倾向和平，认为战争不会发生。是的，法国的资产阶级到了重要的关头胆小了，第尔在十月二十日的辞职，就反映出法王路易·腓立的坚决反对战争而情愿同英国妥协。

十月八日，法国已向英国提议媾和，指出英国及其他四国如能使麦海麦特·阿利得到埃及总督的世袭权，则法国可以放弃占有叙利亚的要求。第尔辞职后，梭尔特组阁，基佐辞去法驻英大使一职，入新阁当外交部长，更倾向于保守的和平政策，力图调和法国和列强。

《亚历山大里亚条约》

当纳披尔占领了阿克尔以后，他又率领英国舰队到亚历山大里亚，强迫麦海麦特·阿利在十一月二十五日缔结了“英国经纪人所常订的一个卤莽条约”。《亚历山大里亚条约》规定麦海麦特交还土耳其舰队，放弃对叙利亚的要求，而以得到埃及的世袭权为报酬。但经列强同意的这个条约却遭土皇的反对，他只允许给麦海麦特·阿利以统治埃及的终身权。

再经过奥、普两国的调停，一八四一年二月十三日，土皇下了一道敕令，任命麦海麦特·阿利为埃及的世袭总督。可是麦海麦特替埃及的地主和商人扩大领土、建立帝国的企图，却被破坏了。此后埃及反而逐渐变成了英国的殖民地。

第二次《伦敦协定》

法国出卖了盟国，英国也让了步，七月十三日，列强就在伦敦缔结了两个条约：第一个条约由英、俄、奥、普四强签订，宣布埃及问题解决；第二个条约由四强再和法国签订，保障海峡中立。根据英、俄、奥、普、法所缔结的第二次《伦敦协定》，土耳其收复叙利亚、克里特岛及阿拉伯，麦海麦特·阿利享有埃及总督的世袭权；并且土耳其在平时禁止一切外国军舰通过达达尼尔海峡及博斯普鲁斯海峡。《安基阿尔·斯开莱西条约》因此就完全无效了。

第二次《伦敦协定》代替了一八四〇年七月十五日的第一次《伦敦协定》，法国又成了“欧洲协调”的一国，从一八三九年到一八四一年的东方危机便解决了。

不过，第二次《伦敦协定》虽解决了一八三九年到一八四一年的东方危机，却没有解决东方问题，英、俄之间的矛盾依然存在，而这样的矛盾再加上法、俄之间的矛盾，却又酿成了更大的东方危机，酿成了更大的战争。

第二节　克里米亚战争和《巴黎条约》

英、法和俄国在土耳其问题上酝酿冲突

欧洲在一八四八年的革命，曾影响到多瑙河流域的两个侯国（摩尔达维亚和华莱启亚），也曾影响到奥图曼帝国。当俄军帮助奥军完全摧毁匈牙利独立运动的时候，他们也在多瑙河流域的两个侯国镇压着解放运动。

为着使占领这两邦的俄军能完成镇压的任务，俄国在一八四九年五月一日还和土耳其缔结了《巴尔太·立曼（Balta-Liman）条约》，说明俄军在两邦的“秩序恢复以后”，才实行撤退。俄国之在奥图曼帝国企图尽可能的恢复她的势力，即此已可见一斑了。

等到一八四八年的革命失败以后，欧洲列强由于维也纳会议的反动处置，畏惧革命的心理乃一扫而空，因此国际间的阴谋和斗争就恢复了一七八九年以前的局面。而其首先被列强提出的中心问题便是东方问题。由于俄国仍在进行着觊觎君士坦丁堡的计划，英、法和俄国在土耳其问题上的矛盾不可避免地又尖锐起来了。

法俄纠纷

一八四一年以后的东方危机，乃由巴力斯坦拉丁僧侣和希腊僧侣的纠纷而起。在十字军东征以后，法国就保护叙利亚和巴力斯坦的朝拜圣地者，这曾在一七四〇年五月二十五日所订的《法土条约》上得到土耳其的正式允许。但俄国势力在十八世纪的发展，却使得东方的正教徒想依赖俄国来推翻拉丁僧侣的地位，并且俄国也担负了保护希腊教徒利益的责任。因此，巴力斯坦拉丁僧侣和希腊僧侣的纠纷，就变成了法国和俄国的纠纷。

拿破仑第三一方面为着和法国的牧师修好，一方面为着维持法国的宗教和商业，更积极保护拉丁僧侣的利益。受俄国保护的希腊僧侣之侵夺拉丁僧侣的利益，路易·拿破仑在一八五〇年已提出过抗议。他在一八五一年的实行政变，扩大权力，使得法驻土大使瓦勒特（Valette）在君士坦丁堡关于拉丁僧侣保护圣地的问题更大胆的进行交涉。一八五二年二月九日，土皇表示让步，下了一道敕令承认了拉丁僧侣的一些特权。

但土皇的让步却引起了俄皇的愤怒，这又以俄皇不满那忽做皇帝的拿破仑第三而更甚。俄皇不但要土皇取消他对法国的让步，而且要他承认俄皇对土耳其境内所有正教徒的保护权；这在一八五三年三月二十二日俄国代表孟锡柯夫（Menshikov）和土耳其首相的谈话里表示了出来。根据《柯恰克卡纳齐条约》的第十四条，俄国政府只应保护加拉太的希腊教堂，可是孟锡柯夫要求土皇增加俄国的权利，并须再正式缔结条约承认俄皇是土耳其境内正教派臣民的保护者。

英国卷进了这个纠纷

俄皇的要求又引起了英国的注意。俄国势力在近东的任何扩张，英国都关心着。英国认为俄皇的要求不啻干涉土耳其的内政，因此她表示反对。四月五日当英驻土大使斯特拉福（Stratford de Redcliff）休假回任以后，英国的外交打击了孟锡柯夫的企图。由于土皇在五月十八日表示拒绝和俄国缔结条约，孟锡柯夫在五月二十一日就离开了君士坦丁堡。

俄皇对于当时欧洲形势的估计，本以为奥、普两国至少可以保守中立，甚至还可以援助俄国，单单法国一国不必怕，他所顾虑的却是英国。不过，尼古拉第一又认为英、俄乃是两个有最密切关系的国家，应解决相互间的东方问题，在他和英驻俄大使西摩尔（Seymour）的四次谈话（第一次谈话在一八五三年一月九日，第二次在一月十四日，第三次在二月二十日，第四次在二月二十一日）里，他明白指出土耳其这个“病人”快要死去，为着解决继承问题，他要求英国和他有相当的谅解。俄皇对西摩尔表示俄国不想占领君士坦丁堡，但也不愿任何国家占领它；他又表示塞尔维亚和保加利亚可以在俄国保护之下独立，英国可以取得埃及和克里特岛。英国在东方问题上最关心的是在维持她和印度及远东的交通线，而合并埃及就会达到目的，俄皇是这样想的。甚至他以为英国如不同意他的提议，那他就准备单独和土耳其交涉，而使英国面对着既成事实。

然而，俄皇使英国取得埃及和克里特岛，而让俄国在巴尔干半岛自由行动的提议，更引起了英国的反对，而她的回答就是克里米亚战争。

近东风云紧急

在孟锡柯夫回国以后，五月三十日，俄国决定出兵占领多瑙河流域的两个侯国来压迫土皇，同日英、法两国也决定派舰队到贝西加湾，并授权斯特拉福在必要时得命舰队开到君士坦丁堡。从此近东的风云就一天天的紧急起来了。

六月三日，俄军的先锋队渡过普鲁斯河。土耳其在摩尔达维亚和华莱启亚既没有驻兵，而且一八四八年俄国在这两邦所占领的地方也没有把军队完全退出。因此，渡过普鲁斯河的俄军在七月二日便完全占领了她们。英、法两国对俄国提出了抗议，但是阻止土耳其对俄宣战。英、法两国的舰队在六月十三日都到了贝西加湾。

根据《阿德里亚诺堡条约》，完全实行自治的摩尔达维亚和华莱启亚，在实际上已对土耳其宣布独立，并且俄国在这两邦还享有特殊的地位。所以俄国在占领她们后就声明这不是战争的行动，而是满足她正常要求的一种实物的保证。不过，显然的，战争的空气却遮掩不住了。

维也纳第一次会议

为着阻止战事的发生，七月二十四日，注意东方问题的奥地利在维也纳召集英、法、普的大使举行会议。这就是维也纳第一次会议。奥地利固然没有忘掉俄军在一八四九年的援助，但她既不愿让俄国控制土耳其，也不愿和英、法对立，因此她和英、法、普所讨论的方案在能满足俄国的要求，而无碍于土耳其的独立。七月二十七日，奥、普、英、法四国大使决定发表通牒，由法国大使起草（但在事实上是拿破仑第三起草的），措词含混，目的在从原则上使俄国人满意，但又不得罪土耳其人。这个《维也纳通牒》是由奥地利交给俄国的，俄皇接受了，因为它可作有利于俄国的解释。惟土耳其政府则在收到这个通牒后加以修改而退给维也纳会议，她表示基督教徒的保护应依赖土皇，而不应依赖俄皇的“自动的挂念”。

九月七日，俄国拒绝接受土耳其所修改的《维也纳通牒》。跟着俄皇尼古拉第一和奥皇佛兰西士·约瑟夫会见于奥尔末兹，奥地利继续设法使俄国接受通牒，但英、法两国则不愿重蹈覆辙。奥地利的调停无效，俄军沿着多瑙河集中，君士坦丁堡举行着示威运动，英、法舰队接到了开往君士坦丁堡的命令。到了九月二十六日，土耳其举行了一个会议，决定对俄开战。宣战书是在十月四日下的。

土耳其和法、英相继对帝俄宣战

十一月三十日，土耳其有一艘装军队及军需品的军舰在新洛浦港外碰到纳克希摩夫（Nakhimof）的舰队，完全被击沉，这大大惹起了英、法的愤怒。一八五四年一月三日，拿破仑第三提议英、法舰队从贝西加湾开入黑海，保护土耳其的海岸和运输品。二月六日，俄国和英、法断绝了关系，二十七日，英、法在给俄国的最后通牒上，要求俄军在四月三十日以前撤出摩尔达维亚及华莱启亚，俄皇并没有回答。三月十二日，英、法、土三国结成同盟；二十七日，法国对俄宣战，二十八日英国也对俄宣战，她们派了军队到瓦尔纳，又派了舰队到黑海。

维也纳的四点

战事发生以后，奥地利一方面在表面上保守中立，并和普鲁士缔结防守同盟，防备俄国合并摩尔达维亚和华莱启亚，或进展到巴尔干山脉以外；一方面以最后通牒强迫俄国在这两邦撤军，并根据六月十四日和土耳其缔结的条约占领了她们。因此就开始了俄、奥之间的对立。惟奥地利在占领多瑙河流域的两侯国以后，却企图重开谈判，结束战争。八月八日，她和英、法两国共同发表了四点作为媾和的条件，这被称为维也纳的四点，即：（一）集体保证多瑙河流域两侯国及塞尔维亚的地位；（二）多瑙河航行自由；（三）修改一八四一年七月十三日的第二次《伦敦协定》，使土耳其帝国的存在有关于欧洲的均势，消除俄国在黑海的优势；（四）俄国放弃保护土皇臣民的要求，并由五强协议保护基督教徒的特权，而不妨碍土耳其的独立。

撒地尼亚参战

而一起参加战争，并在四月十日互结同盟的英、法，则在实际上支配着土耳其，她们甚至还企图分割自己的盟国。为着争取更多的盟国，扩大战场，拿破仑第三想使奥地利放弃中立而站在英、法的一边。十二月二日，英、法和奥地利缔结攻守同盟，保证奥地利在义大利的领土（指战时而言），并答应在俄国进攻时支持奥地利，同时奥地利也答应防守摩尔达维亚和华莱启亚，并让英、法在这两邦自由行动。奥地利动员了所有的军队，但仍避免战争的行动。如马克思和恩格斯所指出的，英、法又想使斯坎的纳维亚半岛的国家加入战争，也没有达到目的。不过，拿破仑第三拉拢撒地尼亚的活动却成功了。自一八五四年五月起，法国大使就和撒地尼亚王伊曼纽尔第二及首相加富尔（Cavour）进行缔结同盟，而同盟条约则在一八五五年一月二十六日签字。撒地尼亚派到克里米亚半岛去的军队有一万五千人，由马摩拉（Marmora）指挥，而大有助于英、法联军。

联军在克里米亚半岛战胜

英、法联军在克里米亚半岛的欧巴托利亚港登陆的一天，是一八五四年九月十四日。当时英军由拉格兰（Raglan）指挥，法军由圣阿尔诺（St. Arnaud）指挥，他们进攻的目标是俄国的要塞塞巴斯托堡。

克里米亚战争以一八五五年九月八日法军占领马拉柯夫堡垒而在实际上告终，俄军在九月十一日就放弃了塞巴斯托堡。

从一八五四年九月十四日到一八五五年九月八日，俄军的损失固然很大，英、法联军的损失也不小，特别是在巴拉克拉瓦一役（一八五四年十月二十五日）及英刻曼一役（十一月五日）里。交战国双方所损失的士兵超过了五十万人，所花费的金钱至少有二千兆金元。

维也纳第二次会议

在克里米亚战争还没有告终以前，和平谈判就开始了。一八五五年一月七日，俄皇接受了奥、英、法三国所提出的四点，作为议和的根据。三月十五日，和会在维也纳举行，这就是维也纳第二次会议。维也纳会议由奥地利首相布尔·萧恩斯坦（Boul-Schauenstein）举行开幕礼，参加的有英驻奥大使韦斯特摩兰（Westmorland）和法驻奥大使布昆奈，有英国殖民部长拉塞尔（Russell）和法国外交部长吕伊（Lhuys），还有俄国大使高贾可夫（Gorchakov）。俄皇尼古拉第一在三月二日就死了，继位的是亚历山大第二（Alexander Ⅱ，一八五五年——一八八一年），他是倾向和平的。

议和所根据的四点，俄国对于第一点和第二点都答应让步。第三点要限制俄国在黑海的军力，高贾可夫在考虑后拒绝了，他以为一个大国只有在打败后才可以限制她的军力。于是战事就只有继续进行。

巴黎会议

到了九月八日，一个大国毕竟打败了，俄军十一月二十八日在亚洲战线上占领卡尔斯的胜利，并不能挽救整个战局。奥地利在十二月二十八日又给俄国一个最后通牒，而以参加战争来威胁她，如果她拒绝接受维也纳的四点，又拒绝使黑海成为中立区，并割让贝萨拉比亚。因此，新俄皇亚历山大第二在一八五六年二月一日便表示屈服，同意四点。同时拿破仑第三也以久战而颇感厌倦；而且正如马克思和恩格斯所说法国的假拿破仑或巴玛斯敦都不想对俄国熊加以致命的打击。于是和会就又在巴黎举行了。由于奥地利是和议的主动者，她也参加了和会。

巴黎会议是在一八五六年二月二十五日开幕，参加的代表有法国外交部长瓦勒斯基（Walewski）及法驻奥大使布昆奈，英国外交部长克拉伦顿（Clarendon）及英驻法大使考莱（Cowley），奥地利首相布尔及奥驻法大使贺布奈尔（Hübner），撒地尼亚首相加富尔及撒驻法公使威拉纳里纳（Villainarina），土耳其首相阿利·帕沙（Ali-Pasha）及麦麦德·甲马尔（Mehmed Jemal），俄国是奥罗夫及布伦洛夫。照国际的惯例，瓦勒斯基被推为议长。到了三月十六日讨论黑海问题的时候，参加会议的还有一八四一年第二次《伦敦协定》的一个签字国普鲁士，她的代表是曼特菲尔。

当巴黎会议举行以后，拿破仑第三本希望利用机会促成一八一五年的各种条约的修改，特别有关于义、波两国的。但他的许多计划被英国破坏掉，英国维持现状的政策是和奥地利接近的。因此，法国就开始向俄国送秋波了。巴黎会议的第一个工作，是缔结到三月三十一日为止的休战协定。三月三十日，《巴黎条约》又在法国外交部签了字。

根据《巴黎条约》：列强允许土耳其成为“欧洲协调”的一国，并尊重土耳其帝国的独立和领土完整，同时土皇答应改善土耳其人民的状况，不分种族和教派；俄国收复克里米亚半岛，而把多瑙河的河口及贝萨拉比亚的南部割给摩尔达维亚，交还卡尔斯，并放弃保护土耳其基督教徒的要求；摩尔达维亚和华莱启亚在土耳其宗主权之下的特权，由列强共同保证；黑海完全成为中立区，各国商船可以通行，但禁止各国军舰出入，而且俄、土两国都不得在黑海岸上设置兵工厂；多瑙河对一切国家开放，并设立一个国际委员会保证航行的安全。

除《巴黎条约》外，在四月十五日签字的有：关于土耳其问题的《英、法、奥条约》；四月十六日签字的有：

巴黎会议所起草的《巴黎宣言》。前者在表示三强都一致注意着任何侵害土耳其独立和领土完整的地方，并准备商议对付的办法。后者所包括的有四条：（一）私船捕获制度宣告取消；（二）除战时禁止品外，中立国的国旗可以保护敌国的货物；（三）除战时禁止品外，中立国的货物就是在敌人的国旗下面也不得被没收；（四）封锁必须有效，换句话说，必须有充足的海军阻止舰船在敌国海岸的出入。这就成为国际法上的四大规则。

显然的，在巴黎会议里收获最大的是英国和奥地利。《巴黎条约》里关于黑海的条款，是特别有利于英国的，因为俄国以此就不能到地中海来危害英国的利益。不过，痛恨这些条款的俄国到了一八七一年却以俾斯麦（Bismarck）的帮助而把它们撕掉了。

而俄、奥、普同盟的瓦解以及撒地尼亚的参战，又有利于义大利的统一。

第七章　法兰西第二帝国在国际间的成败

民族主义的发展

从一八三〇年到一八四八年，值得注意的是欧洲资产阶级和劳动阶级所推进的民主主义的思想；从一八四八年到一八七一年，值得注意的是义大利和德意志所完成的民族统一的运动。在民族主义发展的时期，就是拿破仑第三也以民族主义的名义统治了法国二十二年。列宁说：“正在发展着的资本主义，对民族问题知道两种历史的倾向：第一种，提醒民族生活和民族运动，反对任何民族压迫的斗争，民族国家的建立；第二种，各民族间一切联系的发展和频繁，民族隔膜的打破，资本、一般经济生活、政治、科学等等的国际统一的建立。两种倾向都是资本主义的世界法则。第一种是在资本主义发展的初期占着优势，第二种是特别表明资本主义的成熟，并正走向它本身所转变的社会主义的社会。”自然，民族国家的建立，需要民族解放的战争；而压迫民族的国家则在进行侵略的战争。

第二帝国

拿破仑第三统治下的法国，就是所谓“第二帝国”，而法国资本主义在“第二帝国”的时期却已到了成熟的阶段。拿破仑第三既以拉拢法国资产阶级而登了台，他当然要尽力帮助法国资本主义的发展；由于他保护工业，扩大经济自由，发展对外贸易，并采用英国的自由贸易政策，资产阶级也觉得他同路易·腓立一样的热心于他们的经济利益。

法国资产阶级需要争取新市场，需要剥削半封建的和封建的国家，剥削殖民地。为着满足他们的需要，拿破仑第三又热心于侵略政策和殖民政策。当一八五二年十月九日他在波耳多演说的时候，他表示帝国就是和平。其实“第二帝国”一开始便不是表示和平而是表示战争，因为这个帝国尽管挂上了一块民族主义的招牌，可是她的基础乃是建筑在侵略政策和殖民政策上面的，何况拿破仑第三又憧憬着拿破仑第一作战的光荣。

拿破仑第三对外的野心，不但要洗刷维也纳会议加在法国人身上的耻辱，而且要恢复法国的“天然国境”，重建法兰西的一个殖民帝国。为了实现这样的野心起见，他虽然没有放弃和平谈判的办法，但同时认为战争也是必要的。

法英关系

当拿破仑第三即位的时候，就对俄备战。他以拿破仑第一反英的教训及西班牙婚姻问题（一八四六年）对英、法邦交的打击，乃转而企图拉拢英国来改善法国在外交上的地位。英、法之在一八五四年一齐对俄作战，这就是拿破仑第三联英政策成功的表现。克里米亚战争结束以后，法国虽没有得到物质上的利益，但恢复了她在欧洲大陆上的威望，同时又在军事上及政治上加强了她和英国的关系。不用说，拿破仑第三也因此而一跃成为欧洲大陆上的第一等脚色。而他之在一八六〇年一月二十三日和英国缔结《柯布登（Cobden）条约》，使法国的商品可以自由输入英国（英国商品在输入法国时也只抽一点税），这不但表明法国自由贸易政策的开始，并且表明英、法关系的密切。

夺取殖民地

为着重建法兰西的一个殖民帝国而替法国资产阶级争取新市场，法国在一八三〇年七月开始占领的阿尔及耳，拿破仑第三在一八五七年七月就以克服卡比利亚而完成了占领的行动。因此，法国的殖民者便大规模的掠夺阿尔及耳的土地。从一八六四年到一八七〇年，麦克马翰元帅（Macmahon）在北非洲的努力又巩固了法国的利益。一八六〇年，“保护”近东基督教徒的拿破仑第三，利用叙利亚的农人暴动，派法军远征叙利亚，并占领了她，但到一八六一年却以英、奥的压迫而撤兵。在太平洋上，拿破仑第三也得到了一些岛屿，而其著名的则有新喀利多尼亚（一八五三年）。一八六〇年，他以联合英国进攻中国的胜利，取得了法国商业在中国的特权。一八六三年，他在柬埔寨建立了法国的保护权，并奠下了法属安南的基础。不过，他对墨西哥的干涉却失败了。

干涉墨西哥的失败

一八六〇年，墨西哥内战的结果，自由主义派得到了胜利，甲累兹（Jurez）的革命政府稳定了。但这个政府因财政的破产下令延付外债两年。根据一八六一年十月十三日所订的《伦敦条约》，法、英、西三国就以墨西哥延付外债为口实而决定对她实行武装干涉。当三国的干涉一开始，马克思就指出了反革命的性质，而认为她们“要建立新的‘神圣同盟’，把同一的原则应用到美洲各国”。

一八六一年十二月，法、英、西的军队在委拉古卢斯登了陆，并且把它占领了。不久英、西两国看出拿破仑第三企图趁美国发生南北战争（一八六一年——一八六五年）的时机，在墨西哥建立一个天主教徒的拉丁帝国，立刻就撤了兵。

法军单独向墨西哥的内地前进，一八六三年六月，他们占领了墨西哥城，而宣布奥地利的大公马克西米连（Maximilian）为墨西哥的皇帝。同时墨西哥的反动派对于干涉者的命令是服从的。法军把墨西哥看作被征服的国家，而统治着他们所占领的地方。没有法军的帮助，马克西米连的地位便不能维持。同时拿破仑第三以为马克西米连因此应当给法国资本家许多有利的工商业特权。他为了在墨西哥的冒险而派到那里去的法军有五万多人，这是法国财政上的一笔重大的负担。

一八六六年，美国内战告终，坚决要求法军撤退，这时拿破仑第三也以欧洲的纠纷极其需要军队，于是在一八六七年的年初撤回了大部分的法军。而马克西米连拒绝退位，并亲自指挥自己的军队及一部分法军作战。他终于在一次战役里为墨西哥的共和军所俘；一八六七年六月十九日，他被枪毙了。

拿破仑第三在大陆上的对外行动

为着恢复法国的“天然国境”，拿破仑第三首先在义大利找到了机会。他帮助过塞尔维亚和罗马尼亚摆脱土耳其的压迫，又利用义大利人民对于民族解放和统一的热望以及许多法国人对于义大利的同情，和撒地尼亚联系了起来，不论在调和伊曼纽尔第二和奥地利的活动上，或拉拢撒地尼亚参加战争的活动上，都表现了他和撒地尼亚的关系。一八五八年一月十四日，义大利的一个爱国者奥西尼（Orsini）谋刺拿破仑第三和皇后倭热尼（Eugénie）。奥西尼被捕以后，便在监狱里向拿破仑第三呼吁，要求他援助自由义大利，否则欧洲的和平及他本人的安全都是妄想。曾经做过烧炭党员（烧炭党是义大利自由资产阶级的一个党，他参加过那不勒斯及壁蒙特等地的革命）的拿破仑第三，因此受了刺激，决定不顾法国教士的反对，积极过问义大利问题，并借此恢复法国在东南部的“天然国境”。

一八五九年五月，拿破仑第三站在撒地尼亚一方面对奥地利作战，结果胜利，并且在一八六〇年三月从义大利人那里收复了尼斯和萨伏衣，这两个城是法国在一七九二年夺得而在一八一四年失掉的。不过，拿破仑第三虽把奥军赶出了米兰，但没有解放威尼斯（其详见第八章）。

法国的一个友邦波兰，在一八六三年一月爆发了反抗俄皇的革命。由于波兰对法国的求援，这的确给了拿破仑第三一个实行民族主义的大好机会。当时法国及英国、奥地利都先后对俄皇提出抗议。但拿破仑第三并没有继之以行动，同时英、奥的态度也不积极。因此得到俾斯麦支持的俄皇便蔑视法国的强硬抗议，而在一八六四年五月完全扑灭了波兰的革命。拿破仑第三的政策既无补于波兰，又使同法国和好的俄国疏远了法国。

一八六四年当普、奥两国进攻丹麦的时候，英国的遗弃丹麦遭受到拿破仑第三的责备。但没有重视法、丹关系的拿破仑第三也降低了自己的声望。一八六六年，普鲁士、义大利和奥地利（及德意志的许多小邦）之间又发生了战争。法国人本以为这个战争是长期的，要经过他们的调停才可以结束，可是战争的结果，普鲁士在七个星期以内就打败了奥地利。法军既毫无准备，拿破仑第三也没有动员，他倒同意了普鲁士所支配的北德意志同盟的建立，默认了普鲁士的合并北德小邦。但当他以法国保守中立而向普鲁士要求赔偿的时候，却遭受俾斯麦的拒绝。无论拿破仑第三要求普鲁士在莱因河左岸的领土及马因尔，或要求普鲁士帮助他取得巴伐利亚在莱因河畔的领土（帕拉狄奈特），或允许法国合并比利时，都被拒绝了。俾斯麦甚至连卢森堡这个小国也不愿送给拿破仑第三。虽然拿破仑第三想恢复法国在东北部的“天然国境”，但他在莱因河畔并没有替法国增加一吋领土。

拿破仑第三的孤立

拿破仑第三所有的要求既完全为俾斯麦所拒绝，法、普冲突的不可避免因此就成了显然的事情，而拿破仑第三和奥、义两国的谈判同盟便是这种冲突发生前的准备工作。一八六七年八月，拿破仑第三和奥皇佛兰西士·约瑟夫相会于萨尔兹堡，十月，奥皇又一度拜访巴黎。在法军开始改组以后，拿破仑第三先后和奥、义两国举行谈判。一八六九年，三国的君主已有了一个草约，并互通函件。但三国缔结一个固定协定的主要障碍，是奥地利并不愿在法、普所争论的纯粹德意志问题上立刻参加行动，而义大利则又坚决要求法军从罗马撤退。可是法国政府却误认为法国一旦和普鲁士作战，则奥、义两国就一定会加入她的一边。

老实说，就法国在国际间的关系来讲，不但奥、义两国成了问题，就是俄、美、英等国也都成了问题。俄国既以波兰问题而疏远法国，美国又因拿破仑第三的干涉墨西哥而愤恨他，而且英国也渐渐把他看作一个有野心的危险的专制皇帝，认为他一方面在欧洲大陆上扩大法兰西帝国，一方面在殖民地及商业上争取法国的优势。因此法国在一八六七年就已孤立了。不但这样，当拿破仑第三在外交上着着失败的时候，他的独裁又引起了法国内部的反对，劳动阶级固然在反对他，就是资产阶级也对他表示不满了。

一八七〇年的普法战争

为减轻资产阶级的不满起见，拿破仑第三又想求助于战争。这时法、普关系的紧张已与日俱增，普鲁士首相俾斯麦既企图使普鲁士和南德的小邦联合为一个强大的国家，而准备和法国作战，拿破仑第三也企图以接受俾斯麦的挑衅来洗刷他过去在德意志失败的耻辱，并巩固他和子孙在法国的地位。

一八七〇年，西班牙王位的候补问题终于使法、普两国的紧张关系达到了破裂的地步。俾斯麦既想把拿破仑第三诱入战争的漩涡，于是他力劝普王威廉第一

（William Ⅰ，一八六一年——一八八八年）的堂兄弟利欧破尔德亲王（Prince Leopold）当西班牙王的候补人，借此来刺激拿破仑第三和法国人民。反对德、西联合的拿破仑第三，立刻对普王表示霍亨佐伦王族的接受西班牙王位就是法国作战的充分理由。由于马德里宣布利欧破尔德自动放弃王位，拿破仑第三的交涉本已成功，但他又以法国舆论的督促，进一步要求普王正式保证霍亨佐伦王族永远不当西班牙王的候补人，这遭受到普皇的坚决拒绝。而且报告法驻普大使贝奈德狄（Benedetti）和普王交涉的埃姆斯电报又被俾斯麦删改了一下，使法国人民以为他们的代表受了简略无礼的待遇。这可算是普法战争的信号。

一八七〇年七月十四日，俾斯麦所删改的电报就在法国国庆节传到了巴黎，果然激动了法国，当晚拿破仑第三便决定作战。十五日，法国立法院以法皇的提议，决定对普宣战，十七日，英国里昂爵士（Lord Lyons）还要求法、普两国在开战前由第三国进行调停，但遭受到法国外交部长格纳蒙（Grammont）的谢绝。十九日，法国对普下了宣战书。拿破仑第三本以为南德各邦会离开普鲁士而和法国联合在一起，可是普法战争一爆发，南德各邦却认为普鲁士受法国的攻击，反立刻以武力援助她。拿破仑第三的愤恨就是俾斯麦的愉快。

普法战争第一期及拿破仑第三的投降

一八七〇年的普法战争暴露了拿破仑政权的腐败。法军的勇敢虽然惊人，但缺少善于指挥的军官，而且人数很不够，也没有组织，没有作战计划，同时又缺乏粮食。因此，第一期的普法战争在六个星期以内就结束了。（普法战争第二期见第九章）当麦克马翰在阿尔及耳被拿破仑第三召回法国、指挥斯特拉斯堡的法军以后，他在八月六日就被普鲁士太子腓特烈（Frederick）打败，放弃了亚尔萨斯而退守沙龙。而巴曾（Bozaine）在莱因河方面指挥的法军，又在八月十八日被毛奇（Moltke）的普军打败，并被困在麦茨。拿破仑第三乃亲自出马，和麦克马翰共同指挥法军的主力，但当麦克马翰企图解麦茨之围而援救巴曾的时候，他发现道路又被截断，而在九月一日的色当一役里受了普军的包围，死伤达二万五千人，结果不得不在第二天率八万一千人投降，并且拿破仑本人也被俘。

第三共和国

九月四日，拿破仑第三和法军投降的消息已传遍巴黎，人心大愤，立刻就发生革命，废黜拿破仑第三，建立“第三共和国”，并由资产阶级的共和党领袖甘必大（Gambetta）等人组织国防政府。这就是法兰西“第二帝国”的结束。

第八章　义大利统一和欧洲政局

加富尔争取义大利解放和统一的策划

自维也纳会议结束以后，义大利就一天天的增加着反奥的情绪，推进着民族运动。而始终未受奥地利支配的撒地利亚，不但得到了义大利民族主义者的信任，并且得到了义大利自由主义者的同情。自然，壁蒙特工业的发展和资产阶级的抬头，更使得撒地尼亚能迅速成为义大利各邦的一个领袖。虽然撒地尼亚王阿伯特在一八四八年及一八四九年的战争里打败了，可是新王伊曼纽尔第二在壁蒙特却仍做解放义大利的准备。

撒地尼亚首相加富尔根据一八四八年及一八四九年的经验，认为撒地尼亚除向欧洲提出“义大利问题”以外，还需要外援，否则小小的撒地尼亚决不能打败强大的奥地利帝国。而这种外援在加富尔看来就是法国。他早已说过："不管我们喜欢不喜欢，我们的命运却依赖法国；在欧洲迟早要开的竞技大会上，我们一定要同法国在一起。"

加富尔不仅仅在说，而且在做。他运用着外交，一方面引诱法国和撒地尼亚缔结同盟，一方面使奥地利陷于孤立。拿破仑第三对被压迫民族的"醉心"和好名的野心，都是加富尔所注意的。

一八五五年，加富尔使撒地尼亚参加克里米亚战争，抵抗俄国。他预料奥地利会和俄国结成同盟，想借此取得英、法的帮助来对付奥地利。结果加富尔虽以奥地利的保守中立而没有如愿，但壁蒙特军队在战争里对于联军的帮助，却赢得了英国的同情和法皇的友谊。而且加富尔又在巴黎和会（一八五六年）里表明过奥地利的苛政和义大利的痛苦。

自巴黎和会结束以后，撒地尼亚和奥地利的关系日益紧张起来了。而奥皇佛兰西士·约瑟夫的旅行义大利，以及加富尔纵容壁蒙特的报纸攻击奥皇，又显出是火上加油。更由于奥地利首相布尔的召回奥国驻撒大使（一八五七年二月），以及加富尔的跟着召回撒地尼亚驻奥大使，撒、奥两国连一点外交关系都没有了。

普伦比耶会谈

撒、奥关系的恶化，使过于重视外援的加富尔更加紧进行联合法国来打击奥地利。（英国虽同情壁蒙特，惟始终不愿疏远奥地利，尽管她常劝布尔进行改革，但不会直接帮助加富尔。）同时拿破仑第三在奥西尼谋刺后也下了积极过问义大利问题的决心。一八五八年五月，拿破仑第三的老友康诺（Conneau）到吐林访加富尔，把法皇要到普伦比耶（Plombières）的消息告诉他。普伦比耶距离撒地尼亚的边境不远，康诺的话对加富尔可算是一种暗示。到了七月，加富尔向普伦比耶出发，二十一日，他和拿破仑第三相见，并举行秘密会谈，会谈的结果，双方成立了非正式的协定。根据加富尔的记录，如果撒地尼亚能在外交上找到好题目，拿破仑第三允许帮助她对奥作战，好使她的领土从阿尔卑斯山扩大到亚得里亚海；至于整个半岛则组成四邦的联邦，而以教皇为名义上的领袖；当法国在伦巴底和威尼西亚赶走了奥地利人以后，伊曼纽尔第二须以尼斯和萨伏衣来酬报她。此外拿破仑第三又要求伊曼纽尔的女儿克罗西尔德公主(Princess Clothilde)嫁给他亲义的堂兄弟舍洛麦·邦拿帕狄亲王(Prince Jerome Bonaparte)。而法、撒两国的正式条约是在十二月十日签字的，那时拿破仑第三已确信了俄国对法的善意。

加富尔离开普伦比耶就到了德意志，他知道德意志不愿为着奥地利卷入战争的漩涡。此外加富尔又和义大利各邦的政府成立许多密约，其目的在使整个义大利能及时起来反抗外国的统治。他并且在突斯加尼、两个西西里王国、教皇领土上的各邦及奥地利的各省组织了亲撒地尼亚的党派。一碰见达到目的的机会，他毫不犹豫的同共和党的玛志尼和加里波的的信徒一致行动。一直到一八五八年的年底，加富尔不断从事于战争的准备。

战争危机

普伦比耶会谈并不是普通的外交，而是一种破坏欧洲和平的阴谋。一八五九年一月一日，拿破仑第三在接见外交团的时候甚至不惜泄漏这种阴谋，对奥国驻法大使贺布奈尔说：“我认为遗憾的是，我们和你们政府的关系并没有以前好……”这句话一传到维也纳就震动了奥地利，立刻奥军便开到伦巴底威尼西亚王国。同时加富尔也继续煽动各方反对奥地利和教皇。伊曼纽尔第二在国会开幕的时候（一月）说：“我们的处境并不是没有危险，因为我们倘若尊重《维也纳条约》，则在另一方面对义大利各处的呼吁呻吟也不能置若罔闻。”这又不啻是引起冲突的信号。一月三十日，舍洛麦·邦拿帕狄亲王和克罗西尔德公主在吐林举行结婚典礼，二月九日，加富尔在国会里通过了五千万里拉（义币）的公债作为壁蒙特的国防费，再加上拿破仑第三所授意的小册子《拿破仑第三和义大利》的出版，战争的危机更显出是有增无减。集中在狄新洛河左岸的奥军有十万人。

英俄的企图

从一八五九年一月至四月，英国极力阻止战争的爆发，她怕法国在战争里的收获太多。英国外交部长马麦斯柏利（Malmesbury）在三月提议英国向各方调停，并发表四点意见作为调停的根据：（一）禁止外国占领教皇领土上的各邦；（二）改革伦巴底、威尼西亚王国的行政；（三）修改奥地利政府拘束小国的条约；（四）恢复奥地利和壁蒙特的友好关系。英驻法大使考莱到维也纳访布尔，布尔表示愿接受马麦斯柏利的四点，并愿写一个凭据，保证奥地利决不进攻撒地尼亚。但俄皇企图打击奥地利的势力，因此俄驻法大使基塞勒夫（M. Kisselef）就向法国政府提议在三月里召集欧洲会议来解决义大利问题，而在实际上使这个问题不能解决，因为奥地利欢迎调停，不很欢迎召集会议，如果举行什么会议而由欧洲来审判，结果奥地利一定要失掉她在义大利的一些权力。不用说，撒地尼亚和法国这方面都不愿谈和平。

战争的爆发

那时撒地尼亚在军事上的准备已经完成。三月九日，她在实际上下了动员令，直接挑拨奥地利。但吐林政府不能无故进攻奥地利，而希望衅自她开；维也纳政府也不愿先开衅，它保持着强硬而又忍耐的态度。英国接受了俄国召集欧洲会议的提议，惟主张会议里不讨论再分配义大利土地的问题，而且义大利各邦都不得参加会议

（撒地尼亚也是这样）。奥地利也赞成召集会议，可是除英国所提出的条件外，她还要求撒地尼亚军队复员。而到了四月七日，维也纳政府也动员了自己的军队，奥地利决定下手进攻撒地尼亚了。

四月二十三日，奥地利对撒地尼亚发出最后通牒，强迫她在三天以内解除武装，否则就开始进攻。这遭受到加富尔的拒绝，而结果便是战争。二十九日，居莱（Gyulai）指挥奥军侵袭壁蒙特。战端既由奥地利先开，于是拿破仑第三再没有什么不安，就下令法军急援被攻的盟国。奥军的行动迂缓，当他们过狄新洛河的时候，法军的先锋也越过了阿尔卑斯山。

撒、法联军的胜利

从一八五九年四月到七月，义大利的解放达到第一步的成功。五月三日，拿破仑第三发表宣言，宣布法国对奥作战，并声明义大利须解放到亚得里亚海。十日，他离开巴黎，和麦克马翰率领法军到壁蒙特，同伊曼纽尔第二、马摩拉所率领的撒军会合在一起，向伦巴底前进。三十日，壁蒙特军队在帕勒斯特鲁打了胜仗，联军过狄新洛河，攻入伦巴底。在整个五月里，突斯加尼、摩德拿、帕尔马及教皇领土的人民纷纷起义，统治者都逃走了，加富尔以伊曼纽尔第二的名义接管三个公国的政府及教皇领土的一部分（罗马格纳）。义大利中部的不流血革命，乃是由义大利的国民协会准备的。

六月四日及二十四日，联军在马盖塔一役及苏非里诺一役里大胜，把奥军从伦巴底赶到了威尼西亚。在苏非里诺一役以后，当拿破仑第三入米兰听到被解放的爱国者欢呼时，他还对他们说："你们联合起来，在解放你们祖国的共同目标下联合起来，我的军队……不会反对你们合法的希望。"然而，出于欧洲各国意料以外的是，这时拿破仑第三突然停止了法军的军事行动，他把奥军赶出了伦巴底，但没有继续把他们赶出威尼西亚。

拿破仑第三的私衷

为什么拿破仑第三不完全实行他的诺言而把义大利解放到亚得里亚海呢？这是由于他不愿加富尔联合义大利的中部，不愿革命运动蔓延到义大利的其他部分，不愿义大利各邦统一成一个国家；同时他还顾虑联军围攻奥军的四方形地要塞的旷日持久，顾虑法国教士对他的责难，顾虑普鲁士从莱因河流域进攻法国的可能。

拿破仑第三既决定停战，于是他不求伊曼纽尔第二的谅解，就从瓦勒基莪派了一个将官到奥国皇帝在威罗纳的总司令部里去提议休战。战败的奥国皇帝当然同意了。七月八日，休战条约成立，交战国双方停战到八月十五日。

《威腊法郎加预备和约》

跟着就是七月十一日拿破仑第三和佛兰西士·约瑟夫在威腊法郎加村的会谈。他们所成立的协定是：伦巴底（除去曼都亚和帕雪拉）割让给法国，然后再由法国转让给撒地尼亚；奥地利保留着威尼西亚，但威尼西亚须成为义大利联邦的一部（教皇在名义上当义大利联邦的领袖）；突斯加尼和摩德拿的统治者各回原邦，恢复他们的权力；而帕尔马则没有提到。这便是所谓《威腊法郎加预备和约》。因此奥地利不但没有失掉威尼西亚，并且连伦巴底的曼都亚和帕雪拉炮台也保留着。马克思、恩格斯虽坚决主张义大利的统一和解放，但义大利在一八五九年和拿破仑第三的联合，他们是反对的。

当《威腊法郎加预备和约》签字以后，加富尔愤而辞职（十三日），他以私人的资格继续努力于统一义大利的运动，但伊曼纽尔第二则抑制住愤怒，表示接受预备和约上的条件，只关于义大利中部的骚动保留了他应付的自由。

义大利中部要求合并

不过，拿破仑第三所企图防止的事情，反以《威腊法郎加预备和约》而加速出现。法国的自由党既抨击拿破仑第三的奸猾，义大利的爱国者更一致愤恨为他所卖。除去突斯加尼、摩德拿、帕尔马及教皇领土的人民已在五月里起义以外，从七月底起，摩德拿、帕尔马及佛罗伦斯、波罗格纳都成立了临时政府，并且临时政府的举动还得到英国的赞助。在《威腊法郎加预备和约》签字的时候，拿破仑第三表示召集列强会议，修改一八一五年条约中的关于义大利的部分。跟着英国在七月二十七日声明她在原则上不反对拿破仑第三的提议，但她参加会议的主要条件是：（一）撤退教皇领土上的外国军队，法、奥对于义大利的事件实行不干涉主义；（二）尊重义大利中部人民的自决权。因此，突斯加尼、摩德拿、帕尔马及罗马格纳各举行代表会议，表示这几邦要求永远推翻她们的统治者，而合并于撒地尼亚王国。但壁蒙特政府没有得到拿破仑第三的同意，不敢接受合并的提议。

《苏黎士条约》

突斯加尼、摩德拿、帕尔马及罗马格纳的要求，和《威腊法郎加预备和约》是有关的。一八五九年的夏末，法国、撒地尼亚、奥地利三国代表在瑞士苏黎士举行会议，准备把预备和约变为正式和约。十一月十一日，他们缔结了三个条约：一个条约是关系奥地利的，一个条约是关系法国和撒地尼亚的，一个条约是关系法、奥和撒地尼亚的。这便是《苏黎士条约》。它规定伦巴底割让给撒地尼亚，并划清伦巴底和威尼西亚的边界；撒地尼亚照比例担负伦巴底和威尼西亚一部分的公债，并接受其他关于奥地利在伦巴底的财产和利益的办法。至于义大利中部的统治者及所谓义大利联邦都没有谈到。

《吐林条约》

拿破仑第三固不愿义大利的中部为撒地尼亚所合并，但他又认为合并实难于避免。为着迁就大势而从中取利，一八五九年十二月二十二日在巴黎出版的小册子《教皇和会议》，表明了他的政策的变化。这本小册子，一般相信是阶隆尼耶（Gueronnière）根据法皇的笔记写成的，其中指出教皇领土若限于罗马及罗马的附近，则教权和政权两方面都可以得到更大的保障。这表示拿破仑第三不再坚持《威腊法郎加预备和约》。

一八六〇年一月二十日，加富尔复职。当加富尔和拿破仑第三谈判合并问题的时候，拿破仑第三想起了他和加富尔在普伦比耶的会谈，那时他允许帮助撒地尼亚解放义大利的北部，而取得尼斯和萨伏衣，但他既没有完全实行他的诺言，也没有索取报酬，现在他对撒地尼亚的要求就以割让尼斯和萨伏衣为交换条件，而借此恢复他在法国渐渐动摇的声望。不过，民族主义在形式上还是要顾到的。因此，加富尔和拿破仑第三的最后决定是，凡是有问题的地方都以公民投票来解决。

从三月十三日到十五日，帕尔马、摩德拿、罗马格纳及突斯加尼举行公民投票的结果，一致赞成合并于撒地尼亚王国。跟着拿破仑第三派专使贝奈德狄（Benedetti）到壁蒙特，要求吐林政府割让尼斯和萨伏衣，并在三月二十四日成立了《吐林条约》。吐林政府表示须经过举行公民投票后始可实行割让，而到了四月投票时又差不多是一致赞成的。结果法国得到了尼斯和萨伏衣，撒地尼亚除伦巴底外又得到了帕尔马、摩德拿、突斯加尼及罗马格纳。

加里波的领导解放义大利南部

在义大利的北部及中部固进行着统一运动，在义大利的南部也进行着统一运动。两个西西里王国的新王佛兰西士第二在一八五九年五月即位以后，厉行专制。一八六〇年五月四日，西西里岛以受义大利北部统一运动及玛志尼宣传的影响，首先发生了反抗布尔邦王室的革命。而其对义大利南部的解放和南北统一有重大贡献的就是加里波的。不过，义大利的国民协会准备推翻义大利南部现状的计划，加富尔却也在暗中参加意见。因此，加富尔不但不顾国际法而让加里波的利用热那亚做根据地，并且还让加里波的的远征队从容由热那亚向西西里岛出发。

一八六〇年五月五日，加里波的率领红衫队一千零八十五人乘轮离开了热那亚，十一日在西西里岛的西部马沙拉登陆，以一千人的义勇队竟打败了那不勒斯的两万常备军。

十五日，加里波的又在卡拉太弗米打败了那不勒斯的军队，而向巴勒摩推进，到了二十七日就占领了它，并成立了临时政府。

加里波的在三个月内完全占领了西西里岛。并且由于英国实行不干涉政策而反对法皇以英、法舰队封锁墨西拿海峡的提议，加里波的和扩充过的军队又在八月八日过了墨西拿海峡，并在九月七日占领了那不勒斯，佛兰西士第二逃到格塔炮台。

两个西西里王国、厄姆布利亚、马却斯的合并

注意加里波的胜利的加富尔既企图合并两个西西里王国，又企图合并教皇领土上的两邦：厄姆布利亚及马却斯。在加里波的还没有占领那不勒斯以前，加富尔

就借口维持公共秩序并保护义大利的自由主义者，声明他要干涉那不勒斯及教皇领土，他说教皇领土上的群情在激变中。为着占领厄姆布利亚及马却斯，并阻止加里波的进攻罗马以免法国干涉和奥地利的可能行动，八月二十六日，加富尔派伐林尼（Farini）和西亚尔丁尼（Cialdini）到强伯里商得了拿破仑第三的同意。加里波的占领那不勒斯后的第一天（九月八日），厄姆布利亚及马却斯果然发生了革命，使加富尔有了干涉的理由，他立刻要求教皇的国务大臣安托奈利（Antonelli）解散一群压迫民族的“冒险家”（天主教徒的国际军）。当要求被拒绝以后，就下令西亚尔丁尼及范狄（Fanti）率领壁蒙特军队越过教皇领土的边界（九月十日）。九月十八日，壁蒙特军队在卡斯特尔菲达多歼灭了教皇的军队，并进而占领了安可拿，占领了厄姆布利亚及马却斯。而且他们还前进到那不勒斯的土地上，和加里波的的军队联合在一起。十月二十六日，加里波的又在伏尔杜诺河打败了那不勒斯的军队。十一月三日，壁蒙特军队开始围攻格塔，但受了法国舰队的阻挠。一直到法国舰队以英国外交部的劝告在一八六一年一月十九日撤退以后，被围困的佛兰西士第二才在二月十三日投降。

关于两个西西里王国以及厄姆布利亚和马却斯的合并问题，都是以公民投票来解决的。从一八六〇年十月二十一日到二十二日，那不勒斯和西西里岛都举行公民投票，结果赞成和义大利的北部合并。在十一月四日和五日，马却斯和厄姆布利亚举行同样的投票，结果也赞成合并。十月二十七日，英国政府表示义大利人有推翻坏政府并联合成一个大国的权利，这又大大鼓励了加富尔。十一月七日，撒地尼亚王伊曼纽尔第二到了那不勒斯，跟着加里波的自动的把两个西西里王国的政权让给他，而退隐于邦尼伐西莪海峡上的卡普累拉岛。于是伊曼纽尔下令合并两个西西里王国、厄姆布利亚及马却斯。这时义大利已完全统一，其没有收复的只有拿破仑第三所保护的教皇领土（包括着罗马）及属于奥地利的威尼西亚（包括着威尼斯）、特棱特、的里雅斯特。

义大利王国成立及阿斯普罗蒙地事件

一八六一年二月十八日，义大利的第一次国会举行于吐林，并在十七日宣布义大利王国成立，而第一个义王就是伊曼纽尔第二。但加富尔在六月六日死了。

当加富尔还没有死以前，他并没有忘掉威尼西亚和罗马，而且他不但运用过外交手腕使这两块地方有收复的可能，甚至在三月二十七日还使议院宣布罗马在原则上是义大利的首都。继加富尔之后的义大利新首相黎卡苏利（Ricasoli），是突斯加尼的一个热心的爱国者，他也为着合并罗马而从事于一种大规模的全国性的运动。但加里波的不喜欢用迂缓的外交手段，主张用武力进攻威尼西亚或罗马。一八六二年三月九日，加里波的组织了义大利解放协会。八月二十四日，他带了一小支军队经过义大利的南部而北进，但二十九日在阿斯普罗蒙地被阻止他北进的义大利政府军打败了。当时他受了伤，和他的义勇队同时被俘，但他们在十月五日就被义王释放了。

威尼斯问题

义大利政府虽阻止加里波的进攻罗马，但对于罗马及威尼斯仍要采取行动，并准备先从较易解决的威尼斯问题开始。

为着缓和罗马问题，拿破仑第三在一八六四年九月十五日和义大利缔结了法、义条约，表示法军将在两年内从罗马撤退，但义大利须把首都从吐林迁到佛罗伦斯，他就把这看作义大利放弃以罗马为首都的证据；另一方面，他表示愿意帮助义大利取得威尼西亚。拿破仑第三最初企图促成普、义同盟以进攻奥地利，但因普、奥妥协，乃在一八六五年九月直接和奥地利举行秘密谈判，劝她把威尼西亚让给义大利。可是奥地利拒绝了拿破仑第三的提议。

普奥战争

然普、奥妥协只是暂时的。普、奥之间因瓜分丹麦的赃物及争做德意志的领袖而发生的矛盾，使俾斯麦认为普、奥战争决不能免。为打败奥地利这一个强国起见，俾斯麦企图拉拢义大利而使她进攻威尼西亚，同时普军则由北方进攻奥地利帝国。由于拿破仑第三的帮助，普鲁士在一八六六年四月八日和义大利缔结了攻守同盟，如果普、奥战争在三个月内爆发，义大利须和普鲁士合攻奥地利，而普鲁士则以威尼西亚为酬报。奥地利既两面受敌，俾斯麦知道普鲁士一定能打败她，而成为北德的领袖。

进攻奥地利的时期是由普鲁士决定的。但拿破仑第三在五月二十六日提议召集欧洲会议，维持和平，这得到了英、俄的赞成及普、义的同意，不过奥地利只表示有条件的赞成，而主张会议的结果不能改变领土的现状。当六月六日俾斯麦派普军开入荷尔斯坦以后，常常动摇的拿破仑第三，又在六月十二日和奥地利缔结密约，而以法国保守中立，使奥地利把威尼西亚让给他，然后再由他交还义大利（不管奥地利在战争里是胜利还是失败）。为着避免义大利退出同盟，俾斯麦乃决定趁早发动战争，因此战事就在六月十四日开始于德意志。

二十日，义大利跟着对奥宣战，马摩拉攻入威尼西亚。二十三日，他过了明西阿，但到了二十四日，却在柯斯多萨一役里被阿尔培特大公爵（Archduke Albert）打败了。惟以七月三日普军在萨多瓦的大胜，奥地利不得不决定让步，并在勋布隆举行会议，议决把威尼西亚让给法国（再由法国移交义大利），要求拿破仑第三进行调停。四日，拿破仑第三也在圣克罗举行会议，议决法国从事和平的调解，因此他就在五日提议调停。这反使俾斯麦加速解决战争问题，他明白外国的干涉是不利于普鲁士的。

七月二十日，义大利舰队又在里萨附近被太盖特荷夫（Tegethoff）所指挥的奥军打败了。二十二日，普鲁士不征求义大利的同意，就和奥地利签订了休战条约。二十六日，她们又签订了《尼柯尔斯堡（Nikols-burg）预备和约》，更继之以八月二十三日的《布拉格和约》。

《维也纳和约》

但当拿破仑第三接受了威尼西亚，准备交还义大利的时候，马摩拉认为在里萨战败后从法国手里接受威尼西亚简直打击了义大利政府在义大利的威望，他仍命义军向威尼西亚推进，一直到七月三十日，义大利才要停止战争。八月十日，义大利也和奥地利签订了预备和约，接着又在十月十二日签订了《维也纳和约》，结束战争，并收复了威尼西亚。当威尼西亚在十月举行公民投票的时候，有六十四万七千二百四十六票赞成和义大利合并，反对的只有六十九票。虽然义大利因普鲁士允许奥地利保有特棱特及的里雅斯特而大失所望，而且奥地利和义大利接壤的新疆界还保留着有利于将来军事行动的最高山峰，可是威尼斯的收复却是完成义大利统一的一个重要步骤。

罗马问题

义大利在一八六六年合并威尼西亚以后，更进而企图合并的就是罗马。那时教皇领土除罗马外，仅仅包括着威特堡、西威塔外启亚、外勒特里及法劳西蒙奈。但有一些天主教徒仍主张以暂时的谅解来维持教皇的地位。而一八六四年九月十五日的《法义条约》也是缓和罗马问题的一种办法。

为着履行《法义条约》，法军在一八六五年二月五日开始从罗马撤退，到一八六六年十二月完全撤尽。不过，拿破仑第三一方面令法军撤退，一方面却又允许法国兵士和军官加入教皇的军队（法国在一八六六年一月三十日的命令），而打击《法义条约》。不久这个条约就完全被破坏了。

加里波的解放罗马的失败

一八六七年二月，加里波的离开卡普累拉岛到了义大利。他在义大利又当新义勇队的领袖，而进攻教皇的土地。这时加里波的收复罗马的运动，不但重握政权（一八六七年四月二日）的义大利首相拉太齐（Rattazzi）没有加以阻止，同时普鲁士还加以鼓励。前者认为法、普一冲突便是加里波的占领罗马的机会，而后者则在促成法、义的破裂。但法、普冲突却以一八六七年五月的伦敦会议而缓和，因此义大利政府就不能不注意法国政府的态度，再加上法国政府在加里波的由日内瓦回义大利时所提出的要求，拉太齐便派人在阿西纳隆加把他逮捕了（九月二十三日）。不久，加里波的又被释放，再退居于卡普累拉岛。可是他的义勇队已有一部分攻入威特堡，而且他接着就冲破义大利政府的海上封锁，到了大陆，并在十月二十二日出现于佛罗伦斯，发表宣言。当穷于应付的拉太齐辞职，而由西亚尔丁尼继任时，加里波的已加入义勇队，到了教皇领土。二十七日，加里波的一度打败了教皇的军队。

经过了反复踌躇的拿破仑第三，终于决定再以武力保护教皇，并在十月二十六日派法军一师团由海道到义大利救罗马之危。二十八日，费利将军（General Failly）所率领的法军在西威塔外启亚登岸，向罗马开拔。已到了狄贝尔河畔的加里波的，距离罗马只有五哩，倘若他立刻前进就可以占领罗马，但他迟了一步，法军的先锋已在三十日到了罗马。

一八六七年十一月三日，用新式来福枪的法军和教皇的军队在孟太纳大败了加里波的的军队。于是加里波的又成了俘虏而被送到卡普累拉岛去了。这样，加里波的的义勇队溃散了，教皇庇厄斯第九（Pius Ⅸ）的政权又稳定了。

不过，法军既继续占领罗马而撕毁一八六四年九月十五日的条约，结果不但拿破仑第三召集国际会议讨论罗马问题的企图不可能实现，甚至罗马问题还成了法、义关系的重大障碍，而阻止法、奥、义三国同盟的建立。

定都罗马

当普法战争爆发后，拿破仑第三终究撤退了罗马的法军（一八七〇年八月十九日）。一八七〇年八月八日，拿破仑第三因麦克马翰的失败而求援于伊曼纽尔第二，但义大利的军事准备并不是在援助法皇，而是在占领罗马。当法军在色当一役里失败，拿破仑第三投降，法兰西“第二帝国”崩溃以后，义大利政府就在九月六日对法国表示它不能再遵守九月十五日的条约，虽然这个条约在形式上还没有取消。这得到了“第三共和国”临时政府的默认。

九月十二日，伊曼纽尔第二又对庇厄斯第九发出一个最后通牒，要求他和义大利王国协商，但教皇坚决拒绝了。九月二十日，卡道纳（Cadorna）指挥义军占领了罗马，教皇退到梵蒂冈。并且罗马及教皇领土其余部分举行公民投票的，结果有十三万票赞成和义大利合并，反对的只有一千五百票。因此，义大利的首都在一八六五年从吐林迁到了佛罗伦斯，在一八七一年便从佛罗伦斯迁入了罗马。

义大利毕竟在公开的革命的道路上成功（恩格斯的话）而变为一个真正统一的国家，并且撒地尼亚的宪法就通行于整个义大利王国。不过，义大利的君主立宪制所注意的却是资产阶级的利益。

第九章　德意志统一和欧洲政局

德意志统一的基础和统一的运动

在一八四八年的开头，所谓德意志，实包括了三十个以上的君主国（如奥地利、普鲁士、巴伐利亚、汉诺威、萨克森、瓦尔腾堡、巴敦及赫塞等是）及四个贵族共和国（汉堡、布累门、吕伯克及法兰克福）。但德意志工商业的发展却使德意志各邦终于统一成一个国家。纵横交错的电线既把各邦联系在一起，而机器工业的出产又逼迫各邦非把市场扩大到她们的边界以外不可，所以蒸汽、电气、机器及普通营业上的利益就奠下德意志统一的基础。不过，德意志的统一固然由于德意志资产阶级的要求和推动，但完成就一的却是德意志的贵族。

在义大利，撒地尼亚是统一运动的中心；在德意志，普鲁士也是统一运动的中心。自普鲁士成为关税同盟的领袖以后，由于德意志商业上的改革，不久普鲁士的实力就突飞猛进而足以抵抗她的大敌奥地利。为着促成德意志的统一，普王威廉第一和俾斯麦都认为普、奥战争是不能避免的。

当旧德意志同盟恢复以后，德意志各邦又在各个专制政府的支配之下形成了分裂的状态。一八五一年的德意志，依然没有实现民主和民族统一的可能。因此，除德意志的进步分子外，就是保守分子也在一八五〇年起来参加德意志的统一运动。但是他们不打算用民主方式来统一德意志，而希望普王以武力来促成民族的统一。在德意志的保守分子里最著名的一个人就是俾斯麦。

俾斯麦乃隶属于普鲁士有势力的地主阶级，而为一个“成功的农人”。从一八五一年到一八五九年，他在恢复后的德意志同盟议会里当普鲁士代表，他在那里和别人合作来压迫整个德意志的自由主义者，同时他极不满意奥地利。一八五九年，他被派为普国驻俄大使，因此深深了解了俄国，而且自腓特烈大帝时代以来的俄、普关系，他还加强了不少。一八六二年，他又被派为普国驻法大使，因此对于拿破仑第三的复杂性格他也有独到的认识。同年他被召回柏林任普鲁士首相，从一八六二年到一八九〇年，他扩大了普鲁士，建立了德意志帝国；使德意志陷入一九一八年深渊的政策，有大多数为他一手所造成。在这里，恩格斯说得对：俾斯麦的目标是资产阶级指示的，他的道路是拿破仑第三指示的。

威廉第一即位以后

威廉第一在一八五八年当摄政，在一八六一年即王位，从此普鲁士便开始了一个新时代。而义大利在一八五九年、一八六〇年的成功，又在普鲁士及整个德意志激起了自由主义和民族主义的大浪潮。

鉴于国际形势的紧张并防备拿破仑第三在莱因河的可能行动，威廉第一在一八五九年就任命鲁恩（Roon）为陆军部长，改革军队。同年又任命鲁恩的朋友毛奇为参谋长。到了一八六二年的秋季，他又接受鲁恩的提议，召回俾斯麦，以便“软化”普鲁士的强硬议会。

俾斯麦的铁血政策

在俾斯麦最初对普鲁士议会的几次演说里，他有一次就这样坦白的说："其能决定现在各种大问题的，并不是演说和多数的表决，而是血和铁。"他不管下议院和报纸的反对，实行征税并改革普鲁士军队，而和大学教授及资产阶级其他分子所组成的进步党站在对立的地位。

然则普鲁士怎样才能一跃而为欧洲的一个强国呢？俾斯麦以为做了四件事情就可以达到这个目的：（一）普军必须大大的加强，否则他便不能实行大胆的计划；（二）奥地利必须完全排出于德意志的范围以外，而把地位让给普鲁士；（三）普鲁士的领土必须扩大而巩固，凡是隔开霍亨佐伦王族东部领土和莱因兰的德意志各邦，普鲁士都要合并；（四）不喜欢普鲁士并怀疑普鲁士动机的南德各邦，必须诱其参加普鲁士所领导的同盟。

在十年以内，俾斯麦以外交、欺骗及三次战争而统一了德意志。

俾斯麦初显身手

一八六三年二月八日，当波兰革命爆发以后，俾斯麦派阿尔文斯勒本（Alvenslebens）对俄皇保证他对付叛徒可以得到普鲁士的帮助，并且普军已有四团开到波兰的边界。这一方面使得俄皇能大胆抵制法、英、奥三国所企图的干涉，一方面赢得了俄皇在统一德意志的三次战争里的友谊。同时俾斯麦又欺骗拿破仑第三，说普鲁士若能在德意志自由行动，法国一定能够得到“赔偿”。

到了八月，奥皇佛兰西士·约瑟夫为着引诱德意志的自由主义者，在法兰克福召集德意志君主会议，改组德意志同盟，同时赞成改组的还有南德各邦。但由于俾斯麦的企图排斥奥地利，以及普王因他的劝告而拒绝参加君主会议，这个会议就流产了。跟着俾斯麦又碰到了打击奥地利的第二个机会，那是和复杂的须勒斯威、荷尔斯坦问题有关的。

德意志和丹麦的战争

根据一八一五年的《维也纳条约》，荷尔斯坦参加了德意志同盟。但荷尔斯坦和须勒斯威这两个公国仍奉丹（丹麦）王为公爵。并且荷尔斯坦人多半是德意志人，须勒斯威人多半是丹麦人，可是两个公国的人民在政治上却希望联合而为一，同时他们都不愿和丹麦合并在一起。

一八四八年一月，丹王克里斯勋第八（Christian Ⅷ）死了，腓特烈第七（Frederick Ⅶ）继位，他在二月对所有的领土颁布了一种宪法草案，使荷尔斯坦脱离德意志同盟，并使她和须勒斯威的传统的特性不复存在。这在三月就引起了两个公国的反抗，而博得整个德意志的同情。腓特烈第七并没有儿子，继承他的人，照丹麦的传统便应当是女系；但荷尔斯坦则采用男系继承法，应由丹王男系旁支的奥古斯丹堡公爵克里斯勋（Duke Christian of Augustenberg）继承。奥古斯丹堡公爵除认为荷尔斯坦应由他继承外，还要求得到须勒斯威。三月二十四日，他在荷尔斯坦成立了临时政府，并向普鲁士求援。当三月三十一日德意志在法兰克福召集临时议会以后，普军及德意志其他各邦的军队以法兰克福议会的要求而侵入荷尔斯坦。七月二日，由于瑞典的调停，交战国双方在马尔末缔结了停战协定，期限三个月。八月二十六日，停战协定又延长七个月。

一八四九年二月，战争重新爆发，丹麦舰队在埃克恩福德战败，同时德意志的进攻腓特烈西亚也完全失败。这时出而调停的有英、俄、瑞（瑞典）三国。一八五〇年七月二日，普、丹在柏林缔结了和约，普军从丹麦撤退。由于荷尔斯坦革命军的孤立无援，丹军立刻就打败了他们，而夺回了两个公国。

伦敦会议和会议以后的德、丹冲突

一八五二年五月八日，英、奥、法、普、俄及瑞典在伦敦会议里签订了《伦敦议定书》，保证丹麦王国领土的完整，并承认须勒斯威、荷尔斯坦、松得堡、格吕克斯堡亲王克里斯勋继承丹王统治的全部领土，包括了荷尔斯坦和须勒斯威。同时奥古斯丹堡公爵克里斯勋则取得了三十五万金镑，而把他在丹麦所有的产业转让给丹王。不过这样的解决并没有得到奥古斯丹堡公爵继承者的承认，也没有得到荷尔斯坦、须勒斯威及德意志同盟的承认。

在《伦敦议定书》没有签订以前，丹麦政府宣布整个王国将实施一种共同的宪法，但各省可设立地方议会，并任用官吏来处理一切和全体无关的事务；而且丹王还表示决不把须勒斯威合并在王国以内。这种宪法是在一八五五年实施的，虽然地方议会处理地方事务的规定并没有取消，可是决定什么是王国共同事务的权限却仍由丹麦政府掌握着。因此须勒斯威人、荷尔斯坦人及同情他们的德意志人都以为他们上了当。德意志同盟既不承认这种宪法在荷尔斯坦及劳恩堡有效，而普、奥也对它大施攻击。于是丹王决定改变计划。在一八六三年三月三十日替荷尔斯坦颁布一种新宪法。这并没有商得荷尔斯坦人民代表的同意，而侮辱了德意志同盟。接着由于巴敦大公爵的提议，德意志同盟议会的通过，一个最后通牒在四月送到了丹麦，限她在六个月以内取消荷尔斯坦的宪法。但丹麦政府却又在九月二十八日替丹麦和须勒斯威颁布了一种共同的宪法，这意味着须勒斯威完全和荷尔斯坦分开而合并于丹麦，既破坏了列强保证两个公国不得分开的《伦敦议定书》，又违背了丹王决不合并须勒斯威的诺言。丹麦在一八六三年及一八六四年初的政策，是以为可以得到英国及瑞典的支持的。

十月一日，德意志同盟议会通过了《同盟实行反丹案》，并令汉诺威和萨克森供给军队。但丹麦王腓特烈第七到十一月十五日就死了，继位的是克里斯勋第九（Christian Ⅸ）。当腓特烈第七刚死的时候，奥古斯丹堡公爵克里斯勋的儿子，奥古斯丹堡公爵腓特烈（Frederick），不管他父亲对继承权的放弃，宣布自己是须勒斯威、荷尔斯坦的公爵。十一月十八日，继承前王政策的克里斯勋第九在丹麦新宪法上签了字，准备在一八六四年一月实行新宪法。这一个举动，在形式上虽然不是把须勒斯威合并到丹麦王国里去，但显然是以合并她为目标的。

当时，普鲁士和奥地利对于克里斯勋第九的行动都没有表示态度，不过德意志有许多邦却拒绝承认他是荷尔斯坦的公爵。

十二月七日，德意志同盟议会又决定《同盟实行反丹案》必须执行。因此，哈凯（Hake）就在十二月二十四日指挥联军侵入荷尔斯坦；那时同盟议会的态度在支持德意志的奥古斯丹堡公爵。当英国外交部长拉塞尔派乌德豪斯（Wodehouse）到哥本哈根进行调停的时候，丹麦还相信英国会保证她的领土完整，因此对于合并须勒斯威的问题就采取不妥协的态度。结果联军（多半是汉诺威人和萨克森人）便在一八六四年一月八日占领了荷尔斯坦。而奥古斯丹堡公爵则到基尔成立了政府。

俾斯麦利用须、荷问题

德意志同盟议会所支持的奥古斯丹堡公爵，他的要求是被《伦敦议定书》抹杀了，因此，俾斯麦就声明普鲁士支持《伦敦议定书》而使普鲁士离开德意志同盟作独立的行动。俾斯麦正想利用须勒斯威、荷尔斯坦问题来扩张普鲁士的领土，并且借此对奥地利作战。而他的第一步则要求奥地利协同普鲁士解决这个问题。

一八六三年十一月五日，拿破仑第三曾提议召集欧洲会议来解决须勒斯威、荷尔斯坦问题，但英国政府因为这个提议附带声明着一八一五年的条约失效，故没有表示同意。而在德意志的联军占领了荷尔斯坦以后，英国政府也进行调停，要求德意志同盟议会召集列强会议，可是同盟议会以未参加一八五二年的《伦敦议定书》，并没有答应英国政府的要求。这时俾斯麦的机会来了。一八六四年一月十六日，普鲁士和奥地利以同盟关系向丹麦提出一个最后通牒，要求她在两天以内取消一八六三年十一月的新宪法，只“以相互的协议”决定须勒斯威和荷尔斯坦的前途；她拒绝这个要求，则普、奥就立刻进攻须勒斯威，而以占领须勒斯威来保证丹王决不合并的诺言。

由于丹麦王克里斯勋第九拒绝做任何的让步，一月二十日，普军在前敌总司令兰格尔（Wrangel）的指挥之下攻入荷尔斯坦，并向须勒斯威前进。同日拉塞尔还对各国提议召集欧洲会议，但没有得到俄、法两国的同意，俄国既以俾斯麦在一八六三年所表示的帮助而不愿过问须勒斯威、荷尔斯坦问题，法国也以远征墨西哥而无力过问。

二月一日，越过埃德尔的普、奥军队又攻入了须勒斯威。五日，丹军迅速放弃了丹奈维尔凯的防线，除去杜派尔及阿尔森岛以外，整个须勒斯威都被敌军占领了。四月十八日，普军又占领了杜派尔的炮台，向丹麦进攻，不过丹麦却还没有屈服的表示。

三个公国的投降和丹麦屈服

为着使丹麦得免于危，四月二十五日，英国在伦敦举行了一个会议。这个会议由拉塞尔主持，参加的有丹、普、奥、瑞（瑞典）、俄、法六国及德意志同盟，丹麦的主要代表是哙德（Quaade），普鲁士的是拜恩斯托夫，奥地利的是阿潘尼（Appunyi），瑞典的是瓦哈特马斯太尔（Wachtmeister），俄国的是布伦洛夫，法国的是杜奥威尔涅（Tour d'Auvergne），德意志同盟的是保斯特（Beust）。开会以后，首先成立了一个从五月十二日到六月十四日的停战协定。但当讨论须勒斯威、荷尔斯坦问题的永久解决时，由于普鲁士的手段巧妙及丹麦的态度固执，伦敦会议终于在六月二十五日无结果而散。

六月二十六日，战争又爆发了，结果丹军大败，须勒斯威、荷尔斯坦及劳恩堡三个公国都投降了普鲁士和奥地利。

国际间的干涉完全无望，丹麦最后为事实所屈服，要求停战，而战争是在七月二十日开始停止的。跟着哙德、俾斯麦及奥地利首相累希堡（Rechberg）在维也纳议和。八月一日，普、奥、丹三国签订了预备和约，丹麦把须勒斯威、荷尔斯坦及劳恩堡让给奥皇和普王，而奥、普两国的战费则须由须勒斯威偿付。十月三十日，普、奥、丹三国又在维也纳签订了正式和约。

普奥相争和《加斯坦条约》

但丹麦战争最重要的结果，却在须勒斯威和荷尔斯坦立刻又成了普、奥相争的焦点，奥地利要使她们变作德意志同盟的独立的一分子，而俾斯麦则想把她们合并于普鲁士的版图以内。因此，当奥地利提议把两个公国交给奥古斯丹堡公爵，并得到德意志同盟议会的赞同时，俾斯麦却不承认同盟议会有干涉的权限。而且他还大胆的把荷尔斯坦境内的基尔港改为普鲁士的一个军港。

俾斯麦虽企图把奥地利排出于须勒斯威和荷尔斯坦以外，但他对于战争的准备还需要一个时期，他既要使法国在普、奥战争时保守中立，又要促成普、义的同盟。同时奥地利也以匈牙利提出政治要求而大感狼狈。由于普、奥两方面暂时都愿意妥协，于是她们就在一八六五年八月十四日缔结了《加斯坦（Gastein）条约》，规定她们仍维持着对须勒斯威和荷尔斯坦的统治权，但前者却由普鲁士管理，而后者则由奥地利管理，并且普鲁士又以金钱换得劳恩堡。这是俾斯麦在外交上的胜利，因为《加斯坦条约》不但排挤掉奥古斯丹堡公爵，同时还使得奥属荷尔斯坦在实际上成了一块被普鲁士领土包围着的土地。

比亚里兹会谈

普鲁士和奥地利的关系迅速恶化了，俾斯麦明白普鲁士不久就要对奥地利作战。这时普鲁士和俄国的关系是很好的，并且英国也以英、普关税同盟建立了有利的低税关系而示好于普鲁士。为着使法国在普、奥战争时保守中立，一八六五年十月四日，俾斯麦借口旅行，到了比亚里兹，谒见拿破仑第三，两人会谈的结果，拿破仑第三大概同意普、义两国的夹攻奥地利，俾法国可以得到领土上的赔偿。不过，显然的，俾斯麦认为普、义两国在快要到来的战争里一定会打败奥地利，而使法国没有得到赔偿的可能。

俾斯麦对奥挑衅

由于普、奥关系的恶化，俾斯麦就更进而对奥地利挑衅。一八六五年十一月，普鲁士提议收买奥地利在须勒斯威的权利，跟着马摩拉又提议义大利以十万万里拉买回威尼西亚，但都遭到奥地利的拒绝。甚至俾斯麦还对卡罗尔伊（Karolyi）暗示普、奥同盟不复存在。到了一八六六年的年初，须勒斯威、荷尔斯坦问题的发展又使俾斯麦有挑衅的可能。一月二十三日，奥古斯丹堡公爵的拥护者在荷尔斯坦境内的阿尔托纳举行了一个会议，攻击普鲁士。俾斯麦就在二十六日对维也纳提出强硬的抗议。而奥地利首相孟斯多尔夫（Mensdorff）的回答是，只有奥地利有管理荷尔斯坦的权限，别人不得干涉。二月二十八日，普王在柏林召集御前会议，到会的有太子腓特烈和俾斯麦、高尔兹（Goltz）、曼特菲尔及毛奇等人，当时普王公开攻击奥地利的政策，并且表示普鲁士的合并须勒斯威和荷尔斯坦乃是整个普鲁士的愿望。除太子外，到会的人一致认为战争难于避免，毛奇并且主张普鲁士联义以对奥。而普、义同盟在四月八日就成立了。

普、奥之间的矛盾，不仅表现在瓜分丹麦的赃物一方面，同时还表现在争做德意志的领袖一方面，而这是有关德意志同盟的。老实说，普、奥对于须勒斯威、荷尔斯坦问题的解决，已在精神上破坏了德意志同盟；因此同盟就有改组的需要，而普鲁士便想借此把奥地利排出于同盟以外。一八六六年三月二十四日，俾斯麦已对德意志同盟提出改组的问题，而重在暗示排除奥地利，并由普鲁士和巴伐利亚统率联军。同时俾斯麦又以为奥地利一定会反对他的提议而促成一种冲突。事实上，在四月九日以后奥、普两方面都开始动员。四月二十六日，义大利也在动员。跟着就是德意志第二流各邦的实行武装。俾斯麦又提议汉诺威保守中立而由普鲁士保证她的领土完整，这遭受到汉诺威的拒绝；普鲁士合并须勒斯威和荷尔斯坦之不利于汉诺威，汉诺威是明白的。

普鲁士和奥地利的战争

拿破仑第三的提议召集欧洲会议，既以奥地利的拒绝讨论领土问题而没有实现，而加布伦兹（Gablenz）的提议使须勒斯威、荷尔斯坦成为一个独立的国家（由普鲁士亲王统治），也以奥地利的反对而没有结果。战争危机的日益加深，即此已可见一斑。到了六月，局势的紧张更有增无减，而终于发生了战争。

六月五日，俾斯麦揭露了普、奥在一八六四年一月十六日的密约，以两国解决须勒斯威、荷尔斯坦问题避免德意志同盟议会干涉，证明奥地利忽视德意志同盟。隔了一天（六日），奥地利声明把须勒斯威、荷尔斯坦问题再提交同盟议会解决，同时召集荷尔斯坦的议会讨论荷尔斯坦的前途，但俾斯麦立刻认为这破坏了《加斯坦条约》，而派普军开入荷尔斯坦。到了十日，俾斯麦又对德意志各邦提出德意志同盟的新宪法，实行排除奥地利的计划。当奥地利看出冲突不可避免而和拿破仑第三缔结了密约以后，跟着她在十四日使德意志同盟议会通过了《同盟实行反普案》，在德意志各邦里，大多数都站在奥地利一边，如巴伐利亚、萨克森及汉诺威等是。而同盟议会里的普鲁士代表则宣布《反普案》的通过就是宣告同盟的解散。于是战争开始了。奥地利的宣战书是在十七日披露的，普鲁士的宣战书是在十八日宣布的。

战争开始以后，交战国的双方，一方面有普鲁士和义大利，一方面有奥地利和德意志的许多小邦。因为普鲁士在七个星期内就打败了奥地利，所以这个战争常被称为七星期战争。

七星期战争的战场有三个:（一）义大利战线,（二）德意志战线,（三）波希米亚战线。在义大利战线上,胜利的是奥军，失败的是义军。在德意志战线上，福凯斯坦（Falkenstein）所指挥的普军在五万人左右，六月二十七日，他们在兰恩萨尔沙打败了汉诺威军队而逼其投降。但当福凯斯坦转师南进，准备对付奥地利在南德的盟国时，波希米亚战线却又引起了注意。

在波希米亚战线上，为着加速集中附近的普军，毛奇根据美国在内战时利用电报和铁道的经验，组织了三军，分别乘火车前进，并由柏林大本营以电报来调整他们的行动。从六月二十二到二十三日，腓特烈·查理亲王（Prince Frederick Charles）的第一军和毕腾菲尔德（Bittenfeld）的易北河军都由埃尔兹山及里森山的山隘开入了波希米亚，而太子腓特烈的第二军则取道于西利西亚而南进。至于奥军一方面，总司令贝奈得克（Benedek）只有在义大利的作战经验，而且他绝没有指挥过大军，他之所以被调到波希米亚的原故，乃是为的促成奥地利大公爵阿尔培特在义大利的胜利。因此，七月三日，训练有素、人数较多的普军就在萨多瓦（即苛尼格累兹）大败了奥军。这是普军的一次突然的决定的胜利。从此奥地利的势力一落千丈，而普鲁士乃称霸于德意志。

不过，普鲁士明白莱因河以南的大邦一时还没有和她联合的可能，她所组织的北德意志同盟，仅仅包括着美因河以北的各邦（共二十二邦）。同时，普鲁士还大大扩张了领土，北德各邦凡是在战争里反抗过她的，如汉诺威、赫塞卡塞尔、那梭、法兰克福（以及须勒斯威和荷尔斯坦两个公国），她都合并了。普鲁士的面积和人口，占有整个德意志的三分之二。

普奥和约

在萨多瓦战败后的一天（七月四日），奥地利要求拿破仑第三进行调停。当拿破仑第三在七月五日提议调停以后，俾斯麦表示先决定议和条件后缔结休战条约。普鲁士代表俾斯麦，奥地利代表卡罗尔伊，在尼柯尔斯堡所签订的预备和约（七月二十六日），其主要条件乃是拿破仑第三和普驻法大使高尔兹在巴黎商定的（七月十四日）。根据预备和约，普鲁士正式合并了汉诺威、赫塞选举区、那梭及法兰克福，奥地利被排出于德意志以外（德意志同盟解散），北德意志同盟由普鲁士主持，而且南德各邦还可以组织一个单独的同盟。此外奥地利所赔偿的战费只合英金三百万镑。

虽然普王威廉还要占领奥属西利西亚以及南德各邦和萨克森的土地，当时俾斯麦却不想刺激拿破仑第三，也不想疏远普鲁士的未来盟国，他拒绝了普王的主张。南德各邦和萨克森的领土固然完整，而奥地利除把威尼西亚割给义大利外，并没有再割其他的领土。普、奥的正式和约是在八月二十三日缔结的，普鲁士由威尔太尔（Werther）签字，奥地利由布伦奈尔（Brenner）签字，这就是《布拉格和约》。这和约不但规定威尼西亚割给义大利，而且规定奥皇把他在须勒斯威和荷尔斯坦的权力让给普王。（惟须勒斯威北部须举行公民投票，人民在投票时若表示愿属于丹麦，就应把该地交还丹麦。）同时奥皇又承认德意志同盟的解散及北德意志同盟的组织。

俾斯麦利用法国的要求拉拢南德

跟着俾斯麦拒绝了拿破仑第三对普鲁士所提出的要求。当法驻普大使贝奈德狄在八月五日接到拿破仑第三的训令而向普鲁士提议缔结密约，准备把莱因河左岸和马因兹割让给法国时，俾斯麦还把这个提议通知南德各邦的政府，叫她们不要希望法国的帮助。八月十六日，贝奈德狄接到拿破仑第三要求取得卢森堡或比利时的第二次训令，他又对俾斯麦提出这样的要求。俾斯麦叫他写在书面上，立刻他就拟了一个《普法草约》，即：第一条，法国承认普鲁士所合并的土地；第二条，普鲁士帮助法国取得卢森堡；第三条，法国承认将组织的新德意志同盟；第四条，如果法皇进兵比利时，普王须出兵援法，如果别国对法国宣战，普王须以陆海军的全力援法；第五条，法、普缔结攻守同盟。但俾斯麦则借口患病避免答复。

从八月九日到二十二日，俾斯麦利用法国的要求，加紧和南德各邦（巴敦、瓦尔腾堡及巴伐利亚）进行和平谈判，他以很宽大的态度对待她们，既不追究她们在七星期战争里援奥的行动，也不强迫她们参加北德意志同盟，只叫她们和普鲁士缔结军事同盟，以防备法国的进攻。当普鲁士政府在十二月召集北德各邦代表组织北德意志同盟以后，南德四邦和这个同盟在经济上的联系是关税同盟，在军事上的联系是防守同盟。但这四邦由于文化上、宗教上的不同和通常的不信任，仍不愿和普鲁士联合在一起，俾斯麦认为只有普、法战争才能使她们参加北德意志同盟。

卢森堡问题

七星期战争在一方面既使奥地利放弃了对德意志和义大利的干涉，并促成了奥地利和匈牙利的“联合君主国”，在另一方面又可算是法、普战争的导火线，而卢森堡问题就是一个危机。

拿破仑第三的要求取得卢森堡，并没有因俾斯麦避免答复而放弃。他仍想以取得这个小国而防止普鲁士的领土过于扩张。

卢森堡在维也纳会议后已变成一个大公国，由荷王统治，但她同时又是德意志同盟的一分子，有普军驻守着她的要塞。北德意志同盟的成立影响了卢森堡，因为她并没有包括在这个同盟以内；这样，从国际法的立场来看，普鲁士再没有理由要在她的要塞里驻兵，而荷王对她就可以借大公爵的资格随意处置了。在一八六七年的年初，拿破仑第三对荷王表示要以金钱收买卢森堡，当时荷王以欠了不少的债表示同意，于是法国政府就征求普王的同意，并准备举行公民投票来征求卢森堡人的同意。在三月十六日，荷王写信给拿破仑第三，声明他愿意割让卢森堡，只要在条约上签字便可以成功。

当荷王割让卢森堡的消息泄漏以后，立刻就激起德意志人的民族意识，他们在北德意志同盟议会里提出了许多质问和抗议。三月二十七日，俾斯麦乘机对贝奈德狄说：有人认为卢森堡事件也许可以阻止普王的巴黎之游（参观巴黎在夏季举行的大博览会）。同时普驻荷公使也把卢森堡问题在德意志激起的民族意识告诉了荷王。荷王明白这是一个警告，很怕普鲁士的他就中止割让卢森堡的举动，而拿破仑第三又失败了。但法国外交部长摩斯狄（Moustier）对外声明法国放弃接收卢森堡的企图，可是普鲁士也要撤退驻守卢森堡要塞的军队，这不啻说，普军一定要撤出卢森堡，否则就会发生战争。同时拿破仑第三也坚决表示他所提出的要求如再被拒绝，结果就是战争。这时欧洲所碰到的危机，一连继续了几个星期。

普、法战争所以没有在这时爆发的原因，在一方面是由于俾斯麦的慎重，他虽然愿意就打，但他又怕战争的结果不利于他，而在另一方面则由于英、奥、俄三国调停的努力。英国外交部主张举行国际会议进行解决，女王维多利亚（Victoria）又写信给普王，声明战争一旦爆发，他连英国在道义上的援助也不可得。奥地利首相保斯特怕战争妨碍奥地利的复兴，他竭力维持和平，并命奥驻普大使及驻法大使从事调停。俄国政府也表示反对普鲁士在卢森堡继续驻兵，首相高贾可夫且在四月二十五日对列强提议召集会议。而一个孤立的普鲁士就不得不接受俄国首相的提议。

一八三九年的《伦敦条约》，曾规定比利时完全脱离荷兰而独立，并规定恢复卢森堡大公国。一八六七年五月一日，以荷王名义召集这个条约的签字国及义大利举行国际会议。五月七日，国际会议在伦敦举行，而一八六七年的《伦敦条约》在十一日便订立了，从此普鲁士放弃了她驻防卢森堡要塞的权利，而卢森堡的中立则得到缔约国的保证。不过，这种决定仍然是拿破仑第三的耻辱，为着和普鲁士做最后的清算，此后他不但开始和奥、义两国谈判同盟，而且进行改革法军。自然，普鲁士也在做战争的准备，普军总司令毛奇甚至规定了进攻法国的详细计划。

普鲁士法兰西的战争

当西班牙王位的候补问题发生以后，俾斯麦所删改的埃姆斯电报又激动了法国，他在一八七〇年七月十九日便接到法国的宣战书。

普、法战争一爆发，果不出俾斯麦所料，南德各邦立刻以防守同盟而站在普鲁士及北德意志同盟的一边。同时俄国保守着善意的中立，并担负着牵制奥地利的任务。为着破坏法国的信用并争取英国舆论对普鲁士的同情，俾斯麦又把贝奈德狄在一八六六年所拟的《普、法草约》寄给伦敦《泰晤士报》，而在一八七〇年七月二十五日发表出来。但英国首相格腊德斯顿（Gladstone）只关心比利时的中立，他在八月九日和普鲁士缔结新约，在十一日又和法国缔结新约，声明英国以海陆军对付任何破坏比利时中立的国家。此外奥、义两国则在七月二十日及二十五日宣布中立。惟维也纳的主战派仍反对着普鲁士，但这已不足影响俾斯麦的胜利了。

普法战争的第二期

在普法战争里进攻法国的德军有三军：在摩塞耳河一方面有斯坦麦次（Steinmetz）的德军，在帕拉狄奈特一方面进窥麦茨的有腓特烈·查礼亲王的德军，在莱因河上游一方面进窥斯特拉斯堡的有太子腓特烈的德军。当法军在色当大败并投降以后，其进而包围巴黎的德军有两军。从德军的开始向巴黎推进时起，战争的性质变化了。这时候，普鲁士的自卫战争的性质告终，而开始了侵略的战争。所以，这是进入普法战争的第二期了。恩格斯认为此后欧洲的危险并不在拿破仑第三，而在俾斯麦了。

尽管法国国防政府努力保卫国家，尽管它派代表团到都尔使各省参加抗战，并由逃出巴黎的甘必大来领导代表团，可是，第尔在英、奥、义等国要求援助的失败，巴曾在麦茨率领法军十七万三千人的投降（十月二十七日），以及卖国贼在巴黎的活动，都显出巴黎的投降只是一个时间问题。到了一八七一年一月二十八日，巴黎终于投降了。

一八七一年一月二十二日，法国外交部长伐尔（Favre）已到凡尔赛的普军总司令部进行缔结停战协定的交涉，这个协定是在二十八日签字的：一方面，法国解除巴黎城内作战军队的武装，把巴黎附近的炮台让给德军，并付出赔款二万万法郎；另一方面，俾斯麦允许法国选出国民代表的议会，在二月十二日（停战协定满期的一天）以前决定和战的问题。

俄国废除黑海条款

在巴曾投降后的第二天（一八七〇年十月二十九日）俄国首相高贾可夫以得到俾斯麦的同意，宣布取消一八五六年《巴黎条约》上规定黑海为中立区的条款。促成《巴黎条约》的两个主要国家英、法虽然不满，可是法国无力过问，同时完全注意内政的格腊德斯顿也不想发生战争。不过，俾斯麦倒担心英国要有行动，乃提议举行伦敦会议，这个会议是在一八七一年一月十七日开始，而在三月十七日结束的，他并且要求法国国防政府派代表参加。英国外交部长格兰威尔（Granville），曾半官式的对第尔表示他在伦敦会议里也许会帮助法国，但第尔以为外国的调停反使俾斯麦格外强硬，倒不如和普鲁士单独交涉还可以争取较好的条件。就是伐尔也专心于保卫巴黎的工作，他耽误了派代表的举动，丧失了在列强面前提出法国问题的时机。法国国防政府所派的法驻英大使布鲁格利（Broglie），到会议结束的一天才出席，在新约上签字。这个新约同意了俄国废除黑海条款的行动，惟《巴黎条约》的其他条款仍保持着。

德意志帝国成立

接着俄国废除黑海条款的另一件大事，便是南德各邦和北德意志同盟的缔结联合条约。南德和北德的共同对法作战，瓦尔腾堡人和巴伐利亚人的功绩并不下于普鲁士人。在色当一役以后，南德各邦已经和普鲁士谈判参加北德意志同盟，首先提议的是巴敦，跟着又有瓦尔腾堡及巴伐利亚等邦。一八七〇年十一月二十五日，北德意志同盟代表俾斯麦和南德四邦的政府谈判成功，而联合条约就是在这一天缔结的。这个条约由德意志各邦的议会和君主批准，于是北德意志同盟便包括了南德四邦而改名为德意志帝国，并且普鲁士王也改称为德意志皇帝。一八七一年一月十八日，普王兼北德意志同盟“主席”威廉乃在凡尔赛宫的镜殿宣布德皇的尊号，同时德意志帝国也宣布成立。新的帝国一共包括了二十五邦，即：四个王国（普鲁士、巴伐利亚、萨克森、瓦尔腾堡），五个大公国，十三个公国和侯国，三个自由市（汉堡、布累门、吕伯克）。德意志这种从上而下的统一，自然也为当时德意志所需要。但马克思和恩格斯认为应区别一下的是：德意志民族的利益和普鲁士王朝的利益。马克思和恩格斯反对普鲁士王朝的利益而赞成德意志民族和劳动阶级的利益。

德法和约

德意志帝国一成立，就和法国进行预备和约的签订。二月八日，法国举行选举，十三日，选出的国民议会在波耳多开会，他们有三分之二是保守分子。十六日，国民议会选出极端主和的第尔当法国行政的元首。甘必大所组织的武装抵抗虽以顽强作战而引起德军指挥部的惊骇，但到一月半后也就在实际上被德军击败。当时主张继续抗战到最后一滴血的只有社会党及共和党的急进派。第尔在二月十九日所发表的论文，即说明他的政策在立刻争取法国的“解放”和“改造”而得到国民议会的同意，成了《波耳多公约》，于是他便到凡尔赛和俾斯麦讨论预备和约的条款。二月二十六日第尔和伐尔在商定的预备和约上签字，而俾斯麦则代表普鲁士签字。根据和约上的条款，法国把亚尔萨斯全部（普鲁士只交还了贝尔福），洛林大部分，及麦茨，斯特拉斯堡两个要塞割给德意志；并偿付赔款五十万万法郎，三年付清。而占领法国北部的德军，要到赔款付清后才开始撤退。虽然亚尔萨斯、洛林的代表及甘必大、布兰（Blanc）、克里曼梭（Clemenceau）等人都激烈反对这样的条款，但为着集中力量对付工人的国民议会竟在三月一日接受了预备和约。五月十日，法国外交部长伐尔，财政部长普页克尔狄（Pouyer Quertier）和俾斯麦又在法兰克福签订了正式和约，这就是《法兰克福条约》，这条约在土地方面有了一点修正。

普鲁士在普法战争里的胜利，固使奥地利终于放弃了复仇的企图，但同时却加深了法、德之间的矛盾。

第二篇

帝国主义时期的国际关系

——从巴黎公社到世界帝国主义大战

小　引

近代国际关系史的第一个阶段，我们已经叙述过。现在，我们要进而叙述第二个阶段了。

近代国际关系史的第二个阶段，乃始于一八七一年而终于一九一八年，即始于巴黎公社而终于第一次世界帝国主义大战。第一个阶段是资本主义胜利的时期，而第二个阶段则为帝国主义的时期。从十九世纪最后二十五年的第一年起，资本主义衰颓的时期或资产阶级走下坡路的时期就开始了，这时资本主义的生产关系更加迅速的成为生产力发展的障碍。

开创第二个阶段的巴黎公社，已显出资本主义走向一个新时期，而这就是“自由”资本主义转变为帝国主义的时期。迨及一八九八年的美、西战争完成大洋洲的分割以后，资本主义便彻底的入于最后的、帝国主义的阶段。

在帝国主义的时期里特别值得注意的，不但有帝国主义国家内部的阶级矛盾，而且有帝国主义国家相互间的矛盾，以及她们和殖民地、半殖民地之间的矛盾。因此，帝国主义国家不但在国内准备了自己的掘墓人，而且在国外也准备了自己的掘墓人。

第十章 帝国主义时期的特征

帝国主义的主要特点

在工业革命以后，资本主义曾得到飞跃的发展，但它发展到一定的高度就达到一个特殊阶段而成了帝国主义。所谓帝国主义，便是资本主义的独占阶段，在这里，资本主义的独占就代替了资本主义的自由竞争。不过，由自由竞争产生的独占，其实没有消灭掉竞争，而是建立在竞争上面，使个人的竞争变成集团的竞争，并因此产生了种种紧张而严重的矛盾。

帝国主义的主要特点，列宁认为有五个：（一）生产和资本的集中已发展到极高的程度，而形成了在经济生活里起决定作用的独占；（二）银行资本和工业资本混合着，在这金融资本的基础上并且产生了金融寡头政治；（三）异于商品输出的资本输出有了特别重要的意义；（四）资本家分割世界的国际独占同盟形成了；（五）各个最大的资本主义国家已把地球上的领土分割完毕。

从自由贸易到保护政策

独占式的托辣斯和新迪卡，不断侵犯着自由市场，使自由市场一天天的变成过去的名词，结果不但资本家欺骗工农的口号“民主制度”远远落在时代的后面，而且殖民地的争夺更显出是刻不容缓的事情。在十九世纪的六十年代欧洲各国所实行的都是自由贸易制，但她们一到七十年代就逐渐采用了保护关税政策，提高入口税，使国外商品没有和国内商品竞争的可能。而同时值得注意的是，当各大工业国在十九世纪最后二十五年采用高度保护关税的时候（大不列颠虽仍维持着自由贸易制，但她的殖民地则采用了保护关税政策），这也就是殖民地政策加速实行的时候，尤其是十九世纪的最后二十年。英国固在一八六六年到一八八〇年夺取了大批殖民地，但以在十九世纪最后二十年里所夺取的为更多，而法、德两国也都在这二十年里夺取了殖民地。自然，保护关税政策和帝国主义是有关系的，如法国在一八九二年的关税法只对输入法国殖民地的外国商品征税，而法国商品则自由输入，又如加拿大在一八九八年宣布此后对大不列颠输入品的征税，比别国输入品少四分之一，这都可以证明殖民地的占领有利于帝国主义国家的工商业。所以当英国在一八四〇年到一八六〇年厉行自由竞争的时候，英国资产阶级政治家曾反对殖民地政策，排斥帝国主义，柯布登（Cobden）即以为英国和她的一切财富会为广大的帝国所牵累，布莱特（Bright）也以为殖民地的夺取和保卫是得不偿失，可是“到十九世纪的末叶，罗得斯（Cecil Rhodes）和张伯伦（Joseph Chamberlain）便成了当代的英雄，他们公开的宣传帝国主义并且毫无顾忌的实行帝国主义的政策”（列宁的话），而英国首相毕康斯菲特（Beaconsfield）之在一八七六年宣布维多利亚为印度女皇，就已替英国开了“新帝国主义运动”的先河。

帝国主义时期的殖民地政策和殖民地

更进一步说，在帝国主义时期以前，固已有了殖民地政策和殖民地，然而这个时期的殖民地政策和殖民地却大大和以前不同，其主要特点列宁也有深刻的说明："大企业家的独占同盟的统治，就是最新的资本主义的主要特点。当所有的原料来源都被一手抓住的时候，这样的独占就是牢不可破的独占。……资本主义愈发展，原料的缺乏愈厉害，竞争和夺取全世界富源的斗争愈紧急，则取得殖民地的斗争也愈趋乎疯狂。""金融资本除去殖民地政策的无数'旧有的'动机以外，又加上为原料，为输出资本，为'势力范围'（即有利的协定、租借地、独占的利润及其他等等的范围），以及为一般的经济领土等而从事的斗争。例如当欧洲列强还只能占领非洲十分之一的面积作为殖民地时（一八七六年还是这样），殖民地政策的发展还可以不是独占式的，而是采取所谓'自由占领'土地的形式。但是当非洲十分之九的面积已被占领时（一九〇〇年），当全世界已被分割完毕时，于是以独占式占据殖民地的时期必然要开始，因此，为分割世界和重分世界的斗争也要特别的紧张。""所以从资本主义到独占资本主义阶段或金融资本的转变，显然是和分割世界的斗争的激烈化相关的。"

对殖民地的投资和帝国主义

而且殖民地的占领之有利于帝国主义国家的资本家，这不仅表现在关税保护政策一方面，同时还表现在对殖民地的投资一方面。凡是在殖民地的矿山、橡树林、垦殖及铁道等方面投资的，都可以获得百分之五到五十的利润，这自然会引起一切资本家的注意；于是各大工业国既有银行家经营殖民地的财政，也有出口商制造殖民地的商品，更有资产阶级的大多数投机商人在殖民地的矿山或工业上投资，他们都是对帝国主义特别热心的。资本家在殖民地投资的势力之足以促进帝国主义，这在一九一一年可以看出。为什么德意志政府在一九一一年特别注意摩洛哥？就是由于曼奈斯曼兄弟公司在磨洛哥的矿山有金融上的利益。而英国的统治埃及，也由于英国政府企图保护资本家在埃及的投资。不管德意志谈什么“世界的使命”，英国谈什么“白人的责任”，美国谈什么“美国的文明”，其实她们三个统治全世界的国家都在干帝国主义的勾当，“她们相互间的帝国主义的竞争和搏斗，由于德意志只有一个很小的区域和很少的殖民地而趋于异常的紧张”（列宁的话）。此外英、美两国夺取南美的斗争，美、日等国夺取中国的斗争，也都是日益紧张的。

帝国主义的形成和列强斗争的中心区

自一八四八年到一八七〇年，这是自由竞争达到极度的发展的时期。从一八七二年起，“自由”资本主义或工业资本主义就在转变为帝国主义了。这时德意志和义大利固已完成了统一，并且德、义及美、俄、日等国都又扫除了阻止资本主义发展的障碍。而掌握殖民地霸权，独占世界贸易的英国，则开始碰到欧洲列强更紧张的竞争。

资本主义在独占阶段前的发展就已带有不平衡性，而这到了独占阶段便更尖锐化。美国及德意志虽然是两个后起的资本主义国家，在一八六〇年还居于第三位和第四位，但是美国到一八七〇年便升到第二位，到一八八〇年便占有第一位，同时德国在一八八〇年便升到第三位，在一九〇〇年便升到第二位，而英国及法国反从一八六〇年的第一位和第二位降到第三位和第四位。再加上一八七三年，一八八二年，一八九〇年及一九〇〇年的世界经济危机，更加深了资本主义国家相互间的矛盾并加强了她们在世界市场上的斗争。

为着争取市场，争取原料出产地，争取势力范围，帝国主义国家如英、法、德、俄、义、美、日等在全世界上斗争的中心有三个：（一）非洲，（二）近东及中东，（三）远东。而一八九八年的美、西战争又使资本主义彻底达到了最后的、帝国主义的阶段。"作为美洲和欧洲，而以后是亚洲资本主义最高阶段的帝国主义，在一八九八年到一九一四年前就已完全形成了。"（列宁的话）

列强的殖民地领土

单就一八八四年到一九〇〇年的一个时期来讲，列宁引用霍布森（Hobson）的统计材料，指出："英国得到三百七十万平方哩的面积和五千七百万的人口，法国得到三百六十万平方哩的面积和三千六百五十万的人口，德意志得到一百万平方哩和一百六十七万的人口，比利时得到九十万平方哩和三千万的人口，葡萄牙得到八十万平方哩和九百万的人口。"跟着列宁又把一八七六年到一九一四年的材料统计了一下，认为："在十九世纪和二十世纪之交，世界的分割已经‘完毕’了。自从一八七六年以后，六大强国（即英、俄、法、德、美、日六国——引用者）的殖民地领土便大规模的扩张，由四千万平方公里增加到六千五百万平方公里，就是增加了一倍半；而增加的面积有二千五百万平方公里，就是比宗主国的面积（一千六百五十万平方公里）大了一倍半。有三个强国（即德、美、日三国——引用者）在一八七六年还没有一点殖民地，而第四个强国法国差不多一点都没有。到了一九一四年，这四个强国得到殖民地面积一千四百十万平方公里，大约大于欧洲面积一倍半，而人口几达一万万之多。”

因此，大英帝国既占有全世界土地四分之一，俄罗斯帝国也占有全世界土地七分之一，而法国在非洲和东南亚所建立的一个新殖民帝国，则大于她在十八世纪失给英国的土地，并且比利时在刚果所建立的一个殖民帝国甚至大于宗主国八十倍。

半殖民地

而且，在帝国主义时期里，“不仅有两种基本的国家集团（即占有殖民地的国家和殖民地），而且还有各种形式的附属国，她们在政治上及形式上是独立的，而在实际上则为财政上和外交上的附属关系的网罗所包围。在上面，我们已经谈过了一种形式即半殖民地”（列宁的话）。“在其余的世界已被分割完毕的金融资本时期里，争夺这些半独立国家的斗争，当然是特别的紧张。”（同上）

帝国主义和战争

就由于资本主义发展的不平衡以及世界分割的完毕，就由于生产力发展、资本积累（一方面）和金融资本分割殖民地、划分势力范围（另一方面）的不相称，除去战争以外，就没有其他方法来解决资本主义国家相互间的矛盾。在这里，斯大林（Stalin）认为不平衡发展律在帝国主义时期的基本因素是：

（一）世界已被各帝国主义集团分割完毕，在世界上早已没有“自由的”、尚未割据的土地，为着取得新的市场及原料来源，为着扩大自己的势力，就只有用武力夺取别人的领土；

（二）由于技术上的空前发展，以及各资本主义国家发展程度的日益均等化，几个国家可以而且容易以飞跃的形式超过其他国家，力量较小而发展很快的国家容易排挤势力较大的国家；

（三）帝国主义集团间旧的势力范围分配关系，和世界市场上新的力量对比关系常发生冲突，为着在旧的势力范围分配关系和新的力量对比之间造成“均势”，必须经过帝国主义大战来定期重分世界。

第一次世界帝国主义大战

所以，一九一四年到一九一八年的第一次世界“帝国主义大战的发生，便是由于资本主义各国的发展的不平衡，由于重要强国之间的均势的破坏，由于帝国主义者有用战争和造成新均势的方法来重分世界的必要”（见《联共（布）党史简明教程》）。这次大战乃是资本主义总危机的反映，它削弱了世界资本主义，同时加速又加易了无产阶级革命的搏斗，并且殖民地及半殖民地的地位也因此发生了重大的变化。帝国主义既是宗主国劳动阶级及殖民地半殖民地人民的共同敌人，只有国际无产阶级才能援助殖民地半殖民地的人民，所以一切落后国家的被压迫人民在反对世界帝国主义的斗争里就成了国际无产阶级的同盟军。“列宁指出，在帝国主义时期，殖民地和附属国的革命危机正在尖锐着，反对帝国主义的解放斗争的成分正在增加着。”（见上书）

十月革命

斯大林说：“帝国主义把资本主义的各种矛盾引到了顶点，引到了极端，接着就开始革命。”而伟大的十月革命便意味着新时代的来临，并且十月革命还给殖民地半殖民地的民族解放运动以空前的影响。

第十一章　帝国主义的奠基

第一节　从巴黎公社到第三共和国的确立

一八七一年的法国革命

在一八七一年，震动一时的普、法战争很快就结束了，跟着令人注意的便是巴黎公社革命或法兰西内战。巴黎公社革命如恩格斯所说，并不是“没有无产阶级的”，而且这次革命甚至是第一次无产阶级革命，第一次无产阶级专政的尝试。

而集中力量对付工人的法国资产阶级政府，却和敌国普鲁士勾结着。

巴黎的劳动大众，一向主张继续对德国作战。不管在战地或巴黎，他们都英勇抵抗过普鲁士的军队的进攻或包围，并且他们还组织了卫国军。一八七一年一月二十八日的停战协定，本规定法国把巴黎的法国军队的军用品移交给普鲁士军队，但由于卫国军的枪炮不是属于国家的而是属于人民的，他们却照旧保存着自己的武装。

经过五个月血战的巴黎战士对国民议会是不满的，因为议员的大多数并不利于共和政体，而这个议会的接受预备和约以及德军的开入巴黎（德军开入巴黎的权利，并没有规定在和约里，而是由第尔答应的，他借此来酬报普鲁士的交还贝尔福），却更引起了他们的反对。于是卫国军不但选出“中央委员会”来领导军队和群众，而且夺取法军的大炮，准备发生冲突。

为着解除卫国军的武装，第尔在三月十八日派遣军队夺取他们的大炮。但受工人群众感动的军队反站到群众的一边，拒绝开火的命令，而两个顽固的军官却被群众枪毙了。当第尔政府和一部分军队逃到凡尔赛以后，卫国军中央委员会就完全控制了巴黎。

巴黎公社的成立

三月二十六日，中央委员会举行市政厅的选举，其被选出的市政厅就是一八七一年的巴黎公社，参加公社的有普鲁东（Proudon）派、布朗基（Blanqui）派、第一国际的分子，及资产阶级的共和党（包括急进派和温和派），而当时领导公社的是普鲁东派和布朗基派，惟布朗基曾在三月九日被捕，并没有亲自参加。

巴黎公社在马克思看来，“本质上是一个工人阶级政府，这是生产者阶级对占有者阶级的斗争的产物”，它“要把个人的财产变成真正的个人财产，而方法则在使生产手段，土地和资本……转变为自由的和联合的劳动的单纯工具”。事实上，实现了高级民主形式的公社，不但注意工人和农人的利益，而且关心到小资产阶级甚至中等资产阶级。因此，除大资本家及地主外，巴黎大多数的中等资产阶级、大小商人、小贩及手工业者都支持着公社。不过，无庸讳言的，公社并没有一个明白的社会主义政纲。而且公社实现一种立法计划的机会，却又以凡尔赛国民议会的政府的进攻而消灭了。

巴黎公社的失败

法国资产阶级政府既勾结着普鲁士，巴黎公社所碰到的是两重敌人。为着镇压公社的革命，俾斯麦送还凡尔赛政府的俘虏有十万人。就由于普鲁士的帮助，第尔的军队便在四月二日开始向巴黎进攻，而指挥军队的是麦克马翰。经过六个星期的包围，麦克马翰在五月二十一日进了巴黎，但他还要经过一个星期（五月二十一日到二十八日）的巷战才做了法国首都的“主人”。而公社终究在超过一八四八年的大屠杀之下被摧毁了。但是，富于历史意义和历史教训的“公社却给了群众更进一步的教育”（列宁的话），而一九一七年的十月革命便是公社革命更进一步的发展。

俾斯麦的担心

巴黎公社的被摧毁，这不仅意味着法国资产阶级政府的胜利，而且意味着俾斯麦的胜利。不过，俾斯麦固然害怕巴黎的革命，但他同时又以法国实力的恢复而担心。

法国实力的恢复其实是很快的。在国民议会里占多数的保王党虽企图复辟，惟由于自由资产阶级和工人阶级的反对，以及保王党内部的矛盾和冲突，结果保王党的自由派终于和少数的共和党合作，而在一八七五年订立了第三共和国的宪法。这是国民议会正式确定共和制度的表示，并且它在新宪法颁布后就解散了。至于法国对德的赔款在一八七三年就完全付清。法国政府在一八七二年所发的公债，其应募额竟超过十四倍，而且公债的大半是从法国人民方面募来的，这证明了法国实力恢复的迅速。而德军在一八七三年九月便完全从法境撤退。

俾斯麦又想发动战争

俾斯麦的担心到了一八七五年就变本加厉了。原来他想以普、法战争及《法兰克福条约》“使法国流尽了血”，而不致再成为德意志的强邻。可是法国的复兴却是惊人的迅速。因此，俾斯麦在一八七五年又想发动一次战争来打击法国，毛奇也表示过同样的主张，而且有一紧张时期似乎战争就只是时间问题。当时英女王维多利亚已从她的女儿那里知道俾斯麦的企图，她便直接向德皇威廉作维持和平的呼吁。跟着对她的呼吁表示同意的有俄皇亚历山大第二，俄皇并且警告过德皇：如果他再进攻法国，则俄国的中立是不可靠的。由于英、俄两国的明白表示，俾斯麦才放弃了发动战争的计划。

法国的军国主义

而其更令俾斯麦不安的，就在法国的失败（一八七〇年到一八七一年）却使法国人怀着复仇和收复失地的思想，而且法军在第三共和国的初期便完全改革过，同时法国除实行强迫军事教育外，还枉费了大批金钱来建筑炮台，添置军用品。自然，法国工业在第三共和国时期的发展以及殖民帝国的重建，也需要法国提倡军国主义。

第二节　三皇同盟

德意志的军国主义

普、法战争的结果，俾斯麦成了普鲁士的统治者，而普鲁士也成了德意志的统治者，并且德意志又支配着欧洲大陆。由于德意志帝国的建立以及法国赔款的取得，德意志的工业更蒸蒸日上，新的企业像雨后春笋一样的在增加。单就普鲁士一邦来讲，一八七〇年的合资公司只有四百十所，到了一八七四年就增加到二千二百六十七所。因此，德意志之由一个农业国一跃而成为一个工业国，也是惊人的迅速。德意志的资产阶级既需要海外的原料，也需要海外的市场，这就使得德意志非夺取殖民地不可，所以普鲁士的军国主义便又成了德意志帝国最有价值的传统，威廉第一和俾斯麦都把德军看作他们的主要支柱。

俾斯麦的外交政策

不过，俾斯麦所最关心的，还不在扩张德意志的领土，而在保存她所得到的利益。当“奥匈”、法国、俄国及义大利先后仿效德意志军事上的榜样（“奥匈”是在一八六八年，法国是在一八七二年，俄国是在一八七四年，义大利是在一八七五年），而扩充军备时，德意志却要用外交手腕阻止她们联合起来反对自己。

在海上，英国仍保持住她的霸权，而且欧洲大陆上的战争并没有直接影响她。俾斯麦对于世界上这个主要的工业国和殖民帝国，一向就避免发生争执，俾海上主人翁不致对陆上主人翁的德意志起了恶感。由于英国重视比利时的中立，俾斯麦在普、法战争里也有同样的重视。同时俾斯麦既知道英国和俄国在近东问题上及亚洲其他方面的冲突，也知道英国和法国在非洲和远东的冲突。更由于英国外交部在英国仍保持住海上优势时不愿和欧洲各国缔结同盟，俾斯麦认为德意志对于英、法同盟是不必顾虑的。

俾斯麦的防法

但法国实力的恢复，却使俾斯麦要防备她复仇并收复失地，并且要阻止她在第二次德、法战争里得到俄国、“奥匈”或义大利的援助。

在俾斯麦看来，“奥匈”和义大利也是不必顾虑的。奥地利已以普鲁士在普、法战争里的胜利而放弃了复仇的企图。在一八七一年以后，“奥匈”的统治阶级又以想在巴尔干半岛实行侵略政策而有赖于德意志的一臂之助。而一度和普鲁士结成同盟的义大利，也还存在着对德的友谊。法国之在一八五九年的战争里对义大利的中道相弃，以及法国的教士之多主张干涉义大利而恢复教皇的政权，这都是义大利所难忘的。但俄国则非“奥匈”或义大利所可比。法国固在注意着东北，俄国也在注意着西南，而其足以阻碍两国的发展的就是新兴的德意志，为着共同对付德意志，法、俄同盟并不是没有缔结的可能。不过，俾斯麦之在一八六三年保证普鲁士帮助俄皇对付波兰的叛徒，以及他在一八七一年默认俄国恢复黑海舰队，却使得俄国不能同德意志对立起来。而且俄国若欲伸足于巴尔干半岛，或在亚洲给英国以打击，那她还需要德意志的帮助。

德奥会谈

为着孤立法国，并增加德意志的与国，俾斯麦在外交上首先进行联合的就是奥地利。同时奥地利也准备和强大的德意志帝国改善关系，奥皇佛兰西士·约瑟夫采用了安德拉西（Andrássy）向巴尔干前进的政策，并且把反对俾斯麦的首相保斯特调到伦敦当驻英大使，而代替保斯特的新首相就是安德拉西。在一八七一年的八月和九月，德皇威廉和佛兰西士·约瑟夫一再会晤于伊须尔、加斯坦及萨尔兹堡，商谈德、奥的协定。

三皇同盟

一八七二年八月，威廉又到伊须尔访问佛兰西士·约瑟夫，同时保斯特和俾斯麦也在加斯坦讨论过一次。九月，佛兰西士·约瑟夫带着安德拉西到了柏林。俄皇亚历山大第二怕奥地利和德意志过于亲密，也带着首相高贾可夫赶到柏林去，而促成了三皇的会谈。由于三皇在会谈时并没有成立政治协定，所谓“三皇同盟”其实不是一种同盟，只是一种协商。当时三国的首相交换了文书，他们所同意的是维持欧洲的现状，解决东南欧的纠纷，并镇压革命。后来德意志和俄国在一八七三年五月缔结了军事条约，规定一国被欧洲强国进攻时，则另一国须以二十万人来援助她。跟着俄国和奥地利又在六月商定了《勋布隆条约》，约定一国被攻击时应和另一国进行商量或进行合作，这一切便构成了三皇同盟的内容，而其主要目的则在强调三国的团结以对付破坏运动，并保证德意志和法国发生纠纷时支持德意志。三皇同盟也可以看作神圣同盟的新版。

反德的“道义同盟”

到了一八七五年俄皇警告过德皇以后，俾斯麦虽没有说什么，但明白看出三皇同盟的弱点和别国对德意志的疑忌。俄国和英国在德意志再威胁法国时既都不愿袖手旁观，这反德的“道义同盟”却加强了法国的地位。

第三节　从巴尔干人民的反土到俄土战争

普法战争对东方问题的影响

普、法战争对于东方问题也是有影响的。除去俄国恢复了黑海舰队以外，在东方的舞台上暂时退出的有法国，立刻加入的有德意志。

由于俄、奥都对巴尔干半岛有了野心，伸足于东方的德意志就利用这两国的冲突来提高她在奥图曼帝国的地位。同时德意志还企图把俄、奥赶到近东去，不让她们过问中欧的事情。

并且德意志民族及义大利民族的统一，都增强了巴尔干人民的民族意识，再加上俄国的资助及大斯拉夫的运动，东方问题又发生了。俄国的一个大斯拉夫主义者伊格纳蒂夫（Ignatiev）之被任为俄驻土大使，就是耐人寻味的。

黑塞哥维那及博斯尼亚的起义

为着弥补宫廷的巨大耗费，土耳其政府特别提高了农业税，使巴尔干人民达到了忍无可忍的程度。一八七五年七月，黑塞哥维那及博斯尼亚的人民就起而反抗土耳其的压迫。塞尔维亚人立刻支持了起义者，企图把两省收为己有。而俄国则由于种族上宗教上的关系及大斯拉夫的野心，对他们也是非常同情的。这便是近东三年紧张关系的开端。

黑塞哥维那人及博斯尼亚人的起义，更增加了土耳其政府在财政上的困难。到了十月七日，土耳其政府正式宣告财政破产。十二月三十日，奥地利首相安德拉西以得到德、俄的同意，向一八五六年《巴黎条约》的签字国发出一个通牒，要求土耳其在博斯尼亚及黑塞哥维那完全实施宗教自由，取消农业税，把地方税用在地方上，并设立基督教、回教混合委员会监督改革。这就是《安德拉西通牒》，它是在一八七六年一月三十日向土耳其政府提出的。安德拉西的计划虽又为法、义、英三国及土皇所采纳，但遭受到起义者的拒绝，他们要有事实上的保障才停止反抗。

保加利亚的起义

土耳其政府想转移全国人民的注意力，它以挑拨回教徒和基督教徒的关系来引起他们的冲突。一八七六年五月初，回教徒在萨罗尼加发生了暴动，法、德两国的领事被杀。列强在萨罗尼加举行海陆军大示威，并对土耳其政府提出惩办凶手及保证赔偿等要求。在土耳其政府接受了列强全部要求，还没有完全解决萨罗尼加事件以前，保加利亚的人民又起义了，那里农人所提出的要求和博斯尼亚、黑塞哥维那相同。而且塞尔维亚及门的内哥罗的人民也在做起义的准备。

《柏林觉书》

五月十三日，奥、俄、德三国首相安德拉西、高贾可夫及俾斯麦在举行过柏林会议以后，提出了《柏林觉书》，更严厉的要求土耳其政府和起义者停战两个月，把土军集中在几个地方，再安抚起义者，让起义者保存着武装，等待土皇实行他所答应的改革，并由列强的领事监督土皇实行。《柏林觉书》乃是《安德拉西通牒》的扩充，它反映出安德拉西反对任何的合并政策（俾斯麦和高贾可夫所提议的）。其同意《柏林觉书》的有法、义两国，而反对它的则有英国，反对的原因一部分是由于技术上的问题，但主要的乃由于首相毕康斯菲特不满奥、俄、德三国政府未和英国商量的片面行动。英国从一八六〇年到一八七四年都避免卷入欧洲大陆上的漩涡，因此不免引起了欧洲各国的漠视，而毕康斯菲特从一八七六年到一八七八年的外交政策就在提高英国的威望，满足英国“新帝国主义”的要求。

英国在五月十九日拒绝和奥、俄、德三国一致行动，在同月二十四日派舰队开到贝西加湾，注意局势的变化。到了二十九日，土皇阿布杜·阿西兹（Abdul-Aziz）为左右所不满而被废，继位的是他的侄儿穆拉德（Murad）。但穆拉德继位没有多少日子，在八月三十一日也被废了，更由他的弟阿布杜·哈密德第二（Abdul Hamid Ⅱ）继位。

塞、门对土宣战

俾斯麦并没有因英国反对《柏林觉书》而疏远她。同时毕康斯菲特对俾斯麦印象倒不坏，把他看作“一个危险的，但有诚意的人”。至于伊格纳蒂夫也没有在君士坦丁堡提出类似《安基阿尔·斯开莱西条约》的文件。

紧张的局势倒是由于塞尔维亚及门的内哥罗的先后对土宣战（六月三十日及七月一日）促成的。宣战的塞尔维亚得到俄国的支持，企图取得那起义的两省，而门的内哥罗则和塞尔维亚携手作战，她们曾以俄国的斡旋缔结了同盟条约。此外土耳其杂牌军队在五月屠杀保加利亚人的消息经由伦敦《每日新闻》揭露（六月二十三日），这特别引起了英国人民对土的愤怒。英国前首相格腊德斯顿所写的小册子《保加利亚的恐怖和东方问题》，就主张英国和欧洲各国合作，推翻土耳其在保加利亚的行政权；这在英国发生了惊人的影响，并严重打击了英国政府援土反俄的政策。

《赖希斯塔特协定》

而俄国政府在另一方面则进行着反土的军事准备。七月八日，高贾可夫和安德拉西在赖希斯塔特举行会谈，成立了《赖希斯塔特（Reichstadt）协定》。俄、奥两国对于博斯尼亚和黑塞哥维那主张实行《柏林觉书》上所提议的改革，对于塞尔维亚和门的内哥罗主张她们一失败则恢复战前状态。如果塞尔维亚和门的内哥罗胜利了，俄国就把博斯尼亚和黑塞哥维那的大部分送给奥地利，以报答她在未来俄、土战争里所保守的友谊中立，同时俄国除得到博斯尼亚和黑塞哥维那的小部分外，并收复她在一八五六年失去的贝萨拉比亚一部分。如果土耳其又崩溃了，保加利亚和罗马尼亚可以成为自治邦或独立的侯国，希腊可以得到一些土地，而君士坦丁堡则成为一个自由市。但俄、奥两国的利益在塞尔维亚和门的内哥罗冲突得最厉害。

塞尔维亚的失败和英国提出和平条件

塞尔维亚、门的内哥罗和土耳其战争的结果，俄将却纳也夫（Chernaiev）所指挥的塞军被土将奥斯曼（Osman）所指挥的土军打败了许多次，并且塞军在九月一日又遭遇到彻底的失败。于是塞尔维亚要求列强调停。但土耳其拒绝了停战的提议，除非她所提出的苛刻条件被接受。当时俄国非常愤激，她要用战争来解决，万一她和奥地利发生战争，她还力图得到德意志的支持。惟俾斯麦表示德意志只愿出而防止俄国或奥地利受致命伤或打得衰弱不堪。

九月二十一日，英国政府向列强提出了和平的条件，即：维持塞尔维亚和门的内哥罗的现状，博斯尼亚和黑塞哥维那实行自治，保证革除保加利亚的苛政，此外还有一个概括的改革案。二十六日，俄国政府提议土耳其若拒绝英国的条件，列强的联合舰队就开入博斯普鲁斯海峡。由奥地利占领博斯尼亚，由俄国占领保加利亚。跟着伊格纳蒂夫在十月十五日从俄国到了君士坦丁堡，在三十日给土耳其政府一个最后通牒，限它在四十八小时内和塞尔维亚停战，否则俄驻土大使立刻离开君士坦丁堡。隔了一天（三十一日），土耳其政府终于同意了六个星期的停战。但俄国在十一月里已准备对土作战。同时好战的毕康斯菲特则决心使俄国的企图失败。

君士坦丁堡会议

十二月十二日君士坦丁堡会议的第一次集会或列强临时代表会议，乃是由英国召集的；列席的代表：英国是萨利斯伯里（Salisbury），俄国是伊格纳蒂夫，德意志是威尔太尔，奥地利是切齐（Zichy），义大利是柯尔蒂（Corti），法国是肃杜尔哲（Chaudordy）。萨利斯伯里和伊格纳蒂夫还举行了几次谈判。他们所成立的协定是：塞尔维亚不割地，门的内哥罗取得土耳其在黑塞哥维那和阿尔巴尼亚所占领的部分，保加利亚（即保加利亚主教所管辖的土地，这扩大到马其顿的一大部分）分为东省和西省，博斯尼亚和黑塞哥维那合为一省，这一省和保加利亚所分的两省相同，有一个总督（由列强指定而得到土耳其政府同意的）和一个省议会。

十二月二十三日，列强临时代表大会在君士坦丁堡第一次召集了全体代表会议。同时土皇颁布了《米德哈特（Midhat）宪法》。一八七七年一月十八日，土耳其政府在君士坦丁堡召集了要人会议，拒绝君士坦丁堡会议的一切提议。由于君士坦丁堡会议的失败，全体代表会议到一月二十日就结束了。

《布达佩斯条约》

俄国在一八七七年一月十五日又和奥地利成立《布达佩斯（Budapest）条约》，解决了关于《赖希斯塔特协定》的条款的争论，奥地利在未来的俄、土战争里保守中立，而随时取得博斯尼亚和黑塞哥维那，并且塞尔维亚、门的内哥罗及黑塞哥维那都建立一个中立地带。三月十八日，俄、奥两国继续签订一个附加条约，重新认可《赖希斯塔特协定》关于处置土耳其领土的条款，并且在巴尔干半岛不许建立大的国家（无论斯拉夫人的国家或其他民族的国家）。

俄国终于对土宣战

一八七六年十一月十日，俄皇已声明土耳其政府若拒绝列强的提议，他就单独行动。土耳其的要人会议既拒绝君士坦丁堡会议的提议，俄、土两国显然是站在对立的地位。一八七七年一月三十一日，高贾可夫用一个通牒说明俄、土交涉的情形，并且暗示两国争端要以战争来解决。从二月到四月，俄国在等待战争的时机。俄皇在二月还派伊格纳蒂夫拜访西欧各国的首都。毕康斯菲特固准备了战争，好在俄国到君士坦丁堡时宣战，但当伊格纳蒂夫到伦敦和英国商量临时办法的时候，还受毕康斯菲特的盛大招待。英国所努力的是裁减俄国及土耳其的军备。

三月三十一日，《巴黎条约》各签字国的驻英大使举行了伦敦会议，对和平作最后的努力，他们和英国外交部长窦比（Derby）合签一个议定书，要求土耳其复员，并实行她所答应的改革，如果土耳其接受这些条件，俄国也复员。可是土耳其又拒绝了他们的要求（四月十日）。

四月二十四日，俄国对土宣战，俄国在宣战前不仅得到奥地利中立的保证，而且得到英国中立的保证，俄皇答应英国的是：不妨碍英国在苏彝士的利益，不占领君士坦丁堡，维持海峡的现状，俄军不更向中亚推进。但英国到了五月六日又给俄国一个通牒，警告俄国不得封锁苏彝士运河或占领埃及，并重新声明英国在君士坦丁堡及海峡的传统地位。同时俾斯麦向英国提议占领埃及及奥图曼帝国的其他部分，以免惹起战争。俄国在六月八日对英国通牒的答复是闪避的。

从七月到八月，英国和奥地利缔结了一个不严密的消极的协定，记下她们在俄国胜利时不能同意的七点。七月二十一日，英国内阁决定俄国若占领君士坦丁堡而不准备立刻撤兵，英国就对俄宣战。但俄军在普勒夫纳前面所碰到的挫折，却缓和了英、俄间的紧张局势。

俄国在俄、土战争里的同盟者是罗马尼亚，俄军越过普鲁斯河并通过罗马尼亚攻入了土耳其，同时罗军还替俄军担任右翼方面的防御工作。而门的内哥罗在六月十二日又以俄、土战争的影响重新作战（塞尔维亚和土耳其曾在二月二十七日签订了《君士坦丁堡和约》）。

土耳其的失败

完全没有准备的土耳其，仓皇应战。在亚洲方面俄军在战争发生后的一个月就占领了阿达汗，并包围卡尔斯，它是在十一月十八日失陷的。在多瑙河方面，俄军在六月里也占领了尼科波尔。不过他们在七月里进展到普勒夫纳便遭遇了土军的顽强抵抗，土将奥斯曼坚守着这个要塞。八月，俄皇接受了罗王出兵协助的提议，任他为俄、罗联军总司令，围攻普勒夫纳。奥斯曼当最后的突围失败以后，才在十二月十日率领四万人投降俄军。

土耳其要求调停

在普勒夫纳失陷后的第二天，土耳其要求列强调停，这遭受到俾斯麦的拒绝。那时最焦急的是毕康斯菲特，他要有所行动，但除萨利斯伯里外，他的内阁的阁员却使他的计划失败了，特别是窦比。就是英国驻外的大使也没有帮助他。安德拉西仅仅警告过俄国，说奥地利和列强在决定和平的问题上要有发言权。到了一八七八年一月二十三日，英国内阁才以土皇的要求决定派舰队开到君士坦丁堡。窦比因此辞了职。当安心的报告从君士坦丁堡发来以后，英国舰队复被召回，窦比又参加了内阁。

塞再对土宣战

普勒夫纳的失陷，一方面使塞尔维亚再度对土宣战（一八七七年十二月十四日），一方面使俄军节节胜利，在占领索菲亚（一八七八年一月五日）及阿德里亚诺堡（一月十六日）后便进逼君士坦丁堡。当英国舰队一支开到马摩拉海的时候，俄军才在距离土耳其首都只有一天路程的马摩拉海岸上停止前进。

土耳其签订预备和约

早在一八七八年一月九日，土军已要求俄军停战。

而君士坦丁堡的受威胁，更使土耳其无论如何要恢复和平。一月三十一日，土耳其政府在阿德里亚诺堡签订了预备和约，允许那被俄军完全占领的保加利亚成为一个自主的王国，而博斯尼亚和黑塞哥维那也都建立自主的制度。

二月五日，奥地利提议召集欧洲会议，这得到英国的同意，而以《俄土和约》的一切条款都交会议讨论为条件。因此英国暂时避免了武装的干涉。

第四节 《圣·斯太法诺条约》和《柏林条约》

《圣·斯太法诺条约》

土耳其政府的签订预备和约，其实没有消除掉紧张的局势。俄军距离君士坦丁堡并不远。而英国在二月八日又决定再派舰队，其开入海峡的舰队虽以没有得到土皇的许可（由于俄国的压力）而中途折回，可是在二月十五日终于开到了君士坦丁堡。

俄国政府为着迅速实现它的企图，在三月三日又强迫土耳其政府签订了《圣·斯太法诺（San Stefano）条约》

（三月二十三日批准）。这是土皇阿布杜·哈密德第二的屈服，斯拉夫人的胜利。

根据《圣·斯太法诺条约》：门的内哥罗的领土扩张，取得亚得里亚海的安狄瓦里港，塞尔维亚的领土也扩张，她和门的内哥罗都是独立国；罗马尼亚也是独立国，俄国将以她所取得的多布鲁甲一部分和罗马尼亚交换她所失去的贝萨拉比亚一部分；博斯尼亚和黑塞哥维那都须实行君士坦丁堡会议所提议的改革，而由俄、奥两国监督实行；从多瑙河到爱琴海而西以阿尔巴尼亚山脉为界的“大保加利亚”是自治邦，由选出的一个基督教徒统治，并由俄军占领两年；俄国在亚洲方面取得阿达汗、卡尔斯、巴统及巴亚页特；达达尼尔海峡和博斯普鲁斯海峡随时都须开放；而多瑙河畔的土耳其要塞则都须拆毁；土耳其且须对俄国偿付巨大的赔款。

奥英的反对

不用说，英国、奥地利对于《圣·斯太法诺条约》都是反对的。毕康斯菲特既不能让俄国独步于近东，佛兰西士·约瑟夫也不能让俄国势力扩大到东南欧，因为这会妨碍奥地利在巴尔干半岛进展。于是“奥匈”国务院声明说：要变更巴尔干半岛的局势，一定要修改一八五六年的《巴黎条约》，这必须得到维持该约的列强（英、德、“奥匈”、法、义、俄、土七国）同意才行。毕康斯菲特为着争取英国过问巴尔干问题的机会，赞成“奥匈”国务院的声明。而俾斯麦为着增加德意志的威望，也赞成奥、英两国的要求，主张把《圣·斯太法诺条约》交签订《巴黎条约》的列强批准。

三月六日，安德拉西邀请列强到柏林举行会议。柏林会议究竟要讨论什么问题，英、俄之间发生了长久不决的争论，同时奥、俄之间对于决定和平的问题也有了分歧的意见。伊格纳蒂夫虽在三月二十五日到过维也纳，但他并不能调停奥、俄的争端。

俄国到了三月二十三日才把《圣·斯太法诺条约》交给英国，她立刻声明柏林会议可以自由提出问题，但她有拒绝或接受决议的自由。毕康斯菲特在接到他所谓最后通牒以后，立刻就召集内阁会议，并在写给加桑·哈定（Gathorne-Hardy）的信上说，“我们在走向战争”，不过，“如果我们勇敢有决心，我们也可以维持和平，而使欧洲接受英国的条件”。三月二十七日，英国又举行了一次重要的内阁会议决定，动员后备军，调集印度军队占领塞浦路斯岛及亚历山大累塔。因此窦比又辞了职，萨利斯伯里被任为外交部长。四月一日，萨利斯伯里发出通函申述英国反对《圣·斯太法诺条约》的立场。而印度军队的开到马耳他岛，又显出英国备战的积极。此外希腊、罗马尼亚及塞尔维亚也对《圣·斯太法诺条约》表示不满。甚至希腊还攻入了帖萨利，一直到列强保证在最后和约上对她作有利的考虑才停止进兵。

英国外交上的胜利

英国态度的强硬，再加上德意志的不愿牵制奥地利，却使得财政困难，兵力疲敝而避免作战的俄国不得不企图在柏林会议前和英国进行妥协。五月八日，俄国驻英大使萧瓦洛夫（Schauvalov）到了圣彼得堡，准备实行和英国妥协的政策，并且带了一个提议在五月二十三日回到伦敦，表示保加利亚可分为北部和南部，南部的疆界固从爱琴海岸向内地迁移，而西方的疆界也缩小。英、俄在五月三十日所缔结的秘密协定，就是由萧瓦洛夫安排的。

为着抵制俄国的占领卡尔斯和巴统，英国在六月四日又和土耳其缔结了一个秘密协定，替土耳其保卫亚洲方面的领土（除去卡尔斯、巴统及阿达汗），并取得她的塞浦路斯岛。英、土协定及英、俄协定的秘密，本来要保存到柏林会议以后，但以英国外交部的一个书记把条文卖给了《地球报》，这两个秘密协定在六月十四日就被披露了。

此外英国在六月六日还和奥地利缔结了一个协定，涉及保加利亚的未来组织和俄国的占领时期。这乃是伊格纳蒂夫使奥失败的后果。

六月十三日，柏林会议开幕，德、俄、英、奥、法、义、土七国都派代表出席，德意志的主要代表是“诚实的经纪人”俾斯麦，他主持了会议，至于俄国的代表有高贾可夫和萧瓦洛夫，英国的代表有毕康斯菲特和萨利斯伯里，奥地利的代表有安德拉西，法国的代表有瓦丁顿（Waddington），义大利的代表有柯尔蒂，土耳其的代表有卡拉舍奥多里（Caratheodory）。在十九世纪里，柏林会议可算是维也纳会议以后一个最重要的国际会议。

不过，当时列强出席柏林会议的第一流外交家，并不在合理解决东方问题，而在自私自利的替本国的利益打算，尽管英、俄之间及英、土之间都缔结过秘密协定而预先决定了这个会议的重要议决案，可是会议里的困难和冲突还是很多的，尤其是在《英俄协定》的秘密泄漏了以后。

柏林会议的争论

柏林会议开幕后引起争论的第一个问题，便是希腊参加会议的问题。保加利亚的扩张领土以及建立一个“大保加利亚”的企图，自然增加了她和希腊的磨擦。保加利亚固没有参加会议，可是俄国在会议里却会关心她的利益。因此英国就提议希腊派代表出席，但遭受到高贾可夫的反对，经法国出而调停，使希腊和保加利亚都出席会议表示意见，惟无表决权，才解决了英、俄之间关于希腊方面的争论。

但英、俄之间关于保加利亚方面的争论，却是柏林会议里一个最大的纠纷。《圣·斯太法诺条约》的破坏在俄国是不成问题的，惟她不愿全部计划都碰到类似的命运。而毕康斯菲特则坚持以巴尔干山脉为保加利亚南部的疆界，倘若俄国不接受他的主张，他就决定使会议破裂。由于圣彼得堡的屈服，毕康斯菲特反对“大保加利亚”的斗争毕竟胜利了。同时毕康斯菲特还希望俄国放弃巴统及卡尔斯，但俄国坚持的结果却使他让了步。此外毕康斯菲特又鼓动罗马尼亚反对把贝萨拉比亚交还俄国，这也以俄国的坚持而作罢。在会议里以“诚实的经纪人”自居的俾斯麦，只有在赔款问题上因仅关系土耳其的原故才赞助了俄国的要求，俾斯麦对于俄国的态度，高贾可夫是非常失望的。

《柏林条约》

到七月十三日，德、俄、英、奥、法、义、土七国代表签订了《柏林条约》，这虽修改过《圣·斯太法诺条约》而把英、俄战争避免掉，但没有永久解决巴尔干问题，只暂时调停了俄国和英、奥的冲突。

《柏林条约》把保加利亚分为三部分：（一）北部为保加利亚本部，在巴尔干山脉以北，这是向土皇进贡的自治邦；（二）中部为东罗美利亚，在巴尔干山脉以南，这是在军事及政治上受土皇直接支配，而以基督教徒为省长的自治省;（三）马其顿，这仍为土耳其所统治。

博斯尼亚和黑塞哥维那由奥地利占领并委她统治，而且奥地利还可派兵镇守洛威巴萨的山约克，以维持军事上及商业上的交通。

塞尔维亚、门的内哥罗及罗马尼亚都被承认为完全脱离土耳其而独立的三国，但须分担土皇的债务。分给塞尔维亚和门的内哥罗的土地减少了，塞尔维亚得到了尼希及其附近的土地，门的内哥罗得到了安狄瓦里港及其附近的海岸，但奥地利却握有该港及海岸一带的警察权。罗马尼亚把贝萨拉比亚的南部交还俄国，而取得多布鲁的大部分作为补偿。至于希腊则到一八八一年才得到了帖萨利及伊庇鲁斯一部分。

俄国取得了巴统、卡尔斯及阿达汗。英国占领了塞浦路斯岛。而且法国也可以占领突尼斯。

土耳其须偿付的赔款在八万万法郎以上，她在欧洲的领土只剩下君士坦丁堡、阿德里亚诺堡、罗美利亚（马其顿）、东罗美利亚、阿尔巴尼亚、伊庇鲁斯及洛威巴萨一带。列宁对于柏林会议曾经这样写过："一八七七年——一八七八年：（巴尔干民族国家的解放）掠夺（‘分割’）土耳其（俄国加英国加奥地利）。”

《柏林条约》的结果

列强出席柏林会议的第一流外交家既不在合理解决东方问题，《柏林条约》既没有永久解决巴尔干问题，因此这个条约的结果便在旧矛盾之上又形成了新矛盾。保加利亚、塞尔维亚及希腊之不满，土耳其在欧洲的几块土地之仍为贪婪的邻邦所觊觎，都可以证明《柏林条约》并不能维持和平，反是其后种种冲突和战争的根源，刚过了七年，保加利亚就首先违犯了这个条约。

而更重要的是，由于俾斯麦的抑俄而助奥，《柏林条约》不但破坏了巴尔干半岛的均势，并且一方面降低了德、俄的友谊，使俄国要在其他方向去物色与国；一方面增高了德、奥的友谊，使联奥更成为德意志外交的主要方向。后一方面就是德、奥同盟的张本，前一方面就是法、俄同盟的张本。

第十二章　三国同盟和三国协约

第一节　三国同盟

德奥协定和德奥同盟

三皇同盟到一八七五年已被俾斯麦看出了弱点，而在《柏林条约》签订后更碰到破裂的危机。无论为着保存德意志所得到的利益或扩张她的领土，一个由她领导的帝国主义集团还是需要的。而俾斯麦在一八七八年后的外交也还进行同盟的政策。不过这并不是三皇同盟而是三国同盟或德、奥、义同盟。

《柏林条约》既降低了德、俄的友谊而增高了德、奥的友谊，再加上俄国国家主义者对俾斯麦的谴责及大斯拉夫主义者的活动，就更使俄国和德、奥的关系恶化。而为着使德意志避免以俄国的反感而受不利的影响，俾斯麦便决定进一步加强德、奥的关系。

在《柏林条约》签订后还不到三个月，德意志就和奥地利缔结一个协定（十月十一日——其实这个协定是在二月十三日成立的），由奥地利允许取消《布拉格和约》（一八六六年）上要求在须勒斯威北部举行公民投票的条款，并在一八七九年二月四日公布了它。而德意志跟着在一八七九年的夏季帮助奥地利占领了洛威巴萨。这都是德、奥重修和好的反映。

不过，德、奥的单单重修和好，这在俾斯麦认为是不够的，他不但怕俄国建立一个反德的同盟，而且怕安德拉西会为维也纳的亲俄派所代替，因此，他又决定进行缔结安德拉西所欢迎的德、奥同盟。一八七九年八月二十七日到二十八日，俾斯麦和安德拉西在加斯坦相晤，他们一致认为“德、奥同盟是法、俄同盟的自然平衡器”。虽然当时还没有法、俄同盟，但这是俾斯麦所深惧的。

关于德、奥同盟的谈判，曾遭受德皇威廉第一的坚决反对，他以和俄皇亚历山大第二的密切关系，反对在三皇同盟以外再缔结特殊的德、奥条约。一直到俾斯麦以辞职来威胁他的时候，他才让了步。于是德、奥便在十月七日缔结了同盟条约。

《德奥同盟条约》所规定的是：如果两国有一国被俄国攻击，则其他一国须以全力来援助，就是议和也须依共同的协定进行；如果同盟里的一国被俄国以外的国家攻击，则其他一国至少须保守中立；如果俄国以外的国家得到俄国的支持，则未被攻击的盟国须以全力援助被攻击的盟国。显然的，德、奥同盟乃是柏林会议后德、俄紧张时期的产物。同时它又是俾斯麦同盟组织的基础，三国同盟只扩大了它，而没有代替了它。又它的期限虽只有五年，但经常是续订的，而到了一九〇二年在事实上就成为永久的了（它从一八七九年一直到一九一八年都是有效的）。

俾斯麦和英俄

同时俾斯麦并没有忽视英国，也没有把俄国置于度外。

德、奥同盟本来是秘密的，俾斯麦就秘密的把这个同盟告诉英国，有意要英国参加而成为德、奥、英三国同盟。毕康斯菲特对德意志是亲睦的，不过德驻英大使米恩斯太尔（Münster）说错了，他对于计划中的同盟却误以为是首先对付法国的，并且俾斯麦就让这件事情停止了。

一八七九年九月，德皇威廉第一曾和俄皇亚历山大第二会见于波森的亚历山大鲁窝，他们还保持着从前的感情，重修和好，但没有缔结协定。从九月到十月，俄驻德大使萨布鲁夫（Saburov）又在柏林力图促成俄、德同盟的缔结或三皇同盟的恢复，惟俾斯麦却闪避了这两种提议。

当德、奥同盟缔结以后，德皇原来想把这个同盟秘密告诉俄皇。这虽为俾斯麦所劝阻，可是他不反对改善德、奥、俄三国的关系，以避免德、奥同盟所预料的战争。而俄国之切望和德意志结成同盟，则是企图抵制奥地利在巴尔干半岛的政策，并且她同样切望封闭海峡的原则被承认，以防备英国的可能行动。在俾斯麦和萨布鲁夫的谈判里，俾斯麦拒绝缔结一个不包括奥地利的协定，而且这种思想也为奥地利所反对，一直到英国不利于奥地利的格腊德斯顿政府成立以后，奥地利才改变了态度。再经过萨布鲁夫和俾斯麦的长期谈判，一八八一年六月十八日，他们便和奥驻德大使施采尼伊（Széchényi）在柏林缔结了一个严守秘密的协定（缔结的日期曾以俄皇亚历山大第二在一八八一年三月十三日被暗杀而延迟），这就是三皇同盟的恢复。

三皇同盟的条款是：如果缔约国之一和第四国作战（除去土耳其），则其他两缔约国就保守友谊的中立；对于土耳其领土现状的改变，须依三国的协定实行；如果三国里任何一国不得不和土耳其作战，则她关于或有的结果须预先和两盟国商量；承认封闭海峡的原则，如果土耳其违犯这个原则，则三国须警告土耳其：她们认为土耳其已和受伤害的国家处于作战状态之中；奥地利保留着随时合并博斯尼亚和黑塞哥维那的权限；三国不反对保加利亚和东罗美利亚的联合（以上的秘密条款到一九二〇年才被揭露）。同盟的期限定为三年，到了一八八四年又续订三年。

义大利参加德奥同盟

俾斯麦一方面进行同盟的政策，一方面则极力使德意志的邻邦相争。义、法在一八五九年的战争后已发生了不和的现象，在一八七一年后更以争夺突尼斯而互相敌视。和西西里岛相对的突尼斯，义大利帝国主义者甚至把她看作最适当的殖民根据地。而其推波助澜，借此离间义、法并引起她们的冲突的就是俾斯麦。在柏林会议里，俾斯麦曾保证法国可以占领突尼斯（萨利斯伯里也有同样的保证），到了一八八一年，他又鼓励法国宣布突尼斯为她的保护国，使她向欧洲以外发展而放弃对德意志复仇的思想，并使义大利因反对她而参加德、奥同盟。一八八一年四月，法国内阁总理菲里（Ferry——一个热中的帝国主义者）利用克日米尔（Krumir）部落袭击阿尔及利亚的机会，令法军侵入突尼斯，突尼斯王没有怎样抵抗就屈服了，他在五月十二日和法国缔结《巴多（Bardo）条约》，同意法国占领他的土地，并承认法国对突尼斯的保护权。因此，义、法关系立刻便趋于紧张，而使得义大利接受俾斯麦的提议，禁止反奥的宣传。并且义王赫姆保特第一（Humbert Ⅰ，一八七八年——一九〇〇年）不顾义大利和奥地利在阿尔巴尼亚和亚得里亚海的矛盾，在一八八二年既到柏林访问德皇威廉第一，又出维也纳访问奥皇佛兰西士·约瑟夫，三国同盟的一般条件当时似已决定了，义大利固需要避免孤立，奥地利在德意志以外也需要其他的与国，因为德、奥在和法、俄作战时，德意志的主力须对付法国。

三国同盟条款

五月二十日，三国同盟在维也纳签字。签字的代表，奥地利是卡尔诺基（Kalnóky），德意志是劳斯亲王亨利第七（Prince Henry Ⅶ of Reuss），义大利是罗比兰特（Robilant）。这个同盟的条款是：如果义大利未挑衅而被法国攻击，则德、奥两国就援助义大利；如果德意志未挑衅而被法国攻击，则义大利就援助德意志；如果缔约国的一国或两国被两个或两个以上的大国攻击或卷入战争的漩涡，则同盟里未被攻击的一国或两国就援助其他一国或两国；如果同盟国之一被迫对某大国作战，则其他两国就保守善意的中立；并且同盟条约须保守秘密。所以，尽管国际间已知道同盟的存在，但除奥地利在一九一五年所发表的一九一二年续订条约四条以外，同盟条约的全文到一九二〇年才同三皇同盟的条款一样的被揭露出来。

三国同盟以五年为期，在一八八七年、一八九一年、一九〇三年及一九一二年都续订过，在形式上它一直维持到一九一五年五月才被义大利撕毁。

自然，有了三国同盟以后，义大利不但能够维持她在地中海上的地位，而且可以防备别国为着教皇来干涉她。不过义大利所最需要的，是一个担保她保有罗马的条约；这却是奥地利或德意志所不愿加以考虑的。此外，义大利在同盟条约以外又附带声明同盟不敌视英国，并且德、奥也作同样的声明。她们的这种声明都是秘密的。

塞罗两国和三国同盟

而其和三国同盟接近的则有塞尔维亚和罗马尼亚。俄国之在一八七七年及一八七八年的俄、土战争里袒护保加利亚，塞、罗两国都表示反对。因此塞尔维亚就在一八八一年六月二十八日和奥地利缔结了秘密协定，一方面作为对俄国的反抗，一方面更借此取得奥地利在财政上的支持。根据这个协定：塞尔维亚答应不再宽容反奥的阴谋，奥地利答应承认密南（Milan）为塞尔维亚王；

塞尔维亚在未和奥地利商量以前不得和别国缔结任何政治协定；奥地利允许在有利的环境里帮助塞尔维亚在南方获得土地；如果一国和别国作战，则她须允许另一国保守中立。协定的期限为十年，但一直维持到一八九五年。惟协定多少使得塞尔维亚成为奥地利的保护国，这不免引起了塞尔维亚一些部长的抗议。接着罗马尼亚又在一八八三年十月三十日和奥地利缔结了同盟，而同月参加这个同盟的还有德意志（义大利到一八八四年五月十五日才参加），因此罗马尼亚就正式依附了三国同盟，以防备俄国再前进到巴尔干半岛时侵犯罗马尼亚的领土。根据同盟条约：如果罗马尼亚未挑衅而被攻击，则奥地利就援助她；如果奥地利在和罗马尼亚接界的地方一部分被攻击（这就是说，被俄国攻击），则罗马尼亚就援助她。同盟的期限为五年，但一直维持到一九一六年。罗马尼亚虽以缔结同盟而搁置她在达朗西瓦尼亚收复失地的要求，惟严守秘密的协定并没有引起国内舆论上的注意。

东罗美利亚和保加利亚的联合

当罗马尼亚在一八八三年正式依附了三国同盟以

后，在巴尔干半岛上又发生了一件令人注意的事情，那就是东罗美利亚的革命。

一八八五年九月十八日，在《柏林条约》签订后刚过了七年，东罗美利亚的保加利亚人就在菲里波波里斯（东罗美利亚的都会）爆发了民族革命，而把东罗美利亚和保加利亚联合为一国，并且保加利亚王亚历山大（巴腾堡亲王［Prince Alexander of Battenberg］）立刻率兵到了菲里波波里斯，被拥戴为统一的保加利亚的国王。反对保加利亚扩张的塞尔维亚，在十一月十三日对保宣战，但到了十九日便在斯里夫尼萨一役里被保王的军队完全打败。塞尔维亚只有依赖奥地利的干涉才阻止了保加利亚的侵入。保王在胜利后转向土耳其政府进行交涉，而在一八八六年二月一日缔结了一个协定，被土耳其任为东罗美利亚的总督，任期为五年。虽然萨利斯伯里认为将来还可叫别人代替保王，可是保加利亚和东罗美利亚始终在事实上是统一的。后来亚历山大以受俄国的排挤而退位，其继位的是萨克斯·柯堡·柯哈里亲王裴迪南（Prince Ferdinand of Saxe-Cobourg-Kohary）。

德义协定及奥义协定

到了一八八七年二月二十日，三国同盟第一次续订五年（在一八九二年五月三十日满期）。三国在一八八六年十一月就开始举行谈判，义大利对她在北非的利益要求更大的支持，俾斯麦愿意承认她的要求，而使她在德、法冲突时保证对德意志的友谊，但奥地利却表示反对，因为她只注意巴尔干半岛一方面。所以三国除延长同盟的期限以外，又增加了德、义特殊协定及奥、义特殊协定。根据德、义特殊协定：如果法国力图在北非扩张领土而义大利须采取行动，甚至须对法作战，则德意志就援助义大利；如果法国打败了，德意志并不反对义大利取得“土地上的担保品来保证边界的安全及她在海上的地位”。至于奥、义特殊协定则在维持东方的现状。如果巴尔干半岛上的现状，或亚得里亚海，爱琴海上土耳其海岸各岛的现状不可能维持，则奥地利或义大利须经过彼此的协议才能占领土地，而彼此的协议又须以互相补偿的原则为根据；但这在奥地利合并博斯尼亚和黑塞哥维那时并不适用。显然的，三国同盟期限的延长以及两个特殊协定的增加，使义大利的收获最大。

《再保险条约》

注意着三国同盟的俾斯麦，同时也注意着三皇同盟。而当俾斯麦继续进行联俄的时候，新俄皇亚历山大第三（Alexander III，一八八一年——一八九四年）也企图得到俾斯麦的帮助来镇压国内的革命运动。并且俄国外交部长吉尔斯（Giers）也主张维持俄、德的邦交，而反对斯科贝勒夫将军（General Skobelev）的联法计划。一八八四年九月十四日，德、奥、俄三国皇帝在波兰的斯基尔尼威采相会，重订邦交。而且在五个月前，俾斯麦、施采尼伊和俄驻德大使奥罗夫又在柏林代表三国皇帝把三皇同盟续订了三年。到了一八八七年，由于巴尔干半岛在一八八五年及一八八六年所发生的纠纷破坏了俄、奥关系，以及俄国拒绝再续订三皇同盟，德意志和俄国便在六月十八日签订了俄、德密约来代替满期的同盟。这就是俾斯麦的《再保险条约》。因为三国同盟已对法、俄两国保了险，而再和俄国缔结条约便是“再保险”。

《再保险条约》的第一条，规定缔约国之一若和第三个强国作战，则另一缔约国须保守中立，但德意志若进攻法国，或俄国若进攻奥地利，这个规定就不适用。第二条规定两国维持巴尔干半岛的现状，德意志并且承认俄国一向在巴尔干半岛的权利，特别是“在保加利亚及东罗美利亚的优势”。第三条规定两国政府重申封闭海峡的原则。此外有一个很秘密的附加议定书，规定德意志帮助保加利亚重建合法政府，并且反对前保王亚历山大的复辟，又规定她在道义上及外交上支持俄皇的控制其帝国要害（即黑海的入口）而须采取的策略。这个条约以三年为期，在它上面签字的是俾斯麦和萧瓦洛夫。

为着隔开俄国和法国，俾斯麦在《再保险条约》上不惜让渡一切为俄国所不能得到的东西（因为英、奥要反对），以博得俄国的友谊。不过，这个条约上的保留条款是很明白的，如果俄国进攻奥地利，则德意志就援助奥地利（当俄国同意这保留条款的时候，德意志才把德、奥同盟告诉她）。自然，如果德意志进攻法国，则俄国也可以援助法国，这暗示俄皇已估计到法、俄同盟的可能性。在事实上，当时法、俄的财政家正代表两国政府（或得到两国政府的许可）而发生密切的关系。

德义军事协定

一八八八年一月二十八日，德意志又和义大利缔结了军事协定，她准备在法、德作战时用义军来对付法国。并且因为俄国继续着国家主义派反德反奥的运动，德意志在二月三日就以公布德、奥同盟来警告俄国。

法国的孤立

更由于俾斯麦的鼓励英国占领埃及而离间英、法，并且使俄国向中亚细亚前进而引起英、俄的冲突，以及第一个《地中海协定》（由英、义两国在一八八七年二月十二日缔结，参加的有奥、西两国）和第二个《地中海协定》（由英、奥、义三国在同年十二月十二日缔结）的先后出现，从一八七一年到一八九〇年的法国，在欧洲的地位是特别孤立的。

第二节　法俄同盟

俾斯麦的免职

一八八八年三月，德皇威廉第一死了，他的儿子腓特烈第三（Frederick III）只当三个月的德皇，就由威廉第二（William II，一八八八年——一九一八年）继位。一八九〇年三月十八日，俾斯麦被免职，从此德国外交及国际形势都发生了重大的变化。

在一八九〇年以后的二十年里，德皇威廉第二固然成了欧洲的主角，可是他同时破坏了俾斯麦所建筑的外交堡垒，而使德意志差不多陷于孤立的状态。在一八九〇年，三国同盟联系着奥、义两国和德意志，而其余的列强则彼此隔离着，不独义大利疏远了法国，就是法国也疏远了英国，同时英国又疏远了俄国。虽然德意志已开始丧失俄国的友谊，但法国还没有得到它。而过了二十年，不但德、奥、义三国同盟碰到了英、法、俄三国协约，而且三国同盟又以义大利的动摇而变弱。

德俄分手

俾斯麦之不能和威廉第二合作，一部分的原因是由于青年皇帝不满俾斯麦的联俄政策。而继任的德意志首相卡普里威（Caprivi）也不主张恢复三皇同盟或续订《再保险条约》，他怕德意志一方面顾虑对奥对义的关系，一方面顾虑对俄的关系，会大大限制了行动的自由，何况奥、俄在巴尔干半岛上的斗争又日益激烈。同时卡普里威又怕德意志的联俄将引起她和英国争夺殖民地的冲突。

一八九〇年三月二十三日，德意志举行了内阁会议，根据荷尔斯坦男爵弗里兹（Baron Fritz of Holstein）的意见，决定不和俄国续订《再保险条约》，虽然俄国还一再尝试提出续订的问题。到了六月十八日，这个条约就无效了。

从八月十七日到二十二日，德皇威廉第二到那瓦访问过俄皇亚历山大第三。当时俄国力图和德意志缔结某种协定，但为德意志所闪避。这乃是俄国最后的努力，从此她就决定摆脱对德的关系而走上联法的道路。

法俄接近

而法国为对付俾斯麦反法的同盟组织，脱离孤立状态起见，也在争取与国，力求和俄国接近。布兰热将军（General Boulanger——在一八八六年被任为弗列西奈［Freycinet］内阁的军事部长）很早就认为法、俄需有较好的关系。

一八八二年二月，主张联法的斯科贝勒夫曾在巴黎作公开的演说，显出俄、法接近的趋势，但他不久就死了。当俄皇亚历山大第三参加三皇同盟以后，一八八六年奥、德对于东罗美利亚和保加利亚联合的态度却使他失望，因而他便发生了联法的思想。从一八八六年到一八八七年，俄国国家主义派有反德亲法的宣传，而法国国家主义派也有联俄复仇的宣传。从一八八七年到一八八八年，布兰热煽动法国人对德作复仇的战争，而俄国外交部的机关报在一八八七年二月二十日说："如果法、德战争又爆发了，俄国的利益却不许她遵守以前维持过的善意中立。彼得堡（Peterburg）内阁决不许法国再变弱。"

而其使法、俄关系日益密切的却是两国的财政家。俄国由于工业革命的发展，需要外国资本建筑铁道。同时积累资本超过本国工业需要的法国，也企图对外投资。在一八八八年，三国同盟的条款既使俄国吃了一惊，而柏林的拒绝贷款又使她发怒。当俄国政府在法国第一次发行五万万法郎公债的时候，购买公债的却超出了定额，跟着它又在法国发行同样的公债。在一八八八年以前，支配俄国公债的是德意志的银行家；从一八八八年起，一连串的俄国公债都是以有利的条件在巴黎劝募的。而且法国政府还利用法、俄的经济关系来发展两国的外交关系；它不但使俄国改变了全部外债的形式，扩大了铁道网，同时还使她改善了海陆军的装备。

法国舰队访俄

当俄国在一八九〇年决定摆脱对德的关系，走上联法的道路以后，她跟着在腓特烈皇后（Empress Frederick——威廉第二的母亲）拜访巴黎时（一八九一年二月）就支持法国反德的示威运动。接着俄国又请法国派舰队到克隆斯塔特港游览。一八九一年七月二十四日，法国海军总司令格瓦（Gervais）率领一支舰队拜访该港，受盛大的欢迎，双方并且疯狂的表示了法、俄的友谊。当俄皇在一艘法舰上听马赛歌的时候，他自己也脱帽致敬。而法国贷款所准备的法、俄协定已因此露出端倪了。

法俄同盟的成立和加强

从八月二十一日到二十七日，法、俄成立了八月条约，这乃是两国谈判的第一个结果。法国所要求的本来是一个严守的协定，但这被俄国冲淡了，两国所成立的协定，只在讨论他们当和平受威胁（或两国之一受进攻的威胁）时所应采取的步骤。法国准备动员的一切努力（特别是在十一月当吉尔斯拜访巴黎的时候）都没有什么效果。

为着使法、俄缔结同盟，法国的外交家不断从事于增进法、俄邦交的活动。法国大总统萨的卡诺（Sadi-Carnot）和有名的俄国贵族一再作非正式的会谈。法驻俄大使兰奈（Lannes）和俄皇及圣彼得堡的政要有着深切的社交关系。一八九二年八月一日，法国波斯德弗累将军（General Boisdeffre）带着《法俄军事协定草约》到了圣彼得堡。当时俄国的军人都犹豫不决，这个草约虽经过若干修改而在原则上被接受，但没有什么强制性，它到八月十八日才在圣彼得堡签了字。至于法、俄同盟更进一步的发展，却以巴拿马公司倒闭案（这件事使法国政界烦恼了一年）及俄国的大饥荒（这件事使俄国政府痛苦了更长的时期）而耽搁下来了。

一八九三年十月十三日，俄国海军总司令阿威兰（Avellan）也率领一支舰队答访土伦，差不多整个的法国都热烈表示了亲俄的感情，而不免使英国担心她在地中海上的地位。一八九三年十二月二十七日及一八九四年一月四日，俄国政府和法国政府交换文书，正式接受了《法俄军事协定》。这个协定的期限应和三国同盟相同，其条款是：（一）如果德意志进攻法国，或义大利进攻法国而得到德意志的支持，则俄国就要用全力和德意志作战，如果德意志进攻俄国，或奥地利进攻俄国而得到德意志的支持，则法国就要用全力和德意志作战；（二）三国同盟或同盟里任何一国若动员，法、俄都应立刻动员。这些条款都是秘密的。法、俄同盟的存在虽在一八九五年为法国内阁总理李潘（Ribot）所述及，并在一八九七年为俄皇尼古拉第二（Nicholas Ⅱ，一八九四年——一九一七年）所表明，可是正确的条款却一直到一九一八年同盟告终的时候才发表出来。

一八九九年八月九日，鉴于奥地利宪法上的危机及哈布斯堡王朝解体的可能，法、俄同盟的期限应和三国同盟相同的限制取消了，从此同盟就延长下去以维持均势，但延长的时间是无定限的。到了一九一二年七月十六日，法、俄又缔结了秘密《海军协定》来补充一八九三年的《法俄军事协定》。这便是法国内阁总理庞卡莱（Poincaré）加强法、俄同盟的政策。

第三节　三国协约

英德矛盾日渐尖锐

由于德、奥、义三国同盟及法、俄二国同盟的先后成立，欧洲多少已造成均势：一方面，法国开始脱离孤立的状态；一方面，德意志的外交优势在减弱。

从十九世纪的末叶到二十世纪的初叶，德意志生产力的发展又使得英、德的矛盾一天天尖锐起来，这正是列宁所说的："英国因为有广大的殖民地，所以能增加'自己的'铁道网到十万公里之多，而四倍于德意志。但是，谁都知道，在这时期里，德意志生产力的发展，尤其是石炭生产和铁工业的发展，比英国（且不说法国和俄国）要快得不可比拟。一八九二年，德意志产铁四百九十万吨，而英国产六百八十万吨；可是到了一九一二年已是一千七百六十万吨和九百万吨之比了，即已赶过英国很远了！”就由于英国害怕德意志工商业及海军的迅速发展，她便不顾所谓“光荣的孤立”，而在一九〇四年和法国签订了协约，又在一九〇七年和俄国签订了协约。就由于《英法协约》、《英俄协约》，再加上法俄同盟，而形成三国协约。德意志所领导的帝国主义集团便碰到了英国所领导的帝国主义集团。这样，欧洲的均势就完全造成了，但帝国主义大战的危机也就迫近了。“试问在资本主义的基础上，为要消除生产力发展和资本积累（一方面）以及金融资本分割殖民地和划分‘势力范围’（另一方面）之间的不相称，除去战争以外，还有什么其他的方法呢？”（列宁的话）

英德殖民地协定

一八九〇年，当俾斯麦被免职的时候，英、德的友好关系仍有增加的可能。俾斯麦之在一八八九年最后提议英、德公开互助以防备法国的进攻，英国首相萨利斯伯里固然不是无动于中，而他在俾斯麦下野后还一度解决过英、德分割殖民地的冲突，这就是他在一八九〇年七月一日所促成的英、德殖民地协定或《海利哥兰岛条约》：一方面德意志放弃她在东非的大要求，并承认英国保护斟齐巴尔和海巴，一方面英国把在一八一五年得到的海利哥兰岛让给德意志。并且德皇威廉第二不时访问他的外祖母维多利亚女王，同时英国帝国主义者对于他们在非洲的反法政策及在亚洲的反俄政策，也企图争取德意志的帮助。就在英、布战争爆发了以后，德皇也到英国（一八九九年十一月二十日到二十八日）讨论过英、德、美协定问题。

英德由互忌而疏远

但从十九世纪的第九十几年起，英国帝国主义者却逐渐觉得德意志帝国主义者成了他们最危险的敌人。从一八九五年到一九〇五年，英国政府是受保守党支配的；他们一向就拥护帝国主义，主张保持强大的海军并进行强硬的外交政策。德意志工商业在十九世纪末叶的突飞猛进，以及一八九八年第一次海军大建设计划和一九〇〇年海军大扩充计划在德意志国会的先后提出，都引起了英国保守党或帝国主义者的恐惧。于是英、德的友好关系就一变而为互相嫉妒和互相戒备。

一八九四年三月，英国首相格腊德斯顿辞职，由鲁塞贝里（Rosebery）继任。鲁塞贝里和奥地利外交部长卡尔诺基在六月为建立英国和三国同盟的关系举行谈判，但由于德意志不愿对英国的任何利益负责，经过六个月的谈判终于失败，这便是英、德逐渐疏远的开始。

一八九五年六月，英国萨利斯伯里内阁宣告成立，英国帝国主义已达到了最活动阶段。可是萨利斯伯里和德皇威廉第二在八月讨论近东问题的失败，不但使他们彼此间非常不信任，并且促成了英、德关系的恶化。德皇在一八九六年一月三日庆贺南非共和国（德兰士瓦）大总统克鲁格（Kruger）打败英国冒险家詹姆森（Jameson）的一个电报，更引起了英国的愤怒。虽然英、德政府在外表上还保持镇静，但两国舆论的激烈，却使两国在将来不能再实行友好政策。甚至英国政府在感到大英帝国将来的危险不来自法、俄而来自德意志以后，它就以缔结一月十五日的《英法协定》（这个协定使它放弃了对暹罗的许多要求）及接近俄国而进行联法联俄的外交，惟当时它对俄国的接近并没有什么效果。而其最刺激英国的便是德意志统治阶级在英、布战争里对布尔人的同情，差不多战争一开始就风传法、俄、德三国有干涉英国的可能。并且德皇在英国讨论英、德、美协定问题的结果，英、德关系却是显著的冷淡。一九〇〇年一月，英国怀疑一艘德国船装载违禁品而把它扣留，立刻英、德关系就特别紧张，而最后表示屈服的是英国政府。到了一九〇一年五月二十九日，萨利斯伯里便发表英国外交觉书（一种辩护孤立外交的秘密文件）而中止德驻英大使馆秘书埃卡斯坦（Eckardstein）所进行的英、德同盟谈判；埃卡斯坦以为英国比德意志更急于缔结英、德同盟，德意志政府就根据他的报告而坚持这个同盟须并入整个的三国同盟以内，但英国政府并不同意，它对于这件事情全部是冷淡的。

当英国看出德意志对她的危险性转而进行联法联俄的外交时，法国也在争取英国的友谊。

英法妥协的困难

英、法的妥协本不是一件容易的事情，因为两国在工商业上的竞争及殖民地的争夺一向是处于敌对的地位，而到了一八八〇年以后，两国帝国主义更以分割殖民地而不断发生严重的冲突，尤其是在非洲和远东。一八九八年九月，吉却纳（Kitchener）所率领的英、埃联军和马商（Marchand）所率领的法国远征队几乎在华修达发生了战争（参看第十三章第一节）。

华修达事件正发生在德卡塞（Delcassé）当法国外交部长以后，他固然拥护法、俄同盟，同时也主张联英。由于法国在海上没有准备战争（而且法国在作战时不能得到俄国的援助），以及德卡塞放弃法国在苏丹的一切要求，撤退了马商的军队，华修达事件便和平的结束了。自然，这会增加法国人对英国的怨恨以及德卡塞进行联英政策的困难。

英王访法和法国总统访英

在一八九八年以后，华修达事件的影响既不利于法国的对英外交，也不利于英国的对法外交。因此，英、法的接近却有需于双方的努力。而英王爱德华第七（Edward Ⅶ，一九〇一年——一九一〇年）的访法以及法国大总统鲁贝（Loubet）和德卡塞的访英，都特别改善了英、法的关系。

英王爱德华第七在一九〇三年五月一日到了巴黎，和他同行的还有英国外交部的哈尔丁（Arthur Harding）。五月二日，英王在法国总统府用法语发表演说，表示他过去在法国的私人友谊，以及现在“促成和睦关系，使两国为共同利益而接近”的愉快。英国的这一次和解举动有很大的成功。

七月六日，法国大总统鲁贝和德卡塞答访伦敦。鲁贝在伦敦也发表过演说。并且德卡塞还和英国外交部长兰斯顿（Lansdowne）举行谈判，而为讨论《英法协约》的英、法谈判的开始。

《英法协约》

一九〇四年二月，日、俄战争爆发，俄国的无暇西顾欧洲以及德国在欧洲的更占优势，这又是推动英、法接近，使她们加速缔结协约的一个新刺激。自一九〇三年七月（特别是十月）开始谈判的《英法协约》，是一九〇四年四月八日在伦敦缔结的，英国签字的代表是兰斯顿，法国签字的代表是驻英大使康邦（Cambon）。

《英法协约》完全解决了两国在殖民地的纠纷，特别是在埃及和摩洛哥。根据这个协定：法国承认英国占领了埃及，但关于埃及欠债的偿还同时得到了保证；英国使一八八八年苏彝士运河自由航行的条约有效；她承认法国在摩洛哥的利益，并且答应在外交上帮助法国得到它，此外有秘密条款推测到摩洛哥独立的失败，及法、西两国对她的分割；法国放弃纽芬兰海岸上的旧权利，只保留捕鱼权；同时英国同意法国增加冈比亚附近和尼日尔东部的土地以为报；英、法在暹罗边界上的势力范围划定了，其关于马达加斯加和新赫布里底群岛的争论也调解了。

这样，《英法协约》并不是同盟，而是解决许多悬案的协定，因此两国就建立了友好关系，并在一九〇四年和一九一四年的中间发展了特殊的友谊或“诚恳的协约”。

英俄妥协的需要和困难

英、法终于妥协了，但欧洲还有一个同样的问题需要解决，那就是英、俄的妥协。如果英、俄始终对立，这不仅有利于德意志在欧洲的优势，而且会妨碍英、法的新关系。

英、俄妥协的困难是不言而喻的，因为这在一方面固需要英、俄的接近，而在另一方面又需要俄、德关系的完全破裂。

先就俄、德的关系来讲。法俄同盟的成立并没有立刻完全破坏了俄、德关系。一八九四年三月十六日，俄国和德意志缔结了关税协定，这表明她还不愿和德意志发生战争。而俄、德、法三国在一八九五年四月二十三日的共同“劝告”日本交还辽东半岛，似又表明法俄同盟和德意志的合作。从一九〇四年十月二十七日到十一月二十三日，由于英、俄关系的紧张，以及英国因德意志一些公司把煤供给俄国舰队而提出的抗议，俄、德又举行了缔结同盟的谈判，而且俄皇还接受了德意志的一个草约，规定俄、德若被欧洲另一个国家进攻则互助，不过俄国却不愿在和法国商量以前签字，因此俄、德同盟的计划就失败了。一九〇五年七月二十四日，俄皇和德皇签订了《布甲柯（Björkö）条约》，但这仅以欧洲为限的条约却遭受俄国外交部的激烈反对，最后又被拒绝参加的法国破坏掉。

再就英、俄的关系来讲。不管在近东，中东或远东，英、俄都站在敌对的地位。俄国之企图占领君士坦丁堡和海峡，这会危害英国在近东的利益。在波斯和阿富汗，英国不但要关心本国利益和俄国利益的冲突，同时要关心俄国的活动对印度的威胁。并且英、俄还为着在西藏的特殊利益而斗争。而英国之在一九〇二年一月三十日和日本缔结同盟（参看第十三章第三节），这显然是对付俄国的。因此，自日、俄战争在一九〇四年二月四日爆发以后，英、俄更不乏争论甚至冲突的机会，特别是俄国舰队在北海把英国渔船当作日本驱逐舰而发炮的事件（一九〇四年十月二十一日）。当时英、俄关系的紧张几乎引起了战争，经过德卡塞的斡旋及一国际委员会的调停才安然无事。

《英俄协约》

但日、俄战争的结果却有利于《英俄协约》的缔结。俄国在战争里的失败，使英国对她大大消除了怀疑和畏惧的心理，而土耳其的亲德以及英国在君士坦丁堡的失势，又增加了英国和俄国缔结协约的倾向，何况从中鼓励的还有法国。

一九〇五年九月五日的《朴资茅斯（Portsmouth）条约》结束了日、俄战争，而英、俄跟着在十月就开始了关于一种协约的讨论。英王爱德华第七在一九〇七年的访问俄皇尼古拉第二，已奠下《英俄协约》的基础。俄皇和德皇在同年八月初会晤时之保证俄国和英国缔结任何协定决不反德，这不啻暗示《英俄协约》快要到缔结的阶段。由于俄国革命运动的阻碍，俄国宫廷的反对，以及俄国外交部长伊兹瓦斯基（Izvolsky）的顾虑德意志发怒，关于《英俄协约》的谈判是很慢的但以英驻俄大使尼科生（Nicholson）在圣彼得堡的努力，《英俄协约》终于在八月三十一日签了字，这可算是英国外交部长格累（Grey）的成功。

《英俄协约》同《英法协约》一样的并不是同盟，而是解决许多争端的协定。根据这个协定，成为英、俄对立根源的波斯被划分为三个势力范围，即：北部为俄国的势力范围（这包括波斯最有价值的部分），东南部为英国的势力范围，中部为中立的势力范围或英、俄间的中立地带；俄国同意阿富汗处于她的势力范围以外，并同意她和阿富汗王的交涉须经过英国政府，同时英国答应不改变波斯的地位，不干涉波斯的内政；英、俄两国政府都承认中国在西藏的宗主权，并相约尊重西藏领土的安全。所以这个协定不但使俄国放弃了侵略阿富汗的企图，而且使英国对印度的安全得到了保证。此外英国政府曾发出一个特殊通牒（一九〇七年四月），参示它要修改海峡协定而有利于俄国，不久俄国政府也发出一个特殊通牒（八月二十九日），承认英国在波斯湾的优越地位。

三国协约

《英俄协约》的成立再加上《英法协约》和法俄同盟，这就是一般所谓三国协约，如格累在一九一四年八月三日所说，英、法、俄三国自然成了“一个外交集团”。

而其和三国协约发生关系的还有日本和义大利。日本除和英国缔结同盟并续订以外，还继续和法国、俄国缔结协定，因此她在事实上已成了协约国的盟国。就是参加三国同盟的义大利也和协约国缔结过秘密协定。义大利在一八九六年的退出阿比西尼亚，既消除了法国的畏惧心理，而法、义商约在一八九八年十一月二十一日的成立，又结束了两国的长期关税战争，并开始了她们的和解活动。一九〇〇年十二月十四日，法、义成立第一种协定，义大利同意法国在摩洛哥的自由行动，而法国则同意义大利在的黎波里的自由行动以为报，这表示了《法义协约》的充分发展。一九〇二年十一月一日，法、义接着成立第二种协定，规定义大利和法国不但在被第三国直接或间接攻击的时候彼此应保守中立，就在两国之一"因被直接挑衅，为保护自己名誉和安全而不得不先宣战"的时候也是这样，这表示了《法义协约》的完成。一九〇二年法、义协定的秘密固一直保持到一九一八年，惟法国大总统鲁贝和德卡塞在一九〇四年四月的拜访罗马已暗示了法、义的关系。到了十月三日，法国又和西班牙签订了分割摩洛哥的条约，法、西也妥协了。

由于三国协约的形成，更由于义大利的亲法而疏远德、奥，德意志所领导的帝国主义集团对于英国所领导的帝国主义集团是相形见绌的。

第十三章　帝国主义和殖民地半殖民地

第一节　非洲

国际帝国主义斗争的第一个中心

在《帝国主义时期的特征》的一章里，我们已经谈过了帝国主义国家和殖民地半殖民地的关系；在《三国同盟和三国协约》的一章里，我们又提到了帝国主义国家争夺殖民地及半殖民地的事实。现在，我们不妨再谈一谈帝国主义国家在一八七一年以后争夺殖民地及半殖民地的历史。

十九世纪的七十年代，实在是近代史上的一个大分水岭，如果我们站在这个分水岭上来看岭前的景色，我们不但看出国际帝国主义分割世界的斗争激烈化，并且看出她们在全世界上斗争的三个中心：(一)非洲，(二)

近东及中东，（三）远东。而我们在这里首先要谈的就是国际帝国主义斗争的第一个中心——非洲。

英法在埃及的两重监督制

在非洲，争夺殖民地最激烈的是英国和法国。一八七五年十一月二十五日，英国政府从埃及总督伊斯迈尔第一（Ismail Ⅰ）的手里收买了苏彝士运河的股票（十七万六千六百零二股，共一万万法郎），这奠下英国在埃及的势力的基础。但埃及政治上的腐败，伊斯迈尔第一的浪费，仍使埃及负担着巨大的债务。结果埃及的两个大债主英、法，便在一八七六年十一月强迫埃及总督允许她们实行两重监督制：由英国派一官员监督埃及的收入，由法国派一官员监督埃及的支出。并且俾斯麦也常表示英国应担任监督埃及的任务。

一八七八年八月，列强又强迫埃及总督建立内阁制的政府，并由欧洲大资本家的工具组织内阁。英国所收买的勒巴尔（Nubar）被任为内阁总理，内阁的“灵魂”财政部长是英国人维尔逊（Rivers Wilson），同时，法国、义大利及奥地利的代表也充当了部长及副部长。因此所谓两重监督制就在一八七八年十二月中止了。

一八七九年四月七日，埃及总督根据“名流会议”及回教神学家、地主、军官（得到人民支持的）的要求，辞退欧洲人所充当的部长，委任自由主义派地主代表帅里夫（Sherif）组织“真正埃及人参加的，合于民族希望的内阁”，并由他草拟宪法，召集国会。但这遭受到列强的反对，她们要求土皇罢免伊斯迈尔，六月二十六日，英国使伊斯迈尔的儿子太菲克（Tewfik）继任。跟着太菲克就对帅里夫的宪法拒绝签字，而逼他辞职，更委任一个服从欧洲人的反动将军为政府领袖，于是恢复英、法的两重监督制，而两国的监督甚至成了埃及的真正执政者。

埃及的民族运动

埃及政府之为着外国债主而改组，以及英、法监督之控制埃及，结果便引起了埃及的民族运动。主要由进步军官组成的祖国党，得到士兵及广大农民阶层的支持，其领袖就是农民出身的军官阿拉比（Arabi）。而宪政主义者帅里夫却和祖国主义者对立着，并站到反动派一方面。

当大多数祖国主义派在一八八二年二月二日以后组成内阁，而这派革命分子要求罢免埃及总督的时候，英、法舰队都开到了亚历山大里亚港。五月二十五日，她们要求祖国主义派的政府辞职，并驱逐阿拉比于国外。

埃及总督立刻接受她们的要求，这当然又引起了埃及人民的反抗。

英法在埃及的斗争

英、法的“合作”并不能掩饰她们在埃及的斗争。她们都准备以武装干涉埃及，但企图以埃及为殖民地的英国，却不愿让法国参加武装干涉。在一八八二年五月和六月，欧洲出现了三国同盟。俾斯麦为着离间英、法，就支持英国对埃及的无理要求，这更使法国没有和英国共同占领埃及的可能。虽然法国在六月的君士坦丁堡代表会议里责成列强勿在埃及占领土地，而借以破坏英国的阴谋，可是英国也以“如果没有特殊的情形”，才不占领土地这个附带声明来打消法国的主张。

埃及成了英国的殖民地

为着立刻造成“特殊的情形”，英国海军总司令要求亚历山大里亚的卫戍司令解除海岸要塞的武装；这个要求被拒绝以后，英国舰队就在七月十一日炮轰亚历山大里亚。

阿拉比令埃军退出被火烧的亚历山大里亚，他继续指挥埃军击退英军多次的进攻，使英军在埃及的北部无法前进。不过埃军却没有防御苏彝士运河一方面。因此，来自印度的英军便在八月二日占领了苏彝士，而从亚历山大里亚港开出的英国舰队，又派兵在塞特港及伊斯马利亚港登陆（八月二十日），经过沙漠向开罗进攻，英军总司令乌尔塞利（Wolseley）收买了阿拉伯游牧者的许多族长，并利用这些叛徒在九月十三日占领了太尔埃尔凯比尔。尽管阿拉比还主张继续斗争，保卫开罗，不幸埃及的名流却在太尔埃尔凯比尔失陷后的第二天打开城门请英军开入了首都。

英军占领了开罗，阿拉比和他的战友一齐被捕，这位民族运动的领袖并且被放逐到锡兰。继续和征服者斗争的埃及人民和军队，终于以孤立无援而失败。从此埃及便长期成了英国的殖民地，虽然英国一再声明她的占领埃及仅仅是“暂时的”。

英国的占领整个埃及固得到了俾斯麦的鼓励和支持，同时俾斯麦除离间英、法外，还在其他事情上利用埃及问题来压迫英国。

一八八三年，英国在非洲遭遇到两次打击：一次是在苏丹，一次是在西南非。

英国在非洲所遭遇到的两次打击

在苏丹，贫农出身的谟罕默德·阿穆德（Mohammed Ahmed）领导着一种反抗埃及的解放运动，他以救世主自命，而其狂热的党徒也以马第（Madhi——意即救世主）来称呼他。马第反对埃及人和英国人的说教以及一再起义的胜利，都使埃及当局感到不安，当阿拉比失败以后，秉承英国意旨的帅里夫政府又准备以军事力量来消灭马第的队伍。一八八三年的秋季，英将希克斯（Hicks）率领埃及远征军一万人向苏丹前进，但在十一月三日到五日被起义的军队四万人击溃了，希克斯阵亡，逃回的埃军只有五百人。因此东苏丹的最大部分就脱离了外国的统治。虽然另一个英将戈登（Gordon）被任为苏丹总督，可是起义者在一八八五年一月二十六日又占领了英、埃在苏丹的最后一个堡垒喀土穆，杀掉防守它的戈登，而使东苏丹完全成为独立的国家。这乃是大英帝国殖民史上悲惨的一页。

在西南非，英国又碰到了一个争夺殖民地的劲敌德意志。尽管俾斯麦自己称为“一个没有殖民地的人”，可是德意志毕竟同一切资本主义国家一样的需要市场和原料出产地。德意志自一八七五年起关于殖民地的宣传以及德意志殖民地协会在一八八二年的成立，都表明了这个后起的帝国主义国家在摩拳擦掌。一八八三年的春季，布累门的商人吕德里兹（Lüderitz）得到俾斯麦的许可，以八十镑及二百枝旧枪从西南非的酋长的手里“取得”安格拉培开那湾及沿岸的土地。他在八月又以五百镑及六十枝枪“购买”奥伦治河到南纬二十六度的区域及毗连的地带。这就是德意志在欧洲以外夺取殖民地的开始。虽然英国反对吕德里兹的举动，但德意志在一八八四年四月二十四日却把吕德里兹的土地宣布为她的保护国。接着英、德的关系便日益紧张；而两国的争论甚至还扩大到东非的土地。一直到英国在一八一五年夺得贝专纳人的土地以后，她和德意志才互相承认双方在西南非的掠夺物。

列强在非洲争夺殖民地

从一八八〇年左右起，在非洲争夺殖民地的欧洲列强，除英国占领了埃及外，法国占领了突尼斯（参看第十二章第一节），并且还表示了她对刚果河流域北部的要求。同时比王利欧破尔德第二（一八六五年——一九〇九年）以斯坦利（Stanley）的贡献而合并了刚果自由邦（一八八五年）；义大利以一个私人公司的转让而接管了阿比西尼亚海岸的阿萨布港（一八八二年），接着又占领了马苏瓦（一八八五年）及索马利兰（一八八九年），她并且把马苏瓦扩张为厄立特里亚殖民地。就是“一个没有殖民地的”俾斯麦也替德意志占领了四个殖民地：德属西南非、德属东非、多哥兰、喀麦隆（从一八八四年到一八九〇年）。但这还不过是列强疯狂争夺非洲殖民地的开始罢了。

在非洲占领了殖民地的英国、法国及德意志，都野心勃勃。英国在一八一四年曾从荷兰人手里夺得开普殖民地，再加上埃及，于是扩张大英帝国的帝国主义者就幻想从好望角一直进展到开罗，并企图建筑一条铁道来联系开普和开罗，这便是罗得斯的野心。法国帝国主义者也在作建立“法兰西帝国”的幻想，而企图由西面的佛得角经过撒哈拉一直通到东面的亚丁湾，即由一边的海岸通到另一边的海岸。并且德意志帝国主义者还幻想把德属东非和德属西南非联合为一个殖民地，而包括乌干达以及刚果自由邦和印度洋中间的整个区域。简单一句话，英、法、德三国都想在非洲创造一个大殖民帝国。不过，比王的刚果王国却成了三国计划的障碍。虽然三国里的任何一国都可以夺取比王的领土，但这决不会得到其他竞争者的许可。于是决定刚果由比王保有的列强就转而企图规定她们分割西非的原则，并使刚果成为她们的市场，这便是一八四八年柏林会议的中心问题。

一八八四年的柏林会议

在一八八四年十一月十五日开幕的柏林会议，是由俾斯麦和菲里布置的，参加的有十四国（包括美国）。

结果她们在一八八五年二月二十六日缔结了《柏林条约》，一致承认刚果自由邦，并且宣布刚果河流域的中立，宣布刚果河流域的通商自由，刚果河及尼罗河的航行自由；如果列强在非洲占领土地，须通知其他签字国。在事实上，《柏林条约》所规定的中立的刚果河流域却被刚果自由邦、法国及葡萄牙分割掉。

在《柏林条约》缔结后值得注意的两个条约，就是《英德殖民地协定》（一八九〇年七月一日）及《英法非洲协定》（同年八月五日）。

《英德殖民地协定》及《英法非洲协定》

德意志既以《英德殖民地协定》而放弃她在东非的大要求（见第十二章第三节），于是英国就取得了乌干达，把她在尼罗河流域的势力范围和在东非海岸的殖民地联系在一起。但由于德属东非已扩张到比属刚果的领土，英属南非及罗得西亚和英属东非及乌干达仍隔离着。

过了一个月，英国又以《英法非洲协定》取得了尼日尔河和乍得湖之间的北尼日利亚，同时法国则确立了她对马达加斯加的保护权，并保持了她在撒哈拉的优势。但英、法两国在北非和中非的斗争，并没有因这个协定而停止。

德法在非洲联合反英

为着建筑那沟通开普和开罗的桥梁，英国在一八九四年五年十二日和刚果自由邦缔结了条约，由英国把尼罗河上游左岸一大块土地租给比王一生，并把这块土地伸向西面的更大的一块租给比王和他的继承人，而由比王把坦噶尼喀湖和阿贝特爱德华湖之间一道宽二十五启罗米突的走廊租给英国以为报。英国就想利用这道走廊来建设开普到开罗的电报网和铁道网。苏丹对于埃及水源的重要性，英国是明白的，可是其他的国家却已侵入了苏丹。德意志的侵略乌干达固为英、德殖民地协定所制止，但比王常从刚果派远征军到尼罗河流域，而法国也深入于苏丹境内。虽然英国曾把横截的区域让渡于德意志（一八九三年十一月的协定），而借此阻止法国的前进，然而当德意志又把这地方正式让渡于法国的时候（一八九四年三月十五日的协定），英国的努力失败了。所以英国以为她最好把尼罗河沿岸的土地租给一个危险性最小的竞争者，那就是比王。不过，英国和刚果自由邦的条约不但立刻碰到了法国的抗议（根据着法国和刚果的条约），并且德意志也以走廊紧靠着德属东非的边界而提出抗议。到了一八九四年六月，英国终于放弃走廊，最后她又不得不废弃掉整个的条约。跟着比王在八月十四日也以法国的压力而搁置他的要求。这件事情当然有关于英国企图控制尼罗河的斗争，并且又表明了英、德的裂痕以及德、法在殖民地问题上联合反英的趋势。而其同样表明英、德的裂痕的，就是德皇在一八九六年庆贺克鲁格的一个电报（参看第十二章第三节）。

义大利对阿比西尼亚的保护权

赤道非洲和南非在一八九五年差不多被帝国主义列强完全分割掉，而跟着发生的尖锐斗争，就是她们对阿比西尼亚，东苏丹及布尔共和国的争夺。

义大利在非洲的野心不下于英、法、德三国，她也有建立红海帝国的幻想，而企图使阿比西尼亚成为她的保护国并成为红海帝国的一部分。不过，义大利第一次侵略阿比西尼亚的战争却失败了（一八八一年）。当阿皇约翰斯第四（Johannes Ⅳ，一八七二年——一八八九年）以受英国怂恿，进攻东苏丹而阵亡（一八八九年三月），并由和义大利签订同盟条约的麦奈勒克（Menelek，一八八九年——一九一一年）继位以后，义大利首相克里斯庇（Crispi）又在一八八九年五月二日和他签订《乌克西利（Ucciali）条约》。这个条约除规定义、阿两国的疆界外，并说明阿皇在和其他强国发生纠纷时可以请义大利政府斡旋（见该约第十七条），但义大利的译文把“可以”的字样有意译成“应该”的字样，而义大利人便根据这伪造的条约建立了他们对阿比西尼亚的保护权（一八九〇年）。

法国支持阿比西尼亚反义、反英

为着便于再向东苏丹进攻，英国在一八九一年和义大利缔结了分割东非的协定，她承认厄立特里亚及索马利兰的大部分是义大利的殖民地，阿比西尼亚是义大利的保护国，而义大利则承认埃及和苏丹是英国的殖民地。英国之承认义大利人对阿比西尼亚的保护权，却还有一个交换条件，即他们无论如何不得侵犯尼罗河里的水。因此，英国不但选中了一个比法国弱的义大利做苏丹的东邻，而且还利用义大利做保卫尼罗河的堡垒。不过，切望着尼罗河联系西非领土和东非领土的法国，却破坏掉英国的这个计划。就由于法国企图在东苏丹及阿比西尼亚建立霸权，她便决定帮助阿比西尼亚来反义、反英，同时麦奈勒克也愿意接受法国的帮助而和义大利盟国断绝关系。

第二次义阿战争

一八九一年，麦奈勒克宣布废弃《乌克西利条约》，他并且在一八九三年特许法国筑一条从吉布的到亚的斯亚贝巴的铁道，同时法国也把军火供给他。一八九四年的年底，义大利决定以武力使整个阿比西尼亚成为她的殖民地。而麦奈勒克也领导着阿比西尼亚人准备抵抗，阿军在一八九五年已有十一万二千人，他们大多数都用现代的枪械，并且配备着大炮四十四门。

义大利第二次侵略阿比西尼亚的战争，是爆发在一八九五年的秋季。一八九五年十二月，麦奈勒克把义军打败了两次。一八九六年一月，经过一个月的包围，义大利人所建筑的马卡尔要塞的卫戍兵投降到麦奈勒克。义将巴拉提里（Baratieri）为克里斯庇所迫，决定向阿多瓦进军，三月一日，阿军在阿多瓦一役里以人数上的优势（六万人对一万七千人）及高明的战略大败了义军，义军阵亡的有一万一千人，被俘的有四千人。阿比西尼亚对义大利帝国主义的重大打击不独震动了义大利，而且震动了整个的欧洲。十月二十八日，义、阿两国缔结了《亚的斯亚贝巴条约》，义大利承认埃西奥庇亚（即阿比西尼亚）帝国的完全独立。

英国再图征服苏丹

当义军在一八九六年三月一日失败了以后，英国在三月十二日就决定再开始征服苏丹，这倒不是因为义大利及德意志都非常激昂的要求援助，也不是因为回教徒治理不善，而是因为义军在阿比西尼亚的失败，便意味着英国在东面保卫尼罗河的组织的失败。法国人前进到尼罗河上游的危险，使得英国有再控制苏丹的需要。

一八九六年二月，马商既率领法国远征队由法属西非向东赤道非洲前进，而企图从乌班吉越过东苏丹，跟着英国在三月里就开始了掠夺东苏丹人民的战争，吉却纳率领有新式装备的英、埃联军沿尼罗河而上。同时英国远征队还力图从乌干达前进到尼罗河，他们同吉却纳一样的以阻止住法国人为目的。

英国帝国主义的进攻苏丹，立刻掀起了苏丹人民及其领袖的抗战高潮，不过他们的铳和剑终于挡不住英国的机关枪和大炮。在阿特巴拉河一役（一八九八年四月八日）及恩图曼一役（九月二日）里，马第主义派（Mahdists）却遭受到有决定性的失败。吉却纳南进到喀土穆并毁坏掉马第的坟墓。

东苏丹成了英国的殖民地

当吉却纳还没有占领喀土穆以前，经过无数挫折和困难的马商，已在一八九八年七月十日达到了尼罗河上游的华修达。而吉却纳在恩图曼一役后立刻派一部分军队向华修达推进，他们在那里碰见了法国的军队（九月十九日）。尽管格累已警告过法国（一八九五年三月二十八日）：如果法国人出现在尼罗河上游，英国就认为这是“不友好的举动”，但马商在接到法国政府的命令以前拒绝撤兵，而英国在马商撤兵以前也拒绝讨论法国要求的是非。当时形势的紧张诚如列宁所谓："英、法（华修达）的战争间不容发。"在最后的一刻，法国让步了，她在十一月三日令马商的军队撤出华修达。这乃是法国对外政策的转折点。到一八九九年三月二十一日，英、法还缔结了一个协定，法国放弃她在尼罗河畔的一切领土而换得中苏丹的瓦达（借此联系了法属刚果和法国在西北非的领土），并且承认英国在整个尼罗河流域的统治权。东苏丹在形式上乃由英国和埃及共管，而在事实上则成了英国的殖民地。

英国的征服苏丹，局部的实现了她从开普到开罗的计划。跟着她又进一步作征服德兰士瓦及奥伦治自由国的准备，因为布尔人（即荷兰的农民）的这两个小共和国还横亘在开普殖民地和罗得西亚的中间，而且德兰士瓦又发现了最富饶的金矿。

詹姆森的失败

罗得斯首先在报纸上进行反对布尔人的广泛宣传，好使英国振振有词的和布尔共和国发生冲突。一八九五年的年底，罗得斯的一个代言人詹姆森，带了八百人和四门大炮，六挺机关枪，从贝专纳保护地侵入德兰士瓦的领土，想夺取约翰内斯堡和比勒陀利亚，结果竟被布尔人包围住，詹姆森失败了。德皇给克鲁格的一个贺电，除引起了英国的愤怒外，又引起了布尔人的幻想，而以为德意志是他们的朋友，一旦英布战争爆发，他们可以得到德意志的援助。

英布战争

到了一八九八年八月三十日，英国却和德意志缔结一个分割葡萄牙殖民地的协定，而借此使德意志中立。当华修达事件结束以后，英国就再开始准备掠夺布尔人的战争。而英布战争或布尔战争是在十月十二日爆发的。十四日，英国又和葡萄牙缔结一个秘密协定，重订一六四二年及一六六一年保证葡萄牙领土的旧条约（这不啻否定了一八九八年的《英德协定》）。同时葡萄牙答应不让军火经过德腊戈亚湾运到德兰士瓦（或宣布中立）。

从十月十二日到十二月，英军一再失败，布尔人占了上风。一直到一九〇〇年一月，当罗伯兹（Roberts）

做总司令，吉却纳做他的参谋长以后，人数增加到二十万的英军才转败为胜。但被迫总退却的布尔人，仍以游击战把抗战支持到十八个月之久，他们不断破坏交通线及铁道，袭击开普殖民地，并打击英国的零星部队。

一九〇〇年五月三十一日，罗伯兹占领了约翰内斯堡，六月五日，他又占领了比勒陀利亚。可是当英国蹂躏奥伦治自由国及德兰士瓦的一部分，而宣布合并为奥伦治河殖民地（五月二十四日）及德兰士瓦殖民地（九月三日）时，布尔人还掌握着这两个共和国的大部分，而继续抵抗占优势的英军，使他们要以几十个人来对付一个游击队。

布尔共和国成了英国殖民地

为着在多方面打击布尔人，英国煽动那些被他们压迫、剥削的土人来反对他们。在一九〇〇年十一月当总司令的吉却纳，甚至把布尔人的老者、妇女及儿童（在十二万人左右）拘禁在集中营里，其中有六分之一死于虐待和疾病。到了一九〇二年四月，布尔共和国的领袖才不能再支持下去而同意和英国谈判和平。就在战争告终的时候，英国为在南非对付六万到七万五千布尔人，还留有军队三十万人。《威累尼金（Vereniging）条约》是在五月三十一日签订的，从此布尔共和国又成了英国的殖民地。

法国准备夺取摩洛哥

当英国帝国主义者在一九〇二年使布尔共和国成了殖民地的时候，法国帝国主义者德卡塞也在一九〇一年及一九〇二年强迫摩洛哥王亚布杜·阿西兹（Abdul Azîz）接受两个新条约，法国答应“帮助”他对付东摩洛哥的反叛部落，并根据这个条件令法军逐渐开到摩洛哥的内地，准备夺取摩洛哥。

一九〇〇年，法国已和义大利成立了协定，法国同意义大利夺取的黎波里，而义大利则同意法国夺取摩洛哥。到了一九〇四年，法国又和英国成立了协约，法国放弃埃及，而英国也同意法国夺取摩洛哥的大部分。并且法国在同年还和西班牙成立了条约，而秘密规定摩洛哥由她们分割，西班牙可以取得摩洛哥在地中海的沿岸，但在得到法国的同意以前不能采取任何行动，又不能建筑任何堡垒。

有了军事上及外交上的准备，德卡塞开始干涉摩洛哥的内政。法国的银行家先在一九〇四年强迫摩洛哥王接受六千万法郎的贷款，而摩洛哥王则交出全国海关收入的大部分作为贷款的担保。从这年十二月到一九〇五年二月，太兰第（Taillandier）又出使非斯，他带给摩洛哥王的一套改革计划（警察、国立银行及交通的改革），便在建立法国对摩洛哥的保护权。

德意志对摩洛哥的企图

不过，德意志帝国主义者却也企图伸足于摩洛哥，他们认为摩洛哥及其在大西洋和地中海的港口都应充作德意志在海路上的头等军事根据地。而且德意志的夺取摩洛哥又是她在非洲创造大殖民帝国最重要的一环。因此，德意志应把法国赶出摩洛哥，而使摩洛哥成为自己的殖民地。

现在德卡塞在摩洛哥问题上既置德意志于不愿，于是自称为“摩洛哥独立保卫者”的威廉第二，就在一九〇五年三月三十一日到了丹吉尔，声明他认为摩洛哥是一个独立国。这立刻震动了巴黎。

同时受德意志鼓动的摩洛哥王，也不听从法国的“劝告”，邀请列强举行国际会议讨论摩洛哥事件。四月六日，德意志首先接受了他的邀请。

为着避免战争的危险，好斗的德卡塞以德意志的要求在六月六日被免职，并且法国政府又以德意志的要求，同意把摩洛哥问题交国际会议讨论。

阿尔几西拉斯会议

讨论摩洛哥问题的国际会议，是一九〇六年一月十六日在西班牙海岸上的阿尔几西拉斯开幕的。出席阿尔几西拉斯会议的列强，除去左袒德意志的奥地利以外，始终都支持法国。不但英、法两国反对德意志的要求，就是义、西两国也以在经济上依靠法国而帮助债权人。而其在暗中帮助法国的还有美国。德意志本以为阿尔几西拉斯会议，会在国际间表明她对摩洛哥问题的发言权和《英法协约》的无价值，但会议的结果反加强了英、法的友谊，打开了英、俄缔结协约的大门，甚至削弱了义大利和三国同盟的关系。列强在四月七日缔结了

《阿尔几西拉斯条约》，重申摩洛哥的独立和领土完整，并且重申她在经济上的自由和列强的“平等”。摩洛哥和阿尔及利亚的边界上的警察完全委托法国掌管，而摩洛哥其他地方的警察则由法国和西班牙共同掌管。参加摩洛哥国立银行、铁道及矿业的资本，有法国的，也有英国及西班牙的。但法国会保留她在摩洛哥的“特殊利益”，在阿尔几西拉斯会议闭幕后才过了一年，她已开始占领摩洛哥的领土。

法国开始占领摩洛哥的领土

一九〇七年三月，马拉喀什发生了法国医生被暗杀的事件，法国就借此要挟摩洛哥而占领了乌兹大。一九〇七年五月，法国军舰又以卡萨布兰卡居民的袭击租借地而炮轰卡萨布兰卡，跟着派陆战队登陆。甚至法国还占领了摩洛哥在大西洋沿岸的五个港口。

屈服于法国帝国主义之下的亚布杜·阿西兹，引起了摩洛哥人民的反对，领导他们起义的哈菲德（Hafid——亚布杜·阿西兹的兄弟），在一九〇八年七月打败了摩洛哥王，占领了非斯，并且得到了德意志的支持。一九〇九年一月，哈菲德竟承认了不平等条约、借款及租借地，而列强则承认他是摩洛哥王。并且德意志跟着在二月和法国成立了协定，重申摩洛哥的独立和领土完整，但法国“在政治上的特殊利益”德意志是承认的，而德意志在经济上的利益法国也是承认的。

一九一〇年，哈菲德在巴黎和柏林的银行家方面得到一万万法郎的借款，而交出摩洛哥的一切海关收入作为借款的担保；同时他提高国内的捐税来补偿关税的损失。由于新王和旧王的完全同调，摩洛哥人民在一九一一年四月便又以新的起义来反对哈菲德。

为着镇压摩洛哥人民的起义并占领整个摩洛哥，开到摩洛哥的五万法军不顾德意志的警告就占领了非斯、美克奈斯及马拉喀什。同时西军则开始占领摩洛哥的北部。

豹的跳跃

德意志当然是不会袖手旁观的，她在七月一日派炮舰“豹号”开到摩洛哥海岸上的阿加狄尔港，保护德意志人的利益，但实际上则在夺取阿加狄尔，以抵制法国的占领摩洛哥。当时“豹的跳跃”似乎要引起法、德的战争。惟由于英国表示要支持法国，并且俄国的援助法国也是可靠的，于是德意志就不能不妥协了，她因此又加深了对英国的愤恨。经过长期的激烈讨论以后，一个重要的协定终于在十月谈妥。根据十一月四日所签订的条约，德意志同意让法国在摩洛哥自由行动，甚至法国在摩洛哥建立保护权也不反对，同时法国须把法属刚果的一半（在十万方哩左右）让给德意志。一九一二年三月，法国根据《法摩条约》而宣布她对摩洛哥的保护权，到了这年的年底，西班牙也宣布她对摩洛哥北部的保护权（至于丹吉尔则划为“国际地带”）。摩洛哥的最大部分固成了法国的殖民地，但摩洛哥人民仍继续着反法的斗争。

义军在的黎波里登陆

法国帝国主义者既据摩洛哥为己有，义大利帝国主义者毕竟找到了夺取的黎波里及昔兰尼加的机会。法国在一九〇〇年已同意义大利对的黎波里的要求。到了一九〇九年十月二十四日，义大利和俄国签订了《雷康尼基（Racconigi）协定》，同意支持俄国在海峡方面的企图，而俄国也答应不反对她在的黎波里方面的计划。在义大利进攻的黎波里以前，她还把关于的黎波里问题的协定附加到三国同盟的条约里。就是和义大利没有签订任何书面协定的英国也在积极援助她，当时英国只反对德意志做埃及的邻邦（因为德意志准备在多布鲁克沿着埃及边界建立海军根据地）。由于义大利在外交上的准备，再加上占领摩洛哥的法国及准备再提出海峡问题的俄国所造成的机会，于是义大利就在一九一一年九月二十八日对土耳其提出了最后通牒，但为土耳其所拒绝。十月五日，义大利军队便在的黎波里登陆，并占领了的黎波里城，以图实现一九〇〇年的《法义协定》而造成义国和法国在北非洲的均势。

义土战争

义军在的黎波里的登陆以及义、土战争的爆发，列强虽受了约束不便反对，但她们并不赞成。而奥地利则在开始就反对任何破坏巴尔干现状的战事，因此她阻止义大利进攻亚得里亚海或爱琴海的海岸。当义大利在一九一二年四月炮击达达尼尔海峡，并在五月占领罗得岛及多得坎尼斯群岛的时候，英、法两国也大感不安。

在的黎波里对付义军五万六千人的土军只有七千人，而且由于义大利舰队的控制东地中海以及英国在埃及的阻拦，土耳其并不能把增援部队调到那里去，但当义大利在一九一一年十一月五日宣布合并的黎波里的时候，阿拉伯人所支持的少数土军还在作英勇的抵抗。同时列强调停战事的一切努力，也以土耳其的拒绝放弃的黎波里而归于失败。

《洛桑条约》

到了一九一二年七月，和平谈判又开始了，最初义、土双方都不愿放弃一点要求，惟土耳其终于以巴尔干战争的威胁而屈服。根据十月十八日的《洛桑（Lausanne）条约》，土耳其承认了义大利对的黎波里及昔兰尼加的“主权”，而这两省就成了义大利的利比亚殖民地。不过的黎波里除去义大利在海岸上所占领的四个据点以外，一切回教徒的部落并没有放弃反义的斗争，这就是列宁所说的：“尽管有了‘和平’，战争在事实上还要继续着，因为非洲大陆内部远离海岸的阿拉伯部落还没有屈服，还要长期的以刺刀、子弹、绳索、水、强奸妇女来‘开化’他们。”

非洲被列强分割完了

一八七六年，列强在非洲的领土只有百分之十强，但在一九〇〇年就增加到百分之九十强，迨后法国占领摩洛哥，义大利占领的黎波里以后，列强对非洲的分割在实际上已经完毕了。其剩下的国家未被分割的只有两个：一个是阿比西尼亚，另一个是利比里亚。可是一九〇六年十二月十三日的英、法、义协定却规定阿比西尼亚一崩溃就划分为她们的势力范围。而来自美洲的少数黑人所建立的小共和国利比里亚，多少又被美国“保护”着。

第二节　近东及中东

跟着我们要谈的是国际帝国主义斗争的第二个中心——近东及中东。

德意志把目光转向东方

当需要市场和原料出产地的德意志出现于国际帝国主义斗争的第一个中心时，非洲的许多殖民地既早已被一些着先鞭的国家夺去，为着达到“失之桑榆，收之东隅”的目的，她又把目光转移到东方。

自一八七八年的柏林会议结束以后，土耳其已逐渐倾向于亲德，同时德意志也以拉拢土耳其来巩固她在奥图曼帝国的地位。而当德意志出现于国际帝国主义斗争的第二个中心时，她便以要求土耳其的整个领土来表明新的东方问题。

一八八三年，德意志军官哥尔兹（Von der Goltz）被土耳其政府聘请为军事顾问兼君士坦丁堡军官学校校长，他花费了十二年的时间把土军改编成普鲁士式的军队。跟着德意志军人的足迹而来的，还有德意志的财政家和商人。德意志商店的兜销员踏遍了奥图曼帝国的任何角落。同时德意志银行在君士坦丁堡设立了一个分行。

到了一八八九年，德皇威廉第二亲自出马了，他到君士坦丁堡对土皇阿布杜·哈密德第二作一度有礼节的访问。一八九八年，德皇又到过君士坦丁堡及“圣地”，宣布他对世界上三万万回教徒的友谊。他在君士坦丁堡看出外交上的一个漏洞，不管英国或法国，都同样遭受土皇的排斥，因此他就决定把这个漏洞填起来。当法国资本家掌握着叙利亚的铁道，英国资本家及法国资本家掌握着士麦那的铁道时，德意志资本家却得到了巴格达铁道的特许权。这条大铁道从博斯普鲁斯海峡经过小亚细亚、美索不达米亚而直达波斯湾，并且可以把柏林和巴格达联系起来（即从汉堡经过柏林、维也纳到君士坦丁堡，再经过巴格达而以波斯湾上的巴斯拉为终点），它不但能保证德意志对土耳其的控制，而且能巩固德意志进攻印度的阵地或包抄“海洋帝国”的侧面。一个德意志殖民政策的宣传家毫不隐讳的说：“巴格达铁道将替我们开辟到伊朗和阿富汗的道路，而成为架在英属印度上面的一把利剑。”

列强为了巴格达铁道问题的斗争

在阿纳杜利亚筑铁道的计划本来是很多的，特别是从叙利亚海岸到巴格达和波斯湾的铁道。但当到君士坦丁堡的德意志银行负责人，在原则上和土耳其政府谈妥关于筑巴格达干线的特许权以后，土皇就在一八八八年十月四日特许德意志的一个公司筑一条从君士坦丁堡到安哥拉的铁道，切望从较远各省增加收入，并在战略上把奥图曼帝国联成一片的土皇还想从安哥拉经过阿纳杜利亚的北部筑到巴格达。从君士坦丁堡到安哥拉的铁道是在一八九二年完成的。此后英、德两国就发生了夺取新特许权的斗争，惟由于德意志以中止支持英国对埃及的政策相威胁，英国才知难而退。一八九三年二月十五日，德意志的公司又得到了筑铁道的特许权，一方面从安哥拉继续筑到凯萨里，一方面从埃斯基色尔筑到柯尼亚。那公司并没有筑前一条路线，只在一八九六年筑成了后一条路线。因此从柯尼亚继续筑到巴格达的问题便成了一个迫切的问题。在这里，虽然英、法、俄三国提出了无数的计划和请求书，但占优势的还是德意志，尤其是在德皇第二度拜访土耳其以后。最后法国放弃了反对的意见而同意和德意志合作，英国也着手于别的事情来保护她在波斯湾的利益。（英国在一八九九年一月二十三日和科瓦特的酋长缔结了一个协定，他答应不得到英国的同意不割让土地。）其继续反对德意志的计划的只有俄国。可是德意志在一八九九年十一月二十五日就得到了从柯尼亚筑到巴格达的最初特许权，在一九〇二年一月十七日又得到了从柯尼亚筑到巴斯拉的最后特许权。德意志的公司固竭力争取英国政府和法国政府的合作而使她们投资于铁道，不过她们终于拒绝了。同时俄国政府对于德意志的全部计划仍然是反对的。

《俄德协定》及《英德协定》

从一九〇九年十一月到十二月，英、德两国举行谈判，德意志准备放弃一切控制巴格达到波斯湾的铁道的要求，但英国却要求完全控制那一段，她不愿离开俄、法两国而行动。可是使得英国失望的是，当俄皇尼古拉和外交部长萨佐诺夫（Sazonov）在一九一〇年十一月四日到波茨坦拜访德皇威廉以后，俄、德两国对于近东问题竟成立了协定。五日，俄国不再反对德意志关于巴格达铁道的计划，并且准备使这条路线和波斯铁道相联接，而德意志则同意俄国在波斯北部的自由行动。到了一九一四年六月十五日，英、德两国对于近东问题也成立了协定，德意志答应不筑巴斯拉以南的铁道，并承认英国在幼勿拉的河上的船舶的优越利益。

不过，英国既怕一条直达波斯湾的德意志铁道会妨碍英国对印度及波斯湾附近油井的控制，俄国既怕这条铁道会使德意志控制土耳其，所以不管一九一〇年十一月的《俄德协定》或一九一四年六月的《英德协定》，都不能在事实上解决这条铁道的问题。老实说，关于巴格达铁道的计划所引起的争执，乃是一九一四年世界帝国主义大战的一个间接原因啦。

青年土耳其党的亲德路线

从巴格达铁道上既反映出德意志控制土耳其的企图，从海盖特铁道（从大马士革到麦地那的铁道，这也是德意志的工程师筑的）上又反映出德意志控制阿拉伯及红海的企图。就是一九〇八年在土耳其进行革命的青年土耳其党，也还是走的亲德路线，而土耳其也还是半殖民地。当英、俄两国重新企图分割奥图曼帝国的时候，德意志却想把她的一切竞争者赶出土耳其而使整个土耳其成为她的殖民地。

英俄在东方的矛盾

但是，英、俄两国在东方也是有矛盾的。

在十九世纪里，为着控制海峡，打开从黑海到地中海的通道，君士坦丁堡曾三度落入俄国的掌握之中，但她却三度遭受到英国的阻拦。不过，尽管俄国在君士坦丁堡附近遭受到英国的阻拦，可是她还会到中亚细亚威胁英国，而且她也会向太平洋挺进。

俄国在中亚细亚的进展是迅速的。她在一八六八年合并了撒马尔罕，在一八七三年占领了基发，并在一八八四年占领了谋夫；这些地方她有外里海铁道联系着。而俄国在占领谋夫后，距离阿富汗境内的赫拉特便不到二百哩，这却震动了英属印度的西北边疆，尤其是当俄国在一八八五年夺取旁吉德村（在谋夫正南的一百哩）的时候。自然，俄国既逐渐深入于中亚细亚而进窥阿富汗的领土，英国就又不能不出而阻止她扩张到印度及波斯湾。

一八七八年，俄国曾和阿富汗缔结了同盟条约。当时俄国在中亚细亚集中了军队二万人，准备经过阿富汗进攻印度。但这只能够说是俄国在外交上及军事上的示威，而企图威胁英国，好叫她在土耳其事件上作更大的让步。在事实上，俄国不但不想和英国作战，而且在一八七八年的柏林会议里和英国妥协了。所以当英国对阿富汗发动掠夺战争（一八七八年——一八八〇年）的时候，俄国就抛弃了她的盟国——阿富汗。

不过，一八八五年三月三十日俄军在旁吉德村进攻阿富汗军队的结果，英、俄的关系却又紧张了。旁吉德村的冲突几乎引起了英、俄的战争，这就是列宁所说的:“一八八五年，英、俄的战争间不容发，掠夺（分割）中亚细亚（英、俄）。”但由于英国使军舰由海峡入黑海的活动失败，她终于让了步，而问题就用外交的步骤调解了（九月十日）。

阿富汗西北部和俄国之间的边界，一向没有明确的规定。到了一八八七年，英国才和俄国缔结条约来规定俄国和阿富汗的边界，并阻止俄国向阿富汗前进。而一九〇七年的《英俄协约》又使阿富汗成了英国的势力范围（参看第十二章第三节）。可是，一八八七年的《英俄条约》虽然阻止了俄国的一部分野心，却没有阻止住俄国的东进（她在一八九五年合并了帕米尔高原上的土地）；同时《英俄协约》也遭受过阿富汗王汉比布拉（Habibulla）的公开反对。

英俄冲突特别激烈的地方

英、俄两国的冲突特别激烈的地方是波斯，这个落后的回教国和土耳其相同，也是半殖民地。在十九世纪的后半期，英、俄的商品都支配着波斯的市场，并且波斯的北部还成了俄国的原料出产地。俄国的公使控制着北部各省，而英国帝国主义者则控制着南部及波斯湾的沿岸。更由于波斯以靠近印度而具有战略上的重要性，又使两国企图控制整个波斯的斗争尖锐化。

到了二十世纪开始以后，俄国在波斯取得了支配的地位。一九〇〇年，俄国强迫波斯王成立了二千二百五十万卢布的新借款，借此来打击英国人的帝国银行。一九〇二年，俄国又和波斯成立了有利于俄国商人的条约。从一九〇三年到一九〇四年，俄国占波斯的输入百分之四十七和输出百分之六十一，同时英国占波斯的输入百分之三十二和输出百分之八，俄国在波斯的对外贸易上占第一位。而且俄国政府又讨论到夺取波斯湾港口并在那里建设海军根据地的问题。

英国并不愿让俄国夺去她在波斯的地位，特别是当她在一九〇一年得到波斯的重要租借地（用于开采煤油的）以后。一九〇三年五月十五日，英国外交部长兰斯顿声明英国在波斯湾的利益，而“把波斯湾海军根据地或军港的建设看作对于英国利益的严重威胁，并且一定以英国所能用的一切方法来抵制它”。这声明主要是警告俄国的。

而且德意志也想插足进来，她在筑巴格达铁道时也注意到波斯。在波斯的许多城市里既不乏德意志的领事馆和企业，在波斯湾上又常有德意志的船舶。因此，不管俄国或英国，都认为德意志是她的一个有危险性的新竞争者。

一九〇七年的《英俄协约》

为着使俄国不致控制整个波斯而威胁印度，并为着联俄以对德，一九〇七年的《英俄协约》就把英、俄在波斯的势力范围划分了（参看第十二章第三节）。显然的，这个协定同时还负有镇压波斯革命及亚洲民族解放运动的任务。在一九〇八年六月二十三日及一九一一年十一月十一日，俄国都在英国的支持下一再援助波斯的反革命势力来打击革命势力。

第三节　远东

半殖民地的中国

最后，我们还要谈一谈国际帝国主义斗争的第三个中心——远东。

在远东，其特别引起帝国主义者争夺的对象是半殖民地的中国。鸦片战争（一八四〇年——一八四二年）和英、法联军（一八五六年——一八六〇年）已一再打开了中国的门户，而到了一八七〇年以后，俄、日、英、法等国更从各方面来侵略中国及中国的藩属。

日俄争夺满洲、高丽的斗争

当俄国向太平洋挺进的时候，她从北方威胁着中国。她不仅合并了黑龙江以北的土地及黑龙江以南、乌苏里江以东、高丽以北的沿海区域，而且还想把满洲和高丽并入西伯利亚的范围以内。不过俄国的这种野心却被日本破坏了，因为日本也想占领高丽和满洲。

日本自实行改革以后，不久就成了一个帝国主义的国家。她用德意志的军人来训练她的陆军，并由英国的海员监督她建设海军，以准备夺取殖民地。当中国以一八八五年六月九日的条约承认安南由法国保护，以一八八六年七月二十四日的条约承认缅甸由英国保护，这个期间，日本也在一八八五年四月十八日强迫中国和她缔结新条约，以图使中国军队退出高丽。

同时觊觎高丽的还有德意志及美国。

中日战争

一八九四年，得到英国支持的日本，利用高丽问题对中国开始了侵略的举动，而企图夺取高丽、南满及台湾，并打击俄国的势力。七月二十五日，日本不宣而战的击沉了中国运兵到高丽的船只。同时日本海军陆战队占领了高丽南部的重要据点并向北推进。七月二十九日日军和中国军队已在牙山开始了第一次大战，但到八月一日才正式宣战。

从一八九四年到一八九五年的中日战争，日本在平壤（一八九四年九月十六日）、鸭绿江（九月十九日）、旅顺口（十一月二十一日）及威海卫（一八九五年二月十二日）的一连串胜利，摧毁了中国的陆军和海军，并强迫中国在一八九五年四月十七日签订了《马关条约》。根据这个条约，日本取得台湾、澎湖群岛及辽东半岛（包括旅顺口）；中国承认高丽“独立”，但在实际上不啻让日本在高丽自由行动；并且中国还偿付巨额的赔款二万万两，开放了七个商埠；此外日本的船只可以在中国内河航行，日本人可以在中国建筑工厂。从此中国确定成了列强的半殖民地。

远东三角的干涉

当《马关条约》缔结以后，英国满足了，特别是关于通商的条件；但在远东活动的俄国（西伯利亚铁道已在一八九一年开始敷设）却受了极直接的影响。这时德意志在远东的商业关系日益发展，她怂恿俄国到远东掠夺，以便一齐在混水里摸鱼，并借此使俄国的注意力转向于远东而削弱法、俄同盟的力量。一八九五年四月，俄皇尼古拉和德皇威廉谈妥了分割中国的计划，俄、德两国及俄国的忠实盟国法国（所谓远东的三角）就决定积极干涉远东事件，不让日本在亚洲大陆上立足。但英国在最后的一刻拒绝了参加。

四月二十三日，俄、德、法三国在东京“劝告”日本把辽东半岛退还中国，而以取得中国的补充赔款为交换条件。结果日本在犹豫后让步了，她以辽东半岛换得中国增加的赔款三千万两。同时日、俄两国在远东就更处于对立的地位。

《中俄密约》

三国的干涉使中国投入了俄国的怀抱，并且俄国也尽量利用机会来表现她对中国的“友谊”。当满洲人想向英国借债来偿付日本赔款的时候，俄国不许，她不要抵押品就借给他们八千万金元，使中国更在财政上依靠她。一八九六年五月二十二日，李鸿章在莫斯科签订了《中俄密约》，规定中、俄军事同盟，俄国在必要时可以派军队开到中国的任何海口，而且可以在中国境内筑铁道并巩固她在满洲的势力。而俄国在满洲筑铁道（中东路）的正式合同是跟着在八月签订的。

列强分割中国

从一八九七年到一八九八年，追踪日本的列强，开始来分割中国。

一八九七年八月，德皇和俄皇在圣彼得堡又谈妥了德、俄在中国协调的行动，德意志要夺取山东的胶州区（包括青岛），俄国要夺取南满（包括旅顺口和大连湾）。十一月十四日，德军借口两个德意志传教士的被杀（十月一日）而在胶州湾登陆，并占领青岛。十二月十四日，俄国舰队开近旅顺口，准备占领。一八九八年三月六日，德意志强迫中国签订“租借”胶州湾九十九年的条约，而作为她合并这个地方的掩饰；同时她可以在山东筑两条铁道并开矿。三月二十七日，俄国又强迫中国签订“租借”旅顺口和大连湾二十五年的条约；同时她可以筑一条铁道衔接着通过北满的中东路而把辽东半岛联系起来。而远东三角之一的法国也不愿袖手，她在四月十日向中国“租借”广州湾九十九年，并强迫中国答应决不把云南、广东及广西三省让给别国。此外，英国则以威海卫为租借地而和俄国在辽东半岛的租借地相对峙。

当帝国主义列强进行分割中国的时候，她们还把中国划分为许多势力范围。俄国以满洲、蒙古及新疆为她的势力范围；法国以海南岛及中国和印度支那交界的西南省份为她的势力范围。英国选择了长江流域；德意志确定了她在山东及黄河流域的权利。而其留给日本的只是台湾对岸的福建。美国在中国既“完全没有分到东西”，于是国务卿海约翰（John Hay）在一八九九年九月六日发出通牒，坚持中国“门户开放”的政策，而企图在经济上控制整个的中国。

义和团起义和八国联军

帝国主义者对中国的侵略，引起了中国人民反对外国人的民族运动。而义和团的武装起义就是列强在中国占领土地并划分势力范围的直接结果。但在北京被义和团围困五十六天的各国公使，终于由德意志元帅瓦德西（Waldersee）所指挥的八国（德意志、俄国、英国、法国、美国、日本、义大利及奥匈）联军救出。八国联军在一九〇〇年八月十四日就攻陷了北京，他们并且占据了皇宫，大掠了全城，甚至像野蛮人一样的蹂躏了和平的城市和乡村。

慈禧和光绪都逃到了西安。由慈禧委派为议和代表的李鸿章，他和庆亲王在一九〇一年九月七日同八国公使签订了最后议定书，规定巨大的赔款为四万万五千万两，责成中国政府用极刑处罚任何排外的举动，并禁止武器输入中国，惟外国可以在中国驻兵“来保护外国臣民的利益”，外国人在北京还有和“租界”没有什么差别的特别住宅区（即东交民巷）。这个议定书使得中国彻底充作国际帝国主义的半殖民地。

俄军占领满洲

义和团的暴动还给了俄国一个机会，她派兵十万人占领着满洲。于是俄军的撤退问题立刻就成了整个远东问题的一个关键。而英国在一九〇〇年十月十六日和德意志缔结《扬子江协定》，维持“她们力所能及的一切中国土地”的“门户开放”，便是她急欲对付俄国的表示。但由于德意志首相毕罗夫（Bülow）声明《扬子江协定》不适用于满洲（一九〇一年三月十五日），伦敦所讨论的英、德、日反俄集团并没有什么结果，显然的，德意志在未来的日、俄战争或英、俄战争里却不愿超出保守中立的范围以外。

日英同盟

不过，反俄的日、英同盟毕竟在一九〇二年一月三十日缔结了。这个同盟规定任何签约国为保护她在中国和高丽的利益和任何一国开战，则签约国的他方就必须保守中立，但若和任何两国开战，则签约国的他方就必须参战；任何签约国在和盟国商量以前都不得和别国（俄国）缔结特殊协定。同盟的期限虽定为五年，但在一九〇五年及一九一一年都续订过。

同时日、英同盟在日本看来不但在对付俄国，并且在对付美国，因为俄国在中国的进展固震动了日本，而美国在太平洋上的进展也震动了日本，虽然后一方面震动的程度不如前一方面厉害。

日俄战争

一八九六年二月七日，高丽王曾以害怕日本人而逃到汉城的俄国公使馆，因此俄国的势力就在高丽占了优势。虽然日本和俄国共同使高丽成了她们的保护国，但这日、俄“共管地”其实只是俄国的保护国。同年中俄银行成立，而和中俄银行有密切关系的中东路公司则在俄国手里，并且俄国还可利用中东路来控制满洲。而决心不让俄国合并满洲和高丽的就是日本。

当俄军十万人占领满洲以后，尽管俄国和中国在一九〇二年四月八日（日英同盟结成后的第三个月）缔结过撤兵（在十八个月以内）的协定，可是俄国只实行了第一期的撤退，至于第二期的撤退则借口地方情形不稳而搁置。因此日本便在一九〇三年八月十二日对俄国发出了通牒。但日、俄之间的几次谈判都失败了，就是对高丽的要求俄国也不愿放弃。

一九〇三年八月二十九日，俄国财政部长威特（Witte）被免职。俄国主张在满洲、高丽扩张领土的一派完全得到了胜利。而且俄国还设立了远东总督一职（不隶属于外交部）来处理亚洲的事务。日本的反俄，俄国并不重视，俄国以为日本的行动不会超过了限度，甚至以为日本万一这样也易于被打败。

由于日、俄关系的紧张，帝国主义重分世界的斗争在远东也达到了尖锐化的程度。“一九〇四年到一九〇五年的日俄战争就是再分割中国，争取对高丽及满洲统治权的战争。”（见《殖民地附属国新历史》）

一九〇四年二月八日，日本又不宣而战的突然进攻俄国的旅顺要塞，大大打击了那里的俄国舰队。并且日本在二月二十三日就和高丽缔结条约，使她在事实上成了日本的保护国。

《朴资茅斯条约》

由于日本的充分备战以及俄军的武装、训练和领导相形见绌，再加上交通上的关系，结果日本在海陆两方面都得到了有决定性的胜利，大连（一九〇四年五月三十日）、旅顺口（一九〇五年一月二日）和奉天（三月九日）相续被日军攻陷了，俄国的太平洋舰队以及派到东方增援的波罗的海舰队又都被他们击溃了。而一九〇五年九月五日的《朴资茅斯条约》就是日本胜利的反映。这个条约是由美国大总统罗斯福（Theodore Roosevelt）的调停促成的。根据这个条约，俄国除退出满洲及辽东半岛外，并承认日本在高丽的优越利益（政治的、军事的及经济的），同时俄国把她“租借”的旅顺口、大连湾及附近地带（即辽东半岛）转让于日本，最后她又把库页岛的南部割给日本。“日、俄战争加速了革命（指一九〇五年的俄国革命而言——引用者）”，而“日、俄战争和俄国革命都特别推动了亚洲人民在政治生活上的觉悟”。（列宁的话）

同时，隶属于远东帝国主义矛盾的中心的，还有列强争夺大洋洲，争夺太平洋上各岛的斗争。英、法、德、美四国在十九世纪最后二十年的长期斗争以后，共同分割了大洋洲。而其完成大洋洲的分割的就是美西战争。

美国和西班牙的战争

新兴的美国帝国主义，不但竭力夺取西班牙在加勒比海上的殖民地，而且企图以支持菲律宾的独立斗争来夺取菲律宾。一八九八年四月二十三日，美国对西宣战，结果美国占领了菲律宾和关岛，战前附属西班牙的古巴在形式上宣布“独立”，在实际上成了美国的殖民地（和约是在一八九八年十二月十日签订的）。而且美国在战前就占领了夏威夷群岛。

完成大洋洲的分割的美、西战争，使资本主义彻底达到了最后的、帝国主义的阶段。

第十四章　大战前的国际形势

第一节　扩充军备的竞争及裁军运动的失败

列强扩充军备的竞争

在一八七〇年左右，奥匈、法国、俄国及义大利已先后追随着德意志而扩充军备。就在三国同盟和三国协约造成了均势以后，国际间扩充军备的竞争也没有因此而缓和。这在一方面乃由于国际帝国主义争夺殖民地的斗争日益尖锐，而在另一方面又由于德意志所领导的帝国主义集团对于英国所领导的帝国主义集团相形见绌，同时法俄两国也不能确信她们在战时一定得到英国的援助。同盟国和协约国两方面既互相猜忌，互相戒备，所以一方面的一国一增加陆军或添设一艘新军舰，立刻就会使另一方面的各国感到她们的安全受了威胁，而需要扩充更多的军备。从一九〇四年到一九一四年，各国的陆军及海军都尽量扩充，互不相下，其特别显著的就是德、奥、义、法、俄五国对于扩充陆军的竞争，英、德两国对于扩充海军的竞争。当世界帝国主义大战爆发的时候，德、法两国各有四百万人以上的陆军，而俄国的陆军则有六百万人或七百万人，就是奥匈的陆军也在二百五十万人以上。英国的陆军虽不及二十万人，但他们是可以由志愿军添补的（英国并没有实行征兵制），而且她的国防所依赖的并不在陆军，乃在等于两强海军的大海军。不过，自从德意志国会在一八九八年通过第一次海军大建设计划以后，德意志海军的迅速扩充却威胁到其他各国的安全。

两次海牙和平会议

欧洲列强扩充军备的结果，一方面固大大增加了陆军的数目，一方面也特别增加了财政上的负担，何况她们除陆军的军费外还要添上海运的军费。而俄皇尼古拉第二之在一八九八年八月二十四日邀请欧、亚及北美各独立国参加海牙和平会议，讨论缩减海陆军备的计划，主要的就由于俄国在财政上感觉拮据，而不能和奥地利及其他强国并驾齐驱。第一次海牙和平会议是在一八九九年五月十八日开幕，七月二十九日闭幕的，而出席会议的有二十六国，包括了所有的列强。惟由于德意志及其他国家的反对，无论裁减军备或限制军备都一点没有成功。虽然海牙和平会议在海牙设立了一个永久的仲裁法庭来处理国际间的争执，但无法强迫任何一国提起国际诉讼，而且引起战争的真正祸源又不在讨论之列。同时这个会议为禁止不必要的战争暴行而起草的一部法典也缺乏了执行的规定。

第一次海牙和平会议对于军备的裁减或限制既已宣告失败，于是当时的美国大总统罗斯福就提议召集第二次海牙和平会议。但由于远东战争的阻碍，罗斯福在一九〇四年十月二十一日的提议，一直拖延到一九〇七年才见诸实行。仍由俄皇邀请，接受他的第二次邀请的有四十五国。不过，从一九〇七年六月十五日到十月十八日的第二次海牙和平会议，并不比第一次会议更有效果。英国关于限制军备的一切努力，也以德意志及其他国家的反对而归于失败，德意志怕英国企图阻止舰队的扩充，她在会议里便成了反对方面的一个发言人。同时她又反对一切关于强迫仲裁的提议。虽然这个会议缔结了一些条约来规定募债的举动，战争的规例，以及中立国的权利和义务等等，可是第一次世界帝国主义大战一爆发，这些条约就变成一纸具文了。

英德妥协运动

在第二次海牙和平会议以后，英、德两国对于扩充海军的竞争更变本加厉。一九〇八年八月十一日，英王爱德华第七带着哈定（Charles Hardinge）和德皇威廉第二会见于菲特列荷夫，激烈的讨论海军方面的情形，但德皇干脆拒绝了一切缩减德意志海军计划的提议（德意志之缩短军舰的服役期限以及加速造舰的工作，都间接扩大了她的计划）。到了十二月四日，伦敦又举行了海军会议，出席的有十个海军国。这个会议虽同意一些关于海战的规定，但条约却没有批准。

英、德两国关于海军方面的最后一次妥协运动，是在一九一二年。二月八日，英国派特使哈尔丹（Haldane）到柏林，表示英国愿支持德意志对非洲殖民地的要求，而以德意志不再增加舰队为交换条件。但德意志在未成立政治协定前不愿在海军方面让步，因此她提议英、德缔结一个互不攻击的条约，当缔约国的一方和第三国开战时，缔约国的另一方须保守友谊的中立。可是英国也不愿接受无条件中立的义务，她表示惟有当德意志作"非挑衅的攻击"时才愿保守中立。这当然不能满足德意志的要求。而德意志之在三月八日公布增加舰只、人员，并使第三舰队备用的新海军案，就终止了英、德双方的海军谈判。

因此，显然的，当国际帝国主义再分割世界的斗争日益尖锐时，不管海牙和平会议或英、德海军谈判，都不过是帝国主义国家企图损人利己的一种把戏罢了。而巴尔干各国和土耳其在一九一二年及一九一三年的两次战争不是拆穿了她们的西洋镜吗？

第二节　东方问题和战争

亚美利亚人的起义

当我们还没有谈到巴尔干各国和土耳其的两次战争

以前，我们要再谈一谈东方问题，因为这个问题不但有关于两次巴尔干战争，而且有关于世界帝国主义大战。

在一八九〇年以后，其首先影响东方的现状的是亚美利亚问题。一八九四年八月，亚美利亚人在萨森附近的起义，蔓延到其他地方及阿纳杜利亚东部的许多大城市，但被古尔迪斯坦人的骑兵残酷的平定了。一八九五年十月一日，亚美利亚人在君士坦丁堡举行了大规模的示威游行，而土耳其当局又以新的屠杀来镇压他们的反抗运动。从一八九四年到一八九六年，土皇阿布杜·哈密德第二的卫兵屠杀了亚美利亚人六万多。俄英两国利用他们被屠杀的事件来干涉奥图曼帝国，要求土皇在他们的区域里实行改革。土皇虽在一八九五年十月十七日颁布了改革的命令，可是屠杀的暴行却在阿纳杜利亚的各城里继续着。一八九六年八月二十七日到二十八日，在君士坦丁堡被屠杀的亚美利亚人就有六千人。

土希战争及克里特岛的宣布并入希腊

亚美利亚人的民族运动被破坏了，跟着克里特岛在一八九六年二月及一八九七年二月一再举起了起义的旗帜，起义者都要使克里特岛并入“希腊祖国”。由于舆论上的压迫，希腊在一八九七年二月十日派军队到克里特岛登陆，援助起义者。同时列强也派军队占领克里特岛上的干尼亚，土皇所委任的总督卡拉舍奥多里从此离开了这个岛。

一八九七年四月十七日，土耳其对希腊宣战。塞尔维亚和保加利亚都要加入希腊的一边进攻土耳其，但以俄国的严厉警告及俄、奥两国的共同表示而中止。俄国和奥地利在四月三十日缔结了一个协定，决定维持巴尔干半岛的现状，如果这个半岛的瓜分不可避免，两国就协力分割巴尔干各国之间的区域及阿尔巴尼亚。

土、希战争的结果，土耳其胜利了。经过列强的调停，两国在五月十九日休战，而媾和协定是在九月十八日成立的，希腊偿付四百万土耳其金镑的赔款，并在帖萨利边境割让几方哩的土地。

一八九八年十一月二十六日，列强请希王乔治（Prince George of Greece）充当克里特岛的高等委员，到了一九〇六年，由希腊的保守派政治家蔡密斯（Zaimis）继位，列强的军队多数撤出这个岛，而敞开了它和希腊合并的大门。一九〇八年，当奥地利宣布合并博斯尼亚和黑塞哥维那以后，克里特岛就成立了临时政府，以希腊的另一个政治家威尼采罗斯（Venizelos）为元首，并在十月七日宣布并入希腊；其未撤退的国际军队便在一九〇九年完全离开了这个岛。

马其顿的起义

在克里特岛的起义以外值得注意的，还有马其顿的民族运动。马其顿本是土耳其的一省，那里的农人一向受着封建的及民族的两重压迫。列宁说过："马其顿也同巴尔干各国一样，在经济上非常落后，而农人在中古依靠地主——封建领主的关系的最厉害残余农奴制，还在那里保留着。"在一九〇二年，马其顿却也举起了起义的旗帜，由农人组织的游击队为着土地和民族自由而进行斗争。

可是，帝国主义列强利用马其顿的起义来实行干涉。俄、奥两国既在一九〇三年二月提出了马其顿的改革计划，又在一九〇三年十月提出代替它的米兹斯太格（Mürzsteg）计划来要挟土皇，而使马其顿成为她们的势力范围。其实，国际帝国主义者的所谓改革，就只有降低马其顿农人的地位，因此他们仍继续着游击战。

奥地利的合并博斯尼亚和黑塞哥维那

当奥图曼帝国一方面碰到被压迫民族的反抗浪潮，一方面又碰到青年土耳其党所领导的革命运动时，俄皇尼古拉第二和英王爱德华第七会见于累法尔（一九〇八年六月九日），谈妥了共同干涉马其顿的问题；这时英、俄两国都企图分割奥图曼帝国。而在青年土耳其党受了累法尔会谈的刺激并取得革命的胜利（七月二十四日）以后，奥地利外交部长爱伦塔尔（Aehrenthal）又和俄国外交部长伊兹瓦斯基举行了布哈牢会议（九月十六日），他们经过长久的讨论成立了一个非正式的协定，根据这个协定，俄国不反对奥地利合并博斯尼亚和黑塞哥维那，而奥地利也不反对海峡在某种条件之下开放，让俄国军舰通过。一八七八年的《柏林条约》只允许奥地利占领博斯尼亚，并委她统治黑塞哥维那，但一八八一年的三皇同盟则使她保留着随时合并这两省的权限，现在她在布哈牢会议以后就实行合并了（十月三日）。奥地利一向是想占领萨罗尼加而打开到东方的道路的，她之所以放弃占领山约克的权利而撤退那里的驻军，乃因到萨罗尼加的要道是摩拉瓦，不是山约克。而在一八九六年二月同俄国和解的保加利亚，跟着也宣布独立，完全脱离了土耳其。

奥地利之先发制人的合并博斯尼亚和黑塞哥维那，而不让青年土耳其党有收复两省的可能，这首先刺激了土耳其，引起土耳其人抵制奥地利商品及保加利亚商品的运动，其积极参加的是土耳其的无产阶级。又由于博斯尼亚和黑塞哥维那的居民是南斯拉夫人，所以南斯拉夫人的小国塞尔维亚和门的内哥罗也痛恨奥地利，她们立刻开始做军事上的准备，而且进行着土耳其、塞尔维亚、门的内哥罗三国反奥同盟的谈判。因此俄国的国家主义派就吃了一惊，他们并不知道伊兹瓦斯基和爱伦塔尔的一笔买卖。首相斯多利平（Stolypin）便写信叫伊兹瓦斯基反对奥地利的举动，这逼得他否认那非正式的协定，声明受了欺骗，并率先拥护塞尔维亚的要求。但德意志则为着维持德、奥同盟而支持奥地利。同时英、法却支持俄国而要求召集国际会议讨论奥地利的举动，可是爱伦塔尔所同意的只是登记（不是讨论）这种举动的一个会议。

到了一九〇九年二月二十六日，取得一点金钱赔偿的土耳其甚至和奥地利缔结了协定，承认她对博斯尼亚和黑塞哥维那的合并。不过，塞尔维亚却仍从事武装上的准备，不愿放弃她的要求。并且奥地利也从事这样的准备，甚至维也纳的主战派还不惜策动着一个战争来澄清局势。三月二日，列强劝塞尔维亚让步，以免和奥地利发生战争，可是塞尔维亚在三月十日给奥地利的一个通牒，并没有提到任何承认的字样，奥、塞之间的局势依然紧张着。

三月二十一日，德意志也给俄国一个通牒，要求她不再支持塞尔维亚并承认奥地利的举动。在满洲失败的元气未复的俄国，本没有力量再准备战争，当时似愿打破僵局的伊兹瓦斯基让步了。跟着塞尔维亚在三月三十一日又给奥地利一个通牒，承认博斯尼亚和黑塞哥维那为她所合并，并声明塞尔维亚人民在将来不再作反奥的宣传。四月九日，土耳其也承认保加利亚的独立。

奥地利合并博斯尼亚和黑塞哥维那两地的成功，以及义大利跟着在义、土战争里的胜利（见第十三章第一节），自不免更引起了许多国家分割奥图曼帝国的野心，特别是巴尔干各小国。而这就是第一次巴尔干战争的起因。

第三节　巴尔干战争

巴尔干同盟

第一次巴尔干战争乃由保加利亚、希腊、塞尔维亚及门的内哥罗四国进攻土耳其而起，这四国便是所谓巴尔干同盟。

当伊兹瓦斯基在一九〇八年十二月二十五日发表圣诞节演说的时候，他便主张巴尔干各国和土耳其缔结同盟，以抵抗别国更进一步的侵略。他的主张虽得到英国的支持，但以塞尔维亚和保加利亚对马其顿的要求难于适应，及土耳其的坚持攻守同盟而没有实现。到了一九一二年三月十三日，塞、保两国才缔结了同盟条约（缔约的实在日期是二月二十九日）。这个条约自一九〇八年起就进行讨论，而得到俄国的热烈支持，但重要的谈判却是在一九一一年十月开始的，后来又以保加利亚坚持同盟应反土（不反奥），并坚持马其顿应有自治权而耽搁一下。其秘密附约规定了一个可能的反土战争，如果塞、保两国在战争里胜利，则塞尔维亚就取得洛威巴萨的山约克及绍尔山脉以北的土地，而罗多波山脉以南以东的土地则归于保加利亚。马其顿的其余地方是自治的，日后这块地方若决定瓜分，其大部分也归于保加利亚，而争执的区域则由俄皇仲裁。并且塞、保两国在五月十二日又缔结了军事条约来补充同盟条约。保加利亚跟着在五月二十九日还和希腊缔结了同盟条约，这是威尼采罗斯在一年前提议的。保、希两国在十月五日也缔结了军事条约。此外保加利亚和门的内哥罗在八月里已有口头上的协定。

第一次巴尔干战争爆发

一个反土的巴尔干同盟终于成立了，而土耳其在义、土战争里的失败又给这个同盟一个算账的好机会，于是保加利亚在八月十四日对土耳其发出通牒，要求她让马其顿自治。保加利亚和塞尔维亚到了九月十八日就决定发动一个反土的战争，而以提出“改革”的要求为烟幕；她们都急欲利用那快要停止的义、土战争。因此巴尔干半岛上的局势便一天天的趋于紧张，九月二十五日，土耳其宣布在阿德里亚诺堡举行操演，三十日，巴尔干四国一齐动员。当和解过（一九一〇年二月）的奥、俄两国以通牒要求巴尔干四国尊重现状的一天（十月八日），正是门的内哥罗对土宣战的一天。

十月十四日，保、塞、希三国又对土耳其发出最后通牒，要求奥图曼帝国在欧洲的一切领土实行自治，而土军则须撤出巴尔干半岛。土耳其拒绝了三国的最后通牒，并在十月十八日对保、塞两国宣战，同日希腊也对土宣战，第一次巴尔干战争爆发了。

巴尔干同盟的胜利

土耳其虽在十月十八日和义大利签订了《洛桑条约》，但她派上前线的军队只有三十五万人，而敌人则有加倍的军力。并且巴尔干同盟在一方面既以保加利亚对付土军的主力而进攻色雷斯，在另一方面又以希腊和塞尔维亚对付马其顿的土军，并阻止阿尔巴尼亚（最近她曾发生过暴动）的援军；同时希腊海军则控制小亚细亚到欧洲的土耳其的海面，使土耳其的援军不能从海上运到马其顿。当第一次巴尔干战争爆发以后，巴尔干同盟在一个月以内就打败了土耳其。

十月二十二日，保军首先在色雷斯的基尔基利塞打败了土军。十月二十六日，塞军又在马其顿的库马诺窝打败了他们。从十月二十八日到十一月三日，保军跟着在勒奈布加斯得到了更大的胜利，前进到土军保卫君士坦丁堡的最后一道防线——贾达甲防线。此外希军在十一月八日占领了萨罗尼加，而塞军在摩纳斯狄尔也得到了胜利（十一月十八日）。但保军在十一月十七日及十八日对贾达甲防线的攻击却失败了。

国际间的剑拔弩张

当保军进展到贾达甲防线的时候，俄国就警告他们不要占领君士坦丁堡，否则他们会碰到俄国舰队的抵抗。在塞军蹂躏了阿尔巴尼亚的北部而到达了亚得里亚海（十一月十日）以后，奥地利也声明她反对塞尔维亚的领土接近亚得里亚海（十一月四日），并主张阿尔巴尼亚独立。奥地利的声明得到了义大利的支持，义大利也反对塞尔维亚出现于亚得里亚海上。可是塞尔维亚对领土的态度并没有动摇，而且她的态度得到了俄国的支持。同时法国保证她支持俄国，如果俄国和德意志开战。而德意志也答应支持奥地利，如果奥地利在保卫自己的利益时被攻击。至于英国则同情奥地利的地位，但她却力图和德意志共同调停国际间的冲突，并避免损害她和法、俄的关系。当奥、俄双方都开始动员的时候，国际局势的紧张就更达到了白热化的程度，其后这以俄国（其实她并没有准备战争）不再支持塞尔维亚的要求才缓和下来。

伦敦和会

由于土军的失败，十二月三日，土耳其和保加利亚、塞尔维亚三国依照列强的提议，缔结停战条约；但希腊和门的内哥罗并没有参加，战事仍在斯库台里（被门军围攻着）、甲尼纳（被希军围攻着）及阿德里亚诺堡的周围进行着，同时希腊舰队仍控制着爱琴海。更由于法国内阁总理庞卡莱及英国外交部长格累的活动，十二月十七日，各交战国的代表在伦敦举行和会。此外英、法、俄、奥、德五国也在伦敦举行大使会议，由格累主持，讨论阿尔巴尼亚的地位和边界以及爱琴海各岛的命运。不过和会在一九一三年一月六日却以土耳其拒绝放弃阿德里亚诺堡、克里特岛及爱琴海各岛而破裂了。

一月二十二日，列强劝土耳其放弃阿德里亚诺堡。二十三日，媾和的条件刚刚谈妥，而青年土耳其党已在君士坦丁堡发生政变，反对土耳其放弃阿德里亚诺堡，使伦敦谈判突然停止。

二月三日，巴尔干半岛的战事又起。四日，保军重新进攻阿德里亚诺堡，并在三月二十六日占领了它，而希军也在三月六日占领了甲尼纳。虽然帝国主义列强已决定把斯库台里让给阿尔巴尼亚，可是门军却在四月二十二日占领了它。

巴尔干同盟的裂痕

三月二日，青年土耳其党所领导的土耳其政府也为势所迫，要求列强调停。到了四月十六日，保加利亚又和土耳其缔结停战条约，并为其他交战国所接受。但巴尔干同盟在战时已显出了裂痕。当希军入甲尼纳城的时候，他们和保军已在萨罗尼加的附近发生了冲突。而且塞尔维亚还要求修改一九一二年的保、塞同盟条约，并得到希腊的支持。此外由于奥地利以战争相威胁，门军便放弃了斯库台里（五月三日），而塞军也撤出了德拉挫（五月五日）。

一九一三年的《伦敦条约》

五月七日，列强又在圣彼得堡举行了大使会议，决定把西利斯特里亚城赏给罗马尼亚，作为保加利亚增加领土时的赔偿。二十日，伦敦和会重新举行，格累以最后通牒强迫战胜国接受大国所同意的决定，而五月三十日的《伦敦条约》便结束了第一次巴尔干战争。根据这个条约，土耳其把爱诺斯和密地亚一线以西的一切土地都割给巴尔干同盟，并放弃了对克里特岛的一切要求，至于阿尔巴尼亚及爱琴海各岛的地位则留待列强决定。除去君士坦丁堡城和它的四周以外，土耳其在欧洲的领土其实是完结了。

第二次巴尔干战争

然而，五月三十日的《伦敦条约》虽结束了第一次巴尔干战争，但巴尔干同盟的胜利却以分赃不匀又引起了第二次巴尔干战争。

根据一九一二年的保、塞同盟条约，马其顿的大部分应归于保加利亚，可是这个条约并没有包括她们分割色雷斯的规定，现在色雷斯自然又归于保加利亚，因此塞尔维亚就要求保加利亚把她根据条约所分得的马其顿重新分割，但遭受到保加利亚的拒绝，保加利亚只愿把这件事情让俄皇仲裁，这在塞尔维亚是力图闪避的。同时列强之宣布阿尔巴尼亚为“独立的”公国，而以德意志的维德亲王威廉（Prince William of Wied）为国王，又使企图出海的塞尔维亚大失所望。在双重的打击之下，塞尔维亚乃在六月一日和希腊缔结了反保的同盟条约，并相互保障她们在马其顿的胜利品。

保加利亚的失败

六月二十九日，当保加利亚首相达奈夫（Danev）刚刚前往圣彼得堡的时候，保军司令萨喔夫（Savov）

没有通知他就下令进攻塞尔维亚和希腊的阵地（据当时俄驻保公使奈克鲁多夫［Nekludov］说：萨喔夫曾到宫内取得保王裴迪南的一个手谕），而开始了第二次巴尔干战争，这显然是为德、奥所欢迎的。虽然保加利亚政府否认萨喔夫的举动，但塞军和希军却利用机会实行他们所计划的攻击。就是罗马尼亚和土耳其也参加了反保的战争，罗军在七月九日进攻保军，他们占领了西利斯特里亚并进逼索非亚，土军在十二日进攻保军，他们又占领了阿德里亚诺堡。不久保加利亚便完全失败，而在七月三十日和其他交战国缔结了停战协定。

一九一三年《布加勒斯特条约》

八月十日，巴尔干各国又缔结了《布加勒斯特条约》，罗马尼亚所得到的是多布鲁甲的北部（从多瑙河畔的土土凯亚到黑海滨的爱克累奈），而塞尔维亚和希腊仍保留着她们在马其顿占领的土地。至于保加利亚所保留的只是马其顿的一小部分，她把萨罗尼加和卡发拉让给希腊，又把摩纳斯狄尔和奥克里德让给塞尔维亚（并且塞尔维亚还和门的内哥罗共同分割了洛威巴萨），她在爱琴海岸上也只保有了美斯塔河和马里查河之间的一带及得得亚加区港。凡是土耳其所能让渡的爱琴海各岛（除去因不洛斯岛及太奈道斯岛）及克里特岛都让给了希腊。此外土耳其和保加利亚在九月二十九日缔结《君士坦丁堡条约》而收复了阿德里亚诺堡。

列宁对巴尔干战争的看法

巴尔干战争在列宁看来，“乃是表明中古制度在亚洲及东欧破产的世界事变长链子上的一环。而放在巴尔干人民面前的历史任务，就在建立统一的巴尔干民族国家，消除地方封建领主的压迫，并使巴尔干任何民族的农人从地主的桎梏下解放出来”。同时列宁还揭穿帝国主义外交在巴尔干半岛的阴谋，他反对帝国主义国家干涉巴尔干半岛的事情，因为巴尔干是巴尔干人民的。

巴尔干战争和世界帝国主义大战

就由于帝国主义列强的干涉，巴尔干战争竟成了世界帝国主义大战的一个序幕。一方面，奥地利和德意志既力图击溃强大的塞尔维亚而不许她阻碍她们到东方的道路；一方面，协约国又力图支持塞尔维亚而使她成为她们在巴尔干半岛的前哨，尤其是俄国。奥地利之所以放弃立刻进攻塞尔维亚的计划，只是因为义大利拒绝合作的原故，但仅仅耽搁十一个月，奥地利终于把她的计划实现了。

帝国主义列强在巴尔干半岛的矛盾，就是世界帝国主义大战最重要的原因之一。

第十五章　世界帝国主义大战

重分世界的战争

从一八九八年到一九一四年，帝国主义完全形成，而帝国主义列强重分世界的斗争也日益尖锐，她们都准备着一次重分世界的战争。“一九一四年的战争就是重分世界和势力范围的战争。”这次战争由一切帝国主义国家准备了好久。这次战争的祸首则为各国的帝国主义者。尤其这次战争一方面是由德、奥，另一方面是由英、法及其附庸俄国所准备成的。……德意志在准备帝国主义战争的时候，力图夺取英、法的殖民地和俄国的乌克兰、波兰及波罗的海沿岸。德意志曾建筑了巴格达铁道，威胁了英国在近东的统治。英国害怕德意志海军军备的增加。帝俄则力图分割土耳其，幻想取得从黑海到地中海的海峡（达达尼尔海峡），夺占君士坦丁堡。夺占加里西亚（“奥匈”的一部分）也包括在俄皇政府的计划以内。英国力图用战争手段击败她的危险的竞争者——德意志，因为德意志的商品在战争以前就一天天驱除了世界市场上的英货，此外英国还希望夺得土耳其的美索不达米亚、巴力斯坦，并在埃及树立牢固的基础。法国资本家则力图从德意志夺回富于煤、铁的萨尔河流域及亚尔萨斯—洛林，这两个地方是德意志在一八七〇年到一八七一年的战争里夺去的。“这样，帝国主义国家两大集团间的矛盾，便引导到帝国主义大战。”（见《联共（布）党史简明教程》）而为着把自己宣传作防守一方面，两大集团的帝国主义者在战争开始后都进行着欺骗人民的宣传，德、奥既谴责英、俄，协约国也谴责德皇。可是，在事实上，奥地利计划击溃塞尔维亚而得到德意志同意的证据，和俄国军阀尽力促成战争的证据，却都是有发现的。

帝国主义列强在一九一三年内的备战

在世界帝国主义大战还没有爆发以前，如一八九八年的美西战争，一八九九年到一九〇二年的英布战争，一九〇四年到一九〇五年的日俄战争，以及一九一二年和一九一三年的巴尔干战争，都可算是大战日益迫近的信号。因此，帝国主义列强在一九一三年就更疯狂的从事扩充军备的竞争。德意志首先把她的常备军从六十五万六千人增加到八十七万人，而其国会所通过的特别军费则在十万万马克左右（一九一三年六月）。德意志的扩充军备立刻引起了法国的反响，她把兵役的期限从二年增加到三年。俄国的国会也通过了巨大的军费（一九一三年七月），她除把兵役的期限从三年延长到三年三个月外，并且请法军总司令霞飞（Joffre）入国提出改编军队的办法（八月）。德意志的盟国“奥匈”也把常备军从四十六万三千人增加到五十六万人，同时加强了炮兵。而法、俄的盟国英国则大大增加了海军的军费。甚至比利时也实行了全国皆兵制，她以为德意志把铁道筑到她边境的目的，就在一开战便通过她的国境。

塞拉热窝事件及其后果

而世界帝国主义大战的导火线便是塞拉热窝（Sarajevo）事件。一九一四年六月二十八日，哈布斯堡帝国继承人裴迪南大公爵（Archduke Franz Ferdinand）和他的妻子在塞拉热窝（博斯尼亚的都会）被暗杀，刺客普宁西勃（Princip）和一个青年同伴都是塞尔维亚人。当时奥地利认为有了压迫塞尔维亚的借口，她表示塞尔维亚在过去既赞助这样的阴谋，因此就应负这次暗杀的责任而受惩罚。尽管到塞拉热窝调查证据的维斯奈尔（Wiesner）说他不能找到确定塞尔维亚同谋的证据，可是“奥匈”外交部长贝希多尔德（Berchtold）却隐瞒了他的报告，决定把塞尔维亚惩罚一下。

七月五日，奥地利的特使荷约斯（Hoyos）到了柏林，他所带去的讨论巴尔干形势的觉书，还添加了几句需要制止塞尔维亚活动的话。德皇威廉第二和首相贝特曼·荷维格（Bethmann Hollweg）都答应支持奥地利，并劝她对塞尔维亚从速动作。德意志以为俄国并没有准备，她不致采取极端的手段。然而，德意志的刊物既一致宣传奥地利的幸福就是德意志的幸福，俄国的报纸也一致宣传塞尔维亚的幸福就是俄国的幸福；而得到德意志答复的奥地利，在七月七日及十四日继续举行了两次御前会议，便决定了一种挑衅的政策。

从七月二十日到二十三日，法国大总统庞卡莱和内阁总理威渊尼（Viviani）拜访圣彼得堡。法、俄一致决定请英国参加她们压迫维也纳的举动，虽然奥地利对塞尔维亚的要求还没有明白知道。法国显然把整个事件当作协约国联合对付同盟国行动的一种考验。二十二日，俄国政府提出了警告。但奥地利的最后通牒在二十三日就交给塞尔维亚政府，要求它禁止反奥的刊物，解散作反奥宣传的爱国团体，禁止学校宣传，罢免奥地利认为参加反奥宣传的官吏，允许奥地利代表在塞尔维亚境内参加禁止反奥宣传的工作，由奥地利法官和塞尔维亚法官共同审问暗杀的负责者，检举暗杀阴谋的从犯，逮捕两个参与阴谋的官吏；并限它在四十八小时内答复。

当奥地利还没有把最后通牒发出的时候，德意志已知道它的内容。七月十八日，巴伐利亚在柏林的国务员就写信给黑尔特林（Hertling）说："塞尔维亚显然不能接受这破坏她独立国尊严的条件，所以结果是战争。"

在奥地利发出了最后通牒以后，隔了一天（二十四日）俄国就明白表示奥地利一定进攻塞尔维亚并吞并她。再隔了一天（二十五日），俄国也举行了御前会议，决定了第一步对付奥地利的军事策略，如果塞尔维亚被攻击，则继之以战争；同时法国保证支持俄国。而塞尔维亚也在这一天答复了奥地利的最后通牒。大概由于俄国决定支持塞尔维亚的报告，塞尔维亚的答复一看好像大致接受奥地利的要求，但在实际上却是闪避的，而且她认为破坏“国家荣誉”和独立的要求却拒绝了；在答复前她已下令动员来对付奥地利。奥驻塞公使一接到塞尔维亚的答复，立刻在伯尔格来德下旗归国，而宣告奥、塞外交关系的破裂，并且奥地利立刻也下令动员来对付塞尔维亚。

七月二十六日，英国外交部长格累提议召集会议讨论奥、塞问题，他的提议虽得到法国的同意，但遭受到奥、德的拒绝。奥地利不能让“国家荣誉”的问题由别国决定，德意志也不愿让奥地利的要求由国际会议讨论，就是俄国也只在原则上表示接受。

二十七日，法国实行第一步的准备；英国下令舰队在操演后不得解散，格累并且答应在外交上支持俄国，他决没有阻止俄国采取更进一步的步骤。

奥对塞宣战及其展开为世界大战

七月二十八日，奥地利对塞宣战，她在第二天就以大炮轰击伯尔格来德。而不能容忍塞尔维亚被攻击的俄国，在二十九日下令敖德萨、基辅、莫斯科及卡层等地动员，并在三十日下总动员令。三十一日，奥地利也下总动员令。

德意志在七月二十九日曾要求英国保守中立，而以不占领法国领土或比利时领土为交换条件，但遭受到英国的拒绝。她在三十一日又问法国在俄、德冲突里所采取的态度，而法国在八月一日的回答是：法国只以本国的利益为南针。同时在三十一日宣布“战争危机要到”的德意志，拒绝英国所谓尊重比利时中立的要求，并对俄国发出一个最后通牒，要求她停止动员，而限制在十二小时内答复。德意志也许以为受了威胁的俄国会同一九〇九年一样的让步。

但是，德意志的最后通牒却没有得到俄国的答复，她在八月一日下令动员并对俄宣战。同日法国下令动员。为着先打败法国再东进对俄，德意志又在八月三日对法宣战，并在二日就开始侵入卢森堡，同时要求比利时让德军通过她的国境，而保证维持她的领土完整，但遭受到她的拒绝。四日，德意志又开始侵入比利时，借此拊法国之背。

英国内阁经过了多次的会议和辩论，在八月二日已决定对法国保证不让德意志舰队进攻海岸，而德意志的侵入比利时更使英国在四日不得不对德宣战。五日，门的内哥罗对奥宣战（八日对德宣战）。六日，奥地利对俄宣战。十二日，法、英对奥宣战。到了二十三日，日本也追随英国之后而对德宣战，跟着又对奥宣战（二十五日）。

不断拉拢土耳其的德意志，企图利用她吸引英、俄在主要战场上的军力，而在八月二日签订《土德条约》的土耳其到了十月就决定和德、奥联合作战，德意志海军上将苏士洪（Sushon）得到青年土耳其党三头之一安威尔（Enver）的同意，指挥土耳其舰队和两艘德意志巡洋舰戈本号及布累斯劳号开入黑海，并在十月二十九日不宣而战的以大炮轰击俄国的许多港口，结果俄国及塞尔维亚在十一月二日对土宣战，英国及法国在五日对土宣战。

至于义大利最初虽保守中立，但在一九一五年四月二十六日签订《伦敦条约》(或称《亚得里亚条约》)而可得到“许多东西”以后，到了五月二十三日也对奥宣战而站在协约国的一边，并在一九一六年八月二十八日对德宣战。其在一九一五年参加战争的还有保加利亚，她是站在同盟国的一边而在十月十四日对塞宣战。

于是奥、塞战争便成了世界帝国主义大战，一方面是塞尔维亚、俄国、法国、比利时、英国、门的内哥罗、义大利及日本，一方面是奥地利、德意志、土耳其及保加利亚。

当土、德两国在一九一四年八月二日签订了密约以后，英、法、俄三国在九月五日也签订了《伦敦公约》，表示团结一致，作战到底，决不单独媾和。协约国在一九〇五年又签订了一些密约，决定在将来的和会里由俄国据君士坦丁堡及整个波兰为己有，由法国把领土扩张到莱因河，而英国则取得德意志的大部分殖民地。同时德意志和奥地利也相信她们能得到最后胜利，而强迫协约国接受“德意志的和约”。两大帝国主义集团重分世界的企图，在这里已不打自招的暴露出来了。

大战的第一个战场：西线

若就帝国主义大战的战场来讲，则实际作战的战场有六个，即:(一)西线,(二)东线,(三)义大利战线,(四)巴尔干战线,(五)近东,(六)非洲。在这六个战场上，主要的战场是西线。

我们曾经提过，德意志的作战计划是先打败法国军队，然后再东进对付俄军。因此，德意志大军的枪头首先就向着西线瞄准。

在西线上，德意志企图以迅速的步伐通过比利时而向巴黎挺进，并在占领巴黎（或许再占领英吉利海峡的各港口）后对法国提出条件。但德意志的这个企图却以比利时的竭力抵抗及英国的迅速赴援而失败。由于德军的坚甲利兵，侵入比利时的他们，不久终于占领了列日（八月七日）、布鲁塞尔（二十日）、那慕尔（二十四日）及安特卫普（十月九日）。八月十六日在法国登陆的英军，又在蒙斯受德军的攻击（二十二日）而被迫西退。因此德军右翼乃向南挺进，强渡马恩河，并在八月底逼近巴黎。可是马恩河一役（九月六日到十二日）却扭转了战局，使德军退回到马恩河一方面而掘壕固守。从此德军和联军就在从英吉利海峡到瑞士边境的若干战壕里对峙到四年之久。当时值得指出的战役是：在一九一四年十月到十一月有伊普尔的一次战役，在一九一五年四月二十二日到五月二十四日有伊普尔的第二次战役，在一九一六年二月到十月有凡尔登的战役，在同年七月到十一月有索姆河的战役，在一九一七年八月到十一月有伊普尔的第三次战役。

到了一九一七年四月六日，美国也对德宣战了。跟着对德宣战的有巴拿马、古巴、希腊、暹罗、利比里亚、中国及巴西。而在一九一八年对德宣战的有危地马拉、尼加拉瓜、哥斯达黎加、海地及洪都拉斯。但陆续到欧洲的美军在一九一八年才开始援助协约国。

德意志资产阶级革命

从一九一八年三月到七月，德军又对英、法阵线进行四次大进攻。当德军在三月二十一日开始第一次进攻以后，英军败退到亚眠的附近，德军一直进展到亚眠的前面才以法军的赴援而被阻止住。由于战局的严重，三月二十八日，法国大将福煦（Foch）乃被任为法、英、义、美四国联军总司令，以统一指挥。虽然德军到了七月又试渡马恩河，可是福煦在七月十八日的下令反攻，终于由法、美联军把他们赶过了马恩河。八月八日，英军开始反攻，从此德军便节节败退，而德意志在十一月十一日就接受了协约国的休战条件。同时德意志内部在十月二十八日的基尔暴动后又在十一月发生了革命，推翻了威廉第二的统治，而在十一月九日退位的威廉便成了荷兰的一个亡命者。这次德意志的资产阶级革命固以社会民主党的把持而流于脆弱，但无产阶级的参加，工兵代表苏维埃的成立，以及威廉的被赶走，却影响了欧洲各国的革命运动（如奥地利的革命及匈牙利的革命等）。

第二个战场：东线

在东线上，装配不良，军火不够的俄军更不是德军的对手，而德军大败俄军的坦能堡一役（一九一四年八月二十六日到三十一日）就是一个著名的例子。罗马尼亚之在一九一六年八月二十八日对奥宣战，本有赖于俄军的援助，但结果却大失所望，帝俄在一九一七年就完全崩溃了。

从二月革命到十月革命

俄国在一九〇五年的第一次革命，准备了一九一七年二月革命（资产阶级的民主革命）的迅速胜利。更由于俄国的工人及农民在布尔塞维克党的领导下利用了资本主义的弱点，破坏了帝国主义的战线，推翻了资产阶级和地主的政权，并确立了苏维埃政权，伟大的十月革命（社会主义革命）又跟着胜利了。“十月革命开始于这样的时机，这时候帝国主义大战异常热烈，这时候主要的资产阶级的国家还是分为两个敌对的阵营，这时候她们还忙于彼此相互的战争并彼此相互的削弱，没有可能来干涉‘俄国的事情’，没有可能来积极反对十月革命。无疑的，这种情形极有利于十月社会主义革命的胜利。”（见《联共（布）党史简明教程》）

《布列斯特—立陶夫斯克和约》

为着结束战争，巩固苏维埃政权，苏维埃政府在十月革命胜利后就“向各交战国的人民及其政府提议，立刻开始正义的民主的和平谈判”。惟由于英、法的拒绝，苏维埃政府乃和德、奥在布列斯特—立陶夫斯克举行谈判，她们并且在十二月签订停战协定；而《布列斯特一立陶夫斯克和约》却是在一九一八年三月签订的。“和平条件是非常苛刻的”（列宁的话），但和约的签订毕竟使布尔塞维克党有可能利用帝国主义阵营内的矛盾去瓦解敌人的力量，组织苏维埃经济，创立红军，甚至使苏维埃政府有可能取消这个和约，停付赔款。而且十月革命及和约又影响了德意志及奥地利的人民，并瓦解了她们在西线及东线上的军队。

而帝俄的完全崩溃又逼得罗马尼亚在一九一八年五月签订了《布加勒斯特和约》。

义大利战线

在义大利战线上，从一九一五年到一九一六年的战争，义军击退了奥军在特棱的诺的进攻，并进展到伊森左河占领了高里齐亚。尽管义军的进展迂缓，可是他们之在义大利战线上牵制着奥地利大军，这显然是有助于协约国的。一九一七年十月，奥地利利用俄国的弱点而把她的注意力集中在义大利战线上，企图以一猛烈的打击使义大利退出战场。更由于德军增援六个师，奥军就在卡波累托击溃了一支义军（一九一七年十月到十一月），并逼迫奥境内所有义军仓皇退回到义境内的彼阿未河。不过彼阿未河畔的义军终于得到英、法军队的援助而阻止住奥军的前进。到了一九一八年六月，奥军又沿着彼阿未河进攻义军，但为义军所击退。并且义军及英军在维托里莪威奈托一役里把奥军赶出了义大利。而奥地利要求停战的一天是十一月四日。

巴尔干战线

在巴尔干战线上，一九一五年二月，英、法舰队企图通过达达尼尔海峡占领君士坦丁堡，但土耳其炮台的火力使得他们在这里的活动劳而无功。一部分由澳大利亚军队、新西兰军队及印度军队编成的英军接着在靠近达达尼尔海峡的加里玻利半岛登陆（四月），但他们的巨大牺牲也不能维持固有的阵地。这是英国在达达尼尔海峡及加里玻利半岛的大失败。同时两度击退奥军的塞尔维亚，却在一九一五年十月十九日为强大的德、奥联军所攻入，而保加利亚则袭击她的东部，结果她在两个月内差不多完全被征服了。英、法联军在萨罗尼加的登陆（十月初）已无补于塞尔维亚。至于塞尔维亚的邻邦门的内哥罗及阿尔巴尼亚也都碰到了同样的命运。

保土投降

当时希腊仍保守中立，惟希王君士坦丁（Constantine）却有亲德的倾向。一九一六年的秋季，希腊首相威尼采罗斯否认希王的权力，并在萨罗尼加设立临时政府，加入协约国。不过一度打败保军的协约国也无补于罗马尼亚，她在一九一六年的年底前又差不多完全被德、奥联军征服了。一九一七年六月，希王被废，威尼采罗斯到了雅典，整个的希腊终于完全站在协约国的一边。而萨罗尼加的联军在一九一八年九月就有了重大的进展，得到希军、塞军、义军及法军、英军援助的联军不但击溃了保军（保军在九月三十日无条件投降），并且收复了塞尔维亚、阿尔巴尼亚及门的内哥罗。就是土军也在十月三十日和协约国缔结了停战协定，因此联军才没有前进到君士坦丁堡。

第五个战场：近东

在近东，自土耳其在一九一四年十月参加战争而站在中央帝国的一边以后，英国就乘机在十二月宣布埃及完全脱离土耳其而独立，并使其成为她的一个保护国，同时她又合并了塞浦路斯岛（十一月到十二月）。此外英军又攻入美索不达米亚，在一九一七年三月占领巴格达。而其来自埃及的英军和来自汉志的阿拉伯军队，则打败巴力斯坦的土军、在一九一七年十二月占领耶路撒冷。到了一九一八年，一方面英军、阿拉伯军队及法军迅速征服叙利亚，占领大马士革、贝鲁特及阿勒颇等城，一方面在美索不达米亚的英军从巴格达溯底格里斯河而上，而土耳其在十月就完全丧失了巴力斯坦、叙利亚、美索不达米亚及阿拉伯。

苏维埃政府告回教徒书

当帝国主义国家分割奥图曼帝国的时候，只有苏维埃政府在《告俄国及东方全体劳动者回教徒书》（一九一七年十二月）上说：“我们声明：被打倒的俄皇计划夺取君士坦丁堡，而由被打倒的克伦斯基（Kerensky）

批准的一切密约，现在都被撕碎，被消灭了。俄罗斯共和国及其政府——人民委员会——反对夺取别人的土地，君士坦丁堡仍应留在回教徒的手里。我们声明：关于分割土耳其以及夺取亚美尼亚的条约，已被撕碎被取消了。”可是德意志帝国主义的工具安威尔及泰拉特（Talaat——他也是青年土耳其党三头之一）却同德意志一样的要利用《布列斯特—立陶夫斯克和约》。一九一八年当德意志的帝国主义者夺取乌克兰的时候，青年土耳其党也侵入了外高加索，占领了阿克哈尔齐克、阿克哈尔卡拉基、巴统、亚历山大波尔（即现在的列宁纳堪）、巴库、江兹（即现在的基鲁瓦巴特）等地。然而苏维埃人民反抗掠夺者的斗争的胜利，以及德意志、土耳其和别国的革命运动的发展，却推翻了土、德掠夺者的一切掠夺计划。

第六个战场：非洲

在非洲，一九一四年，德意志还占有西南非和东非的殖民地及黄金海岸上的多哥兰和喀麦隆，但这些殖民地当大战一爆发就成了问题。得到法军援助的英军在一九一四年便占领了多哥兰，在一九一六年又占领了喀麦隆。而南非的英军也在一九一五年占领了德属西南非，并在一九一八年占领了德属东非。

海战

最后，还要谈一谈海战。德意志陆军在欧洲大陆上固居于优势，但她的海军在海洋上却居于劣势。因此，太平洋上的德属岛屿在大战爆发后的最初几个月里就完全丧失掉，新西兰军队既在八月二十九日占领了萨摩亚群岛，澳大利亚军队又在九月占领了俾斯麦群岛及德属新几内亚，而加罗林群岛和马绍尔群岛则入于日本之手，并且她在十一月十七日还夺得了德意志在中国租借的胶州湾。至于德意志的太平洋舰队“沙恩浩斯特号”、“格努塞诺号”、“莱比锡号”、“纽连堡号”及“德勒斯登号”虽在智利海岸外的考鲁奈尔一役里击沉了英国巡洋舰“好望号”、“蒙穆斯号”（一九一四年十一月一日），但不久就在福克兰群岛一役里几完全为另一支强大的英国舰队所击沉（十二月八日），而逃脱的“德勒斯登号”过了三个月也被击沉了。又出现在北海的德意志舰队虽在遮特兰一役里使英国大舰队遭受重大的损失（一九一六年五月三十一日），但仍被迫退回到本国的内海。

就是德意志的海战利器潜艇也不能挽救她的海军的劣势。而且从英国大邮船“琉西塔尼亚号”的被击沉(一九一五年五月七日)，一直到德意志的宣布（一九一七年一月三十一日）无限制潜艇战争（海上商船凡在靠近英伦三岛、法国及义大利的一定区域以内的，德意志“不预先警告就以一切武器来阻止”），却又引起了美国的恶感。再加上德意志外交部长齐麦尔曼（Zimmermann）企图使墨西哥进攻美国（并且希望墨西哥请日本参加）的电报被泄漏（这个电报是齐麦尔曼在一九一七年一月十七日打给德驻美大使而由他转达德驻墨公使，但为英国所截获而通知了美国），美国终于由对德绝交（一九一七年二月三日）进而对德宣战。而美国第一批驱逐舰六艘之在一九一七年五月四日到达奎恩斯敦，以及第二批驱逐舰三十四艘之跟着在七月五日到达（欧洲海面在大战结束前的美国船只约有三百八十艘），都大有助于危急时期（即一九一七年的上半年，当时协约国被德意志潜艇击沉的船只有四百万吨）的协约国。并且英、美的合作又使德意志的潜艇战同陆战一样的归于失败。

休战条件

失败了的德意志在一九一八年十一月十一日所接受的休战条件规定德军须立刻从比利时、法国、亚尔萨斯—洛林及卢森堡撤退，并须退出莱因河右岸以外，莱因河西的德意志土地由协约国的军队占领，以前凡属于“奥匈”、罗马尼亚、土耳其及俄国的土地，德军都须立刻撤退，德意志须取消《布列斯特—立陶夫斯克和约》及她和罗马尼亚签订的《布加勒斯特和约》，并须把所有军舰、潜艇及军用器材交给协约国，就是她的铁道也须让协约国处置。而休战条约是在十一月十一日早上五点钟签订的。

威尔逊的十四条

两大集团的帝国主义者在战争开始后固进行过欺骗人民的宣传，而在战争还没有结束以前，协约国一方面又一再宣传她们的作战目标来欺骗欧洲，欺骗殖民地。而美国大总统威尔逊（Woodrow Wilson）在一九一八年一月所提出的十四条，就在欧洲和殖民地欺骗了不少人。那十四条是：（一）不进行秘密外交；（二）海上航行自由；（三）撤除经济上的壁垒；（四）裁减军备；（五）公正的处置殖民地的一切要求；（六）德军从俄国撤退；（七）收复比利时；（八）把亚尔萨斯—洛林交还法国；（九）完成义大利的统一；（十）"奥匈"；（十一）巴尔干各国及（十二）土耳其的人民实行自决权；（十三）波兰独立；（十四）创立国际联盟。可是欧洲人民和殖民地人民在战后却大失所望。

巴黎和会

在口头上以威尔逊的十四条为根据的巴黎和会，是在一九一九年一月十八日开幕的，这乃是一八七一年德意志帝国在凡尔赛宫的镜殿宣布成立的一天。参加和会的除英、法、美、义、日五大国（每国各派代表五人）外，有比利时、巴西、塞尔维亚（以上各派代表三人），加拿大、澳大利亚、南非、印度、中国、希腊、汉志、波兰、葡萄牙、罗马尼亚、暹罗、捷克（以上各派代表二人），新西兰、玻利维亚、古巴、厄瓜多尔、危地马拉、海地、洪都拉斯、利比里亚、尼加拉瓜、巴拿马、秘鲁及乌拉圭（以上各派代表一人），一共三十二国；而战败国则不许参加。在和会里解决问题的虽有所谓十人会议（由英、法、美、义四国政府的内阁总理［或首相］和外交部长以及日本的两个位列大使官级的代表参加）或四人会议（十人会议的缩小，参加的为英、法、美、义四国的内阁总理或首相），但其在实际上负重大责任的则为法国内阁总理克里曼梭、英国首相劳合·乔治（Lloyd George）及威尔逊三巨头，他们不管小国代表的抗议，都由秘密的讨论来决定和会里的重要事件。而威尔逊十四条的原则也就随着暗中谈话或炉边谈话都成了空谈，其所剩下的国际联盟不又是名存而实亡吗？

五种和约

六月二十八日，协约国和德意志的和约在凡尔赛宫的镜殿签字（由于和会决定把德意志在山东的一切权利让渡于日本，中国代表在国内人民群起反对的声浪下拒绝签字），这就是《凡尔赛和约》。接着协约国和奥地利在九月十日签订了《圣日曼（St. Germain）和约》，和保加利亚在十一月二十七日签订了《涅义（Neuilly）和约》，和匈牙利在一九二〇年六月四日签订了《特里阿农（Trianon）和约》，和土耳其在一九二〇年八月十日签订了《赛佛尔（Sèvres）和约》（其后在一九二三年为《洛桑条约》所代替）。这五种和约的要点除了设立国际联盟外有四点，即：（一）规定欧洲的新地图；（二）处置德意志的殖民地和保护国；（三）限制德意志的军事力量；（四）赔偿协约国的损失。

所谓欧洲新地图的规定，便意味着欧洲大多数国家的重划疆界，而这首先有关于德意志的领土。德意志把亚尔萨斯—洛林交还法国，把须勒斯威的北部归还丹麦，把欧本和马尔美第割给比利时，又把波森、上西利西亚一部分及西普鲁士大部分割给波兰，而但泽则成为一个国际自由市，但波兰在但泽得享有商业上的特权。其次如"奥匈"是分为两个小国，奥地利的人口不到七百万，匈牙利的人口约等于旧日的三分之一，加里西亚省交给了波兰，达朗西瓦尼亚省及附近的几个地方割给了罗马尼亚，南提罗尔的里雅斯特及伊斯特里亚让给义大利（还有亚得里亚海上的几个岛），捷克人的几省如波希米亚、摩拉维亚及匈牙利的西北部已联合成为捷克共和国。同时保加利亚也失掉了她在巴尔干战争里的收获；而且土耳其被肢解了。其成为独立国的除上述的波兰及捷克外，有芬兰、立陶宛、拉脱维亚、爱沙尼亚及汉志等，其增加土地的除上述的罗马尼亚及义大利外，有希腊及塞尔维亚，甚至塞尔维亚以增加了斯洛文尼亚、克罗提亚、达尔麦迪亚及博斯尼亚、黑塞哥维那而扩大为南斯拉夫。

关于德意志殖民地及旧日奥图曼帝国的处置，它们通常都以“委任统治”的形式转入于列强之手。德属东非交给了英国，德属西南非交给了南非联邦，南太平洋的德属岛屿交给了新西兰和澳大利亚，赤道以北的德属岛屿交给了日本，而多哥兰和喀麦隆则为英、法两国所分割。此外交给英国的还有巴力斯坦和外约但，交给法国的还有叙利亚。

为着限制德意志的军事力量，德意志的陆军在一九二〇年三月三十一日以后不得超过十万人，她的参谋本部及一切类似的组织都应解散，并且她的海军也只许有六艘战舰，六艘轻巡洋舰，十二艘驱逐舰及十二艘鱼雷艇，潜艇是不许有的，不管海军或陆军都不许有空军。而德意志对于军火的制造也受一定的限制，她甚至不得输入或输出军械和任何军用器材。

若就赔偿问题来讲，则德意志又被迫承认她对一切损失所负的全部责任，而赔偿损失的款项由协约国的赔偿委员会在一九二一年五月一日或以前通知她，并且她在一九一九年、一九二〇年及一九二一年的最初四个月里须先偿付二百万万金马克。此外德意志每年须交付法国七百万吨煤、比利时八百万吨煤、义大利四百五十万吨煤到八百五十万吨煤，都以十年为期。甚至法国至少还可占有萨尔河流域的煤矿十五年。至于被德意志潜艇或其他舰只所破坏的船舶，则以吨数抵吨数的原则来赔偿，但以她现存的船只不够，协约国及参战国得接收她所有的一千六百吨以上的商船。

帝国主义国家的旧矛盾和新矛盾

这便可算是世界帝国主义大战的结果。可是这样的结果不但没有消灭掉帝国主义国家之间的旧矛盾，而且增加了她们之间的新矛盾。又由于战后殖民地人民的大失所望以及帝国主义的更加凶恶，就是帝国主义国家和殖民地之间的矛盾也增加了。而其能为新时代的国际关系放一异彩的，就只有取消不平等条约，宣布密约，揭穿帝国主义宣传，争取和平并赞助民族解放运动的苏维埃新国家的建立。

自 跋

国际关系问题在今天已成了一种引人注意的学问。我们更不能不需要一部近代国际关系史，如著者在本书第一篇的小引里所说，“因为这一部史不但能叫我们明白近代的国际关系，而且能帮助我们观察现代的国际关系……”自然，我们所需要的这部国际关系史，非用新观点来写不可。

本书是在去年八月十九日开始写的，但只写了几百字就耽搁到很久才又动笔，因此，由开始写到赶成的一天固超过了预定的日子，可是写的时间却仍然是匆促的。

一方面由于时间匆促，一方面更由于著者开始用新观点来写一部吃力的书，著者时时期望着读者来指正本书的缺点。

张铁生

一九四八年七月二十七日深夜

中西名词对照表

A

阿贝尔 Hébert

阿贝特爱德华湖 Lake Albert Edward

阿比西尼亚 Abyssinia

阿伯定 Aberden

阿伯特 Charles Albert

阿布杜·阿西兹（土皇）Abdul-Aziz

阿布杜·哈密德第二 Abdul Hamid II

阿布杜·美地 Abdul Mejid

阿布吉尔港 Habor of Abukir

阿达汗 Ardahan

阿德里亚诺堡 Adrianople

阿多瓦 Aduwa

阿恩特 Arndt

阿尔巴尼亚 Albania

阿尔巴尼亚山脉 Albanian Mts.

阿尔卑斯山 Alps

阿尔及尔 Algiers

阿尔及利亚 Algeria

阿尔几西拉斯 Algeciras

阿尔培特大公爵 Archduke Albert

阿尔森岛 Island of Alsen

阿尔托纳 Altona

阿尔文斯勒本 Alvensleben

阿富汗 Afghanistan

阿根廷 Argentina

阿加狄尔 Agadir

阿卡曼 Akerman

阿克尔 Acre

阿克哈尔卡拉基 Akhalkalaki

阿克哈尔齐克 Akhalsikh

阿拉比 Arabi

阿拉伯 Arabia

阿勒颇 Aleppo

阿利·帕沙 Ali-Pasha

阿纳杜利亚 Anatolia

阿潘尼 Appunyi

阿萨布港 Assab

阿斯本 Aspern

阿斯普罗蒙地 Aspromonte

阿特巴拉河 Atbara River

阿西纳隆加 Asinalunga

阿威兰 Avellan

埃庇达卢斯 Epidaross

埃德尔 Eider

埃尔伏特 Erfurt

埃尔兹山 Erzgebirge

埃及 Egypt

埃卡斯坦 Eckardstein

埃克恩福德 Eckernforde

埃姆斯 Ems

埃森 Essen

埃斯基色尔 Eskishehr

埃西奥庇亚 Ethiopia

埃伊牢 Eulau

爱德华第七 Edward Ⅶ

爱尔兰 Ireland

爱克累奈 Ekrene

爱列斯 Elise

爱伦塔尔 Aehrenthal

爱诺斯 Enos

爱琴海 Aegean Sea

爱沙尼亚 Esthonia

爱斯拉沙伯 Aix-la-Chapelle

安德拉西 Andrássy

安狄瓦里港 Antivari

安哥拉 Angora

安哥莱 d'Angouléme

安格拉培开那湾 Angra Pequena

安基阿尔·斯开莱西 Unkiar-Skelessi

安可拿 Ancona

安奈塞 Annecy

安特卫普 Antwerp

安托奈利 Antonelli

安威尔 Enver

敖德萨 Odessa

奥埃尔斯塔特 Auerstädt

奥地利 Austria

奥尔登堡 Oldenburg

奥尔末兹 Olmütz

奥古斯丹堡公爵克里斯勋 Duke Christian of Augustenberg

奥克里德 Ochrid

奥伦治河 Orange River

奥伦治自由国 Orange Tree State

奥罗夫 Orlov

奥斯曼 Osman

奥斯特里兹 Austerlitz

奥特兰多 Otranto

奥图曼帝国 Ottoman Empire

奥西尼 Orsini

澳大利亚 Australia

B

巴达维亚 Batavia

巴达维亚共和国 Batavia Republic

巴敦 Baden

巴多 Bardo

巴尔干 Balkan

巴尔干山脉 Balkan Mts.

巴尔太 · 立曼 Balta-Liman

巴伐利亚 Bavaria

巴格达 Bagdad

巴库 Baku

巴拉圭 Paraguay

巴拉克拉瓦 Balaclava

巴拉斯 Barras

巴拉提里 Baratieri

巴勒摩 Palermo

巴黎 Paris

巴力斯坦 Palestine

巴玛斯敦 Palmerston

巴拿马 Panama

巴萨诺比亚共和国 Parthenopean Republic

巴塞尔 Basel

巴斯拉 Basra

巴腾堡亲王亚历山大 Prince Alexander of Battenberg

巴统 Batum

巴西 Brazil

巴亚页特 Bayazid

巴曾 Bozaine

白兰登堡 Brandenburg

柏林 Berlin

拜恩斯托夫 Bernstorff

拜伦 Byron

拜犹克德 Buyukdere

邦尼伐西莪海峡 Strait of Bonifacis

包加里 Bougary

宝层 Bautzen

保加利亚 Bulgaria

保罗第一 Paul Ⅰ

保斯特 Beust

贝尔福 Belfort

贝尔格 Berg

贝鲁特 Beirut

贝伦 Bailén

贝奈得克 Benedek

贝奈德狄 Benedetti

贝萨拉比亚 Bessarabia

贝特曼·荷维格 Bethman Hollweg

贝西加湾 Besika Bay

贝希多尔德 Berchtold

贝约拿 Bayonne

贝专纳保护地 Bechuanaland

贝专纳人 Bechuanas

奔巴 Pemba

笨第舍利 Pondicherry

比勒陀利亚 Pretonia

比利时 Belgium

比罗奔尼苏 Peloponnesus

比斯开湾 Bay of Biscay

比亚里兹 Biarritz

彼阿未河 Piave River

彼得堡 Petersburg

俾斯麦 Bismarck

俾斯麦群岛 Bismarck Islands

毕康斯菲特 Beconsfield

毕罗夫 Bülow

毕腾菲尔德 Bittenfeld

庇厄斯第九 Pins IX

庇厄斯第六 Pius VI

庇厄斯第七 Pius VII

庇里牛斯山 Fyrenees

庇舍格律 Pichegru

庇特 Pitt

庇亚森萨 Piacenza

壁蒙特 Piedmont

波茨坦 Potsdam

波耳多 Bordeaux

波哈拿 Eugéne Beauharnais

波河 Po River

波兰 Poland

波罗的海 Baltic Sea

波罗的诺 Borodino

波罗格纳 Bologna

波麦拉尼亚 Pomerania

波森 Posen

波斯 Persia

波斯湾 Persian Gulf

波斯德弗累将军 General Boisdeffre

波希米亚 Bohemia

玻利维亚 Bolivia

伯尔格来德 Belgrade

伯拿多泰 Bernadotte

勃尔杜斯克 Pultusk

博斯尼亚 Bosnia

博斯普鲁斯海峡 Bosporus

布达佩斯 Budapest

布尔·萧恩斯坦 Boul-Schauenstein

布尔邦 Bourbon

布尔人 Boers

布尔塞维克 Bolshevik

布哈牢 Buchlau

布加勒斯特 Bucharest

布甲柯 Björkö

布昆奈 Bourqueney

布拉格 Prague

布莱特 Bright

布兰 Blanc

布兰热将军 General Boulanger

布累门 Bremen

布累斯劳 Breslau

布列斯特—立陶夫斯克 Brest-Litovsk

布鲁格利 Broglie

布鲁塞尔 Brussels

布吕谐尔 Blücher

布伦 Boulogne

布伦洛夫 Brunnov

布伦奈尔 Brenner

布伦斯威克公爵 Duke of Brunswick

布宜诺斯艾利斯 Buenos Aries

C

蔡密斯 Zaimis

查理大公爵 Archduke Charles

查理第三 Charles Ⅲ

查理第十 Charles Ⅹ

查理第四 Charles Ⅳ

查理十三 Charles ⅩⅢ

成德拉哥 Chandarnagar

D

达达尼尔海峡 Dardanelles

达尔麦迪亚 Dalmatia

达朗西瓦尼亚 Transylvania

达奈夫 Danev

大马士革 Damascus

大西洋 Atlantic Ocean

大洋洲 Oceania

丹敦 Danton

丹吉尔 Tangier

丹麦 Denmarck

丹奈维尔凯 Dannevirke

旦佛 Davoust

但泽 Danzig

道鲁斯 Taurus

得得亚加区 Dedeagatch

得老河 Drave

德卡塞 Delcassé

德拉挫 Durazzo

德腊戈亚湾 Delagoa Bay

德兰士瓦 Transvaal

德勒斯登 Dresden

德意志 Germany

的黎波里 Tripoli

的里雅斯特 Trieste

的斯特利亚 d’Istria

狄贝尔河 Tiber

狄毕奇 Diebitsch

狄堪 Decan

狄新洛河 Ticino

底格里斯河 Tigris

地中海 Mediterranean Sea

第尔 Thiers

都尔 Tours

都纳河 Dünna

窦比 Derby

杜奥威尔涅 Tour d’Auvergne

杜派尔 Düppel

杜撒特·鲁佛求尔 Toussaint L’Ouverture

度穆累 Dumouriez

多布鲁甲 Dobrudja

多布鲁克 Tobruk

多得坎尼斯群岛 Dodecanese

多哥兰 Togoland

多瑙河 Danube

E

俄国 Russia

厄尔巴岛 Elba

厄瓜多尔 Ecuador

厄立特里亚 Eritrea

厄姆布利亚 Umbria

恩格斯 Engels

恩河 Aisne

恩图曼 Omdurman

F

发棱 Varennes

伐尔 Favre

伐林尼 Farini

筏仑西恩 Valenciennes

法国 France

法兰德斯 Flanders

法兰克福 Frankfurt

法兰斯孔德 Franche Comté

法兰西岛 Isle de France

法劳西蒙奈 Frosimone

法属安南 French Indo-China

凡尔登 Verdun

凡尔赛 Versailles

梵蒂冈 Vatican

非斯 Fez

非洲 Africa

菲里 Ferry

菲里波波里斯 Philippopolis

菲列派维尔 Philippeville

菲律宾 Philippine

菲特列荷夫 Friedrichshof

菲希特 Fichte

腓力第五 Philip V

腓特烈 Frederick

腓特烈·查理亲王 Prince Frederick Charles

腓特烈·威廉第二 Frederick William Ⅱ

腓特烈·威廉第三 Frederick William Ⅲ

腓特烈·威廉第四 Frederick William Ⅳ

腓特烈第二 Frederick Ⅱ

腓特烈第七 Frederick Ⅶ

腓特烈第三 Frederick Ⅲ

腓特烈汉 Friedrichsham

腓特烈皇后 Empress Frederick

腓特烈西亚 Fredericia

费利将军 General Failly

芬底 Vendée

芬兰 Finland

芬泰奈布罗 Fontainebleau

佛得角 Cape Verde

佛兰西士·约瑟夫 Francis Joseph

佛兰西士第二 Francis Ⅱ

佛兰西士第一 Francis Ⅰ

佛郎奈 Ferronays

佛利蒙 Frèment

佛罗伦斯 Florence

弗勒鲁村 Fleurus

弗里德兰 Friedland

弗列西奈 Freycinet

伏尔杜诺河 Volturns

福凯斯坦 Falkenstein

福克兰群岛 Falkland Islands

福禄特尔 Voltaire

福西尼 Faucigny

福煦 Foch

G

噶苏斯 Kossuth

甘必大 Gambetta

干尼亚 Canea

冈比亚 Gambia

冈比亚河 Gambia River

刚果 Congo

刚果河流域 Congo Valley

高尔兹 Goltz

高贾可夫 Gorchakov

高里齐亚 Gorizia

高丽 Korea

戈本 Goeben

戈登 Gorden

哥本哈根 Copenhagen

哥多伊 Godoy

哥尔兹 Von der Goltz

哥伦比亚 Columbia

哥斯达黎加 Costa Rica

革斯塔夫第三 Gustav III

革斯塔夫第四 Gustav IV

格腊德斯顿 Gladstone

格兰威尔 Granville

格勒哥里十六 Gregory XVI

格累 Grey

格吕克斯堡 Glücksburg

格纳蒙 Grammont

格努塞诺 Gneisenau

格瓦 Gervais

给亲 Gitschin

庚兹 Gentz

古巴 Cuba

古尔迪斯坦人 Kurd

H

哈勃 Harpe

哈布斯堡 Hapsburg

哈登堡 Hardenbarg

哈定 Charles Hardinge

哈尔丹 Haldane

哈尔丁 Arthur Harding

哈菲德 Hafid

哈凯 Hake

海地 Haiti

海盖特 Highgate

海利哥兰岛 Heligoland

海牙 Hague

海约翰 John Hay

汉堡 Hamburg

汉比布拉 Habibulla

汉诺威 Hanover

汉志 Hejaz

“好望号” Good Hope

好望角 Cape of Good Hope

荷恩林登 Hohenlinden

荷尔斯坦 Holstein

荷尔斯坦男爵弗里兹 Baron Fritz of Holstein

荷兰 Holland

荷约斯 Hoyos

贺布奈尔 Hübner

赫尔维特共和国 Helvetic Republic

赫拉特 Herat

赫姆保特第一 Humbert Ⅰ

赫姆波耳特 Humboldt

赫塞 Hesse

赫塞卡塞尔 Hesse-Cassel

黑尔特林 Hertling

黑海 Black Sea

黑塞哥维那 Herzegovina

洪都拉斯 Honduras

胡波都斯堡 Hubertusburg

华莱启亚 Wallachia

华沙 Warsaw

黄金海岸 Gold Coast

惠灵吞公爵 Duke of Wellington

霍布森 Hobson

霍亨佐伦 Hohenzollern

J

基尔 Kiel

基尔基利塞 Kirk Klisse

基发 Khiva

基辅 Kiev

基鲁瓦巴特 Kirovabad

基塞勒夫 Kisselef

基亚那 Guiana

基佐 Guizot

吉布的 Jibuti

吉尔斯 Giers

吉伦特党 Girondists

吉却纳 Kitchener

加布伦兹 Gablenz

加的斯 Cadiz

加富尔 Cavour

加拉太 Galata

加勒比海 Caribbean Sea

加里波的 Garibaldi

加里玻利半岛 Gallipoli Peninsula

加里西亚 Galicia

加罗林群岛 Caroline Islands

加拿大 Canada

加桑·哈定 Gathorne Hardy

加斯坦 Gastein

甲累兹 Jurez

甲尼纳 Janino

甲西 Jassy

贾布莱 Chablais

贾达甲 Chatalja

柬埔寨 Combodia

江兹 Gianj

阶隆尼耶 Gueronnière

捷克 Czechoslovakia

近东 Near East

居莱 Gyulai

居诺 Junot

君士坦丁 Constantine

君士坦丁堡 Constantinople

K

喀德邻第二 Catherine Ⅱ

喀麦隆 Kameroons

喀土穆 Khartoum

卡比利亚 Kabylia

卡波伏米奥 Compo Farmio

卡波累托 Caporetto

卡层 Kazan

卡道纳 Cadorna

卡尔德 Calder

卡尔诺基 Kalnóky

卡尔斯 Kars

卡尔斯巴德 Carlsbad

卡发拉 Kavalla

卡拉曼 Caraman

卡拉舍奥多里 Caratheodory

卡拉太弗米 Calatafimi

卡利什 Kalisch

卡罗尔伊 Karolyi

卡宁 George Canning

卡宁 Strafford Canning

卡诺 Lazare Carnot

卡普累拉岛 Caprera

卡普里威 Caprivi

卡萨布兰卡 Casablanca

卡塞尔 Cassel

卡斯尔累 Castlereagh

卡斯特尔菲达多 Castelfidardo

开普 Cape

开普殖民地 Cape Colony

凯萨里 Kaisarieh

康邦 Cambon

康德 Kant

康狄 Condé

康诺 Conneau

考莱 Cowley

考鲁奈尔 Coronel

苛尼格累兹 Königgrätz

柯布登 Cobden

柯尔蒂 Corti

柯尼亚 Koniah

柯恰克卡纳齐 Kutschuk-Kainardji

柯斯多萨 Custozza

科不林斯 Koblenz

科采标 Kotzebue

科德林吞 Codrington

科恩 Cologne

科斯廷 Custine

科塔希亚 Kutahia

科瓦特 Kuwait

克拉科 Cracow

克拉伦顿 Clarendon

克兰卡迪 Clancarty

克里曼梭 Clemenceau

克里米亚半岛 Crimean Peninsula

克里斯庇 Crispi

克里斯勋第八 Christian Ⅷ

克里斯勋第九 Christan IX

克里特岛 Crete

克列曼 Kellermann

克隆斯塔特 Kronstadt

克鲁格 Kruger

克伦斯基 Kerensky

克罗提亚 Croatia

克罗西尔德公主 Princess Clothilde

克洛丕基 Chlopicki

克日米尔 Krumir

库马诺窝 Kumanovo

库图索夫 Kutusov

库页岛 Sakhalin

哙德 Quaade

奎恩斯敦 Queenstown

L

拉巴拉他 La Plata

拉得兹基 Radetzky

拉法夷特 Lafayette

拉格兰 Raglan

拉马丁 Lamartine

拉塞尔 Russell

拉太齐 Rattazzi

拉脱维亚 Latvia

莱比锡 Leipsig

莱因河 Rhine

莱因兰 Rhineland

赖拜尔曾 Lebeltzern

赖希斯塔特 Reichstadt

兰道 Landau

兰恩萨尔沙 Langensa'za

兰格尔 Wrangel

兰奈 Lannes

兰斯顿 Lansdowne

劳恩堡 Lauenburg

劳合·乔治 Lloyd George

劳却特尔 Neuchatel

劳斯亲王亨利第七 Prince Heury Ⅶ of Reuss

勒奥本 Leoben

勒巴尔 Nubar

勒奈布加斯 Lulé Burgas

雷康尼基 Racconigi

雷奈渥 Rayneval

累法尔 Reval

累希堡 Rechberg

黎巴嫩 Lebanon

黎卡苏利 Ricasoli

李潘 Ribot

里伏利 Rivoli

里格利亚共和国 Ligurian Republic

里萨 Lissa

里森山 Riesengebirge

里斯本 Lisbon

立陶宛 Lithuania

利比里亚 Liberia

利比亚 Libya

利欧破尔德第二 Leopold II

利欧破尔德亲王 Prince Leopold

利却鲁 Richelieu

列宁 Lenin

列宁纳堪 Leninakan

列日 Liège

林姆堡 Limburg

琉西塔尼亚号 Lusitania

龙威 Longwy

卢昂 Rouen

卢根 Rügen

卢梭 Rousseau

卢兴 Roussin

鲁贝 Loubet

鲁恩 Roon

鲁塞贝里 Rosebery

鲁威 Rouvier

路得 Luther

路易 Louis Bonaparte

路易·腓立 Louis Philippe

路易·拿破仑（拿破仑第三）Louis Napoleon Bonaparte

路易莎 Maria Louisa

路易十八 Lauis XⅧ

路易十六 Louis XⅥ

路易十三 Louis XⅢ

路易十四 Louis XⅣ

路易斯安那 Louisana

吕伯克 Lübeck

吕层 Lützen

吕德里兹 Lüderitz

吕内维尔 Lunéville

吕伊 Lhuys

伦巴底 Lombardy

伦巴底威尼西亚王国 Lombardo-Venetia Kingdom

伦敦 London

伦敦代里侯爵 Marquis of Londonderry

罗比兰特 Robilant

罗伯斯庇尔 Robespierre

罗伯兹 Roberts

罗得岛 Rhodes

罗得斯 Cecil Rhodes

罗得西亚 Rhodesia

罗多波山脉 Rhodope Mts.

罗马格纳 Romagna

罗马尼亚 Rumania

罗曼诺夫 Romanov

罗美利亚 Rumelia

罗斯福 Theodore Roosevelt

洛林 Lorraine

洛桑 Lausanne

洛瓦拉 Novara

洛威巴萨 Novi Bazar

M

马达加斯加 Madagascar

马德里 Madrid

马第 Mahdi

马第主义派 Mahdists

马恩河 Marne

马尔美第 Malmédy

马尔末 Malmöe

马耳他岛 Malta

马夫卢科达托斯 Mavrokordátos

马盖塔 Magenta

马卡尔 Makale

马克思 Marx

马克西米连 Maximilian

马拉 Marat

马拉喀什 Marrakesh

马拉柯夫 Malakov

马里查河 Maritza River

马利·安托列脱 Marie Antoinette

马利亚·德利撒 Maria Theresa

马林 Manin

马林堡 Marienburg

马仑哥 Marengo

马麦德第二 Mahmoud Ⅱ

马麦斯柏利 Malmesbury

马摩拉 Marmora

马摩拉海 Sea of Marmora

马其顿 Macedonia

马却斯 Marches

马赛 Marseille

马赛歌 Marseillaise

马沙拉 Marsala

马商 Marchand

马绍尔群岛 Marshall Islands

马苏瓦 Massowah

马因兹 Mainz

玛志尼 Mazzini

迈西 Mercy

麦茨 Metz

麦地那 Medina

麦海麦特·阿利 Mehemet Ali

麦加 Mecca

麦克 Mack

麦克伦堡 Meckleburg

麦克马翰 Macmahon

麦麦德 · 甲马尔 Mehmed Jemal

麦奈勒克 Menelek

麦撒恩 Methuen

曼彻斯特 Manchester

曼都亚 Mantua

曼哈姆 Mannheim

曼奈斯曼兄弟公司 Mannesmann Brothers

曼特菲尔 Manteuffel

毛奇 Moltke

梅特涅 Metternich

美第纳 Medina

美国 The United States

美克奈斯 Meknes

美斯塔河 Mesta River

美索不达米亚 Mesopotamia

美因河 Main

美洲 America

门罗 Monroe

“蒙穆斯号”Monmouth

蒙斯 Mons

蒙特摩伦西 Montmorency

孟德斯鸠 Montesquieu

孟尼 Mounier

孟斯多尔夫 Mensdorff

孟太纳 Mentana

孟锡柯夫 Mensbikov

米德哈特 Midhat

米恩斯太尔 Münster

米兰 Milan

米梭隆基 Missolonghi

米兹斯太格 Mürzsteg

秘鲁 Peru

密地亚 Midia

密南（人名）Milan

庙夫林 Müffling

明西阿 Mincio

缪拉 Murat

谟罕默德 · 阿穆德 Mohammed Ahmed

摩德拿 Modena

摩尔达维亚 Moldavia

摩拉瓦 Morava

摩拉维亚 Moravia

摩利亚半岛 Marea

摩鲁 Moreau

摩洛哥 Morocco

摩纳斯狄尔 Monastir

摩塞尔河 Moselle

摩斯狄 Moustier

墨西哥 Mexico

墨西拿海峡 Strait of Messina

谋夫 Merv

慕尼黑 Munich

慕尼黑格雷兹 Münchengrätz

穆拉德 Murad

N

拿破仑 Napoleon Bonaparte

那不勒斯 Naples

那慕尔 Namur

那梭 Nassau

那瓦 Narva

纳尔埃尔凯尔布 Nahrel-Kelb

纳尔逊 Nelson

纳克希摩夫 Nakhimof

纳披尔 Napier

纳西布 Nesib

奈克鲁多夫 Nekludov

南非 South Africa

南非联邦 Union of South Africa

南斯拉夫 Yugoslavia

南提罗尔 South Tyrol

南锡 Nancy

尼德兰 Netherlands

尼尔文登 Neerwinden

尼加拉瓜 Nicaragua

尼柯尔斯堡 Nikolsburg

尼科波尔 Nikopol

尼科生 Nicolson

尼门河 Niemen

尼日尔 Niger

尼日尔河 Niger River

尼日利亚 Nigeria

尼塞尔洛德 Nesselrode

尼斯 Nice

尼希 Nich

涅义 Neuilly

聂伯河 Dniepper River

纽布勒沙哈 New Breissch

纽芬兰 Newfoundland

“纽连堡号” Nüremburg

挪瓦里诺湾 Navarino Bay

挪威 Norway

诺拉 No’a

诺曼第 Normandy

O

欧巴托利亚港 Eupatoria

欧本 Eupen

P

帕尔马 Parma

帕拉狄奈特 Palatinate

帕勒斯特鲁 Palestro

帕米尔 Pamir

帕雪拉 Peschiera

潘森比 Ponsonby

庞卡莱 Poincaré

旁吉德 Penjdeh

裴迪南大公爵 Archduke Franz Ferdinand

裴迪南第七 Ferdinand Ⅶ

裴迪南第一 Ferdinand Ⅰ

丕尔尼兹 Pillnitz

葡萄牙 Portugal

朴资茅斯 Portsmouth

普勒夫纳 Plevna

普勒斯堡 Pressburg

普鲁士 Prussia

普鲁斯河 Pruth

普伦比耶 Plombières

普宁西勃 Princip

普页克尔狄 Pauyer Quertier

Q

戚腾 Ziethen

齐麦尔曼 Zimmermann

强伯里 Chambéry

乔治第三 George III

切齐 Zichy

却纳也夫 Chernaiev

却托白里安 Chateaubriand

R

热那亚 Genoa

热月 Thermidor

热月党 Thermidoristes

日内瓦 Geneva

芮巴赫 Laibach

瑞典 Sweden

瑞士 Switzerland

S

撒地尼亚 Sardinia

撒哈拉 Sahara

撒马尔罕 Samarkand

萨布鲁夫 Saburov

萨的卡诺 Sadi-Carnot

萨多瓦 Sadowa

萨尔布吕克 Saarbrück

萨尔河流域 Saar Valley

萨尔路易 Saarlouis

萨尔兹堡 Salzburg

萨伏衣 Savoy

萨克森 Saxony

萨克斯·柯堡·柯哈里亲王裴迪南 Prince Ferdinand of Saxe-Cobourg-Kohary

萨克斯魏马 Saxe-Weimar

萨拉加塞 Saragossa

萨拉曼加 Salamanca

萨利斯伯里 Salisbury

萨罗尼加 Salonica

萨摩亚群岛 Samoa Islands

萨森 Sassun

萨喔夫 Savov

萨窝那 Savona

萨佐诺夫 Sazonov

塞巴斯托堡 Sebastopol

塞尔维亚 Servia

塞拉勒窝内 Sierra Leone

塞拉热窝 Sarajevo

塞浦路斯岛 Cyprus

塞特 Said

赛佛尔 Sèvres

色当 Sedan

色雷斯 Thrace

沙杜里斯基 Czartoryski

沙恩浩斯特 Schornhorst

沙龙 Chôlons

山约克 Sandjak

绍尔山脉 Shar Mts.

舍洛麦 Jerome Bonaparte

舍洛麦 · 邦拿帕狄亲王 Prince Jerome Bonaparte

神圣罗马帝国 Holy Roman Empire

圣阿尔诺 St. Arnaud

圣彼得堡 St. Petersburg

圣多明各岛 Sants Domingo

圣海伦岛 Island of St. Helena

圣克罗 St. Cloud

圣鲁西亚岛 St. Lucia

圣马克共和国 St. Mark Republic

圣日曼 St. Germain

圣·斯太法诺 San Stefano

施采尼伊 Széchényi

什瓦采堡 Karl Philipp Schwarzenberg

士麦那 Smyrna

帅里夫 Sherif

硕蒙 Chaumont

司徒瓦特 Stewart

斯出拉森德 Stralsund

斯大林 Stalin

斯多利平 Stolypin

斯基尔尼威采 Skierniewice

斯坎的纳维亚半岛 Scandinavia

斯科贝勒夫 Skobelev

斯库台里 Scutari

斯里夫尼萨 Slivnitza

斯洛文尼亚 Slovenia

斯摩棱斯克 Smolensk

斯帕埃尔 Speier

斯平纳 Spina

斯坦利 Stanley

斯坦麦次 Steinmetz

斯特拉福 Straford de Redcliff

斯特拉斯堡 Strasbourg

松得堡 Sonderburg

苏丹 Sudan

苏非里诺 Solferino

苏士洪 Sushon

苏瓦罗夫 Suvorov

苏维埃 Soviet

苏彝士 Suez

苏彝士运河 Suez Canal

肃杜尔哲 Chaudordy

梭尔特 Soult

索菲亚 Sofia

索马利兰 Somaliland

索姆河 Somme

T

太尔埃尔凯比尔 Tel-El-Kebir

太盖特荷夫 Tegethoff

太兰第 Taillandier

太奈道斯岛 Tenedos

太平洋 Pacific Ocean

太子腓特烈 Crown Prince Frederick

泰拉特 Talaat

泰里兰 Talleyrand

坦噶尼喀湖 Tanganyika

坦能堡 Tannenberg

陶利 Tolly

特拉法加海角 Cape Trafalgar

特拉卡代罗 Tracadero

特棱的诺 Trentino

特棱特 Trent

特里阿农 Trianon

特里尔 Trier

特里尼达 Trinidad

特罗波 Troppau

提罗尔 Tyrol

铁尔西特 Tilsit

帖萨利 Thessaly

突尼斯 Tunis

突斯加尼 Tuscany

土耳其 Turkey

土伦 Toulon

土土凯亚 Turtukaia

吐林 Turin

托巴哥岛 Tobago

陀罗 Toulouse

W

瓦达 Wadai

瓦德西 Waldersee

瓦丁顿 Waddington

瓦尔米 Valmy

瓦尔纳 Varna

瓦尔特堡 Wartburg

瓦尔腾堡 Würtemburg

瓦格拉姆 Wagram

瓦哈特马斯太尔 Wachtmeister

瓦莱 Valais

瓦勒基莪 Valeggio

瓦勒斯基 Walewski

瓦勒特 Valette

瓦棱西亚 Valencia

外高加索 Trans-Caucasus

外勒特里 Vellettri

外里海铁道 Trans-Caspian Railway

外约但 Transjordan

危地马拉 Guatemala

威尔太尔 Werther

威尔逊 Woodrow Wilson

威拉纳里纳 Villainarina

威腊法郎加 Villafranca

威莱尔 Villèle

威累尼金 Veneniging

威利斯莱 Wellesley

威廉第二 William II

威廉第一（德皇，荷王）William I

威罗纳 Verona

威尼采罗斯 Venizelos

威尼斯 Venice

威尼西亚 Venetia

威斯特法里亚 Westphalia

威特 Witte

威特堡 Viterbo

威渊尼 Viviani

韦斯特摩兰 Westmarland

维德亲王威廉 Prince William of Wied

维多利亚 Victoria

维尔逊 Rivers Wilson

维斯杜拉河 Vistula

维斯奈尔 Wiesner

维托里莪威奈托 Vittorio Veneto

维也纳 Vienna

委拉古卢斯 Vera Cruz

文狄什格累兹 Windischgrätz

倭热尼 Eugénie

窝尔勋 Wurschen

乌班吉 Ubaagi

乌德豪斯 Wodehouse

乌德勒支 Utrecht

乌尔穆 Ulm

乌尔塞利 Wolseley

乌干达 Uganda

乌克兰 Ukraine

乌克西利 Ucciali

乌拉圭 Uruguay

乌兹大 Uzda

雾月 Brumaire

X

西班牙 Spain

西伯利亚 Siberia

西勒西阿 Cilecia

西利斯特里亚 Silistria

西利西亚 Silesia

西摩尔 Seymour

西普鲁士 West Prussia

西萨尔平共和国 Cisalpine Republic

西威塔外启亚 Civita Vecchia

西西里 Sicily

西亚尔丁尼 Cialdini

西印度群岛 West Indies

希克斯 Hicks

希腊 Greece

希王乔治 Prince George of Greece

昔兰尼加 Cyrenaica

锡兰 Ceylon

霞飞 Joffre

夏威夷群岛 Hawaiian Islands

暹罗 Siam

萧瓦洛夫 Schauvalov

小亚细亚 Asia Minor

些尔德河 Schelde

新赫布里底群岛 New Hebrides

新几内亚 New Guinea

新洛浦港 Sinope

新西兰 New Zealand

匈牙利 Hungary

须勒斯威 Schleswig

须太因 Stein

须瓦层堡 Félix Schwarzenberg

叙利亚 Syria

勋布隆 Schönbrunn

Y

雅典 Athens

雅各宾党 Jacobins

亚布杜·阿西兹（摩洛哥王）Abdul Azǐz

亚丹斯 Adams

亚得里亚海 Adriatic Sea

亚的斯亚贝巴 Addis Abeba

亚丁湾 Gulf of Aden

亚尔柯勒 Arcole

亚尔萨斯 Alsace

亚兰德群岛 Aland Islands

亚历山大波尔 Alexandropol

亚历山大第二 Alexander II

亚历山大第三 Alexander III

亚历山大第一 Alexander I

亚历山大累塔 Alexandretta

亚历山大里亚 Alexandria

亚历山大鲁窝 Alexandrowo

亚美尼亚 Armenia

亚眠 Amiens

亚威林诺 Avellino

亚洲 Asia

耶路撒冷 Jerusalem

耶拿 Jena

业拉契赤 Jellachich

伊奥尼七岛共和国 Republic of the Seven Ionian Islands

伊奥尼群岛 Ionian Islands

伊庇鲁斯 Epirus

伊伯利安半岛 Iberian Peninsula

伊布拉希姆 Ibrahim

伊格纳蒂夫 Ignatiev

伊利连各省 Illyrian Provinces

伊曼纽尔第二 Emmanuel II

伊普尔 Ypres

伊普西兰狄 Ypsilanti

伊森左河 Isonzo River

伊斯马利亚 Ismailia

伊斯迈尔第一 Ismail I

伊斯特里亚 Istria

伊须尔 Ischl

伊兹瓦斯基 Izvolsky

易北河 Elbe

义大利 Italy

因不洛斯岛 Imbros

尹斯布鲁克 Innsbruck

印度 India

印度洋 Indian Ocean

印度支那 Indo-China

英国 England

英吉利海峡 English Channel

英刻曼 Inkerman

英伦三岛 English Isles

幼勿拉的河 Euphrates

远东 Far East

约翰内斯堡 Johannesburg

约翰斯第四 Johannes Ⅳ

约克 York

约瑟芬 Josephine

约瑟夫 Joseph Bonaparte

约瑟夫第二 Joseph Ⅱ

约瑟夫第一 Joseph Ⅰ

Z

扎发 Jaffa

乍得湖 Lake Chad

宅马普 Jemappes

詹姆森 Jameson

张伯伦 Joseph Chamberlain

遮特兰 Jutland

斟齐巴尔 Zanzibar

智利 Chile

中东 Middle East

中亚细亚 Central Asia

朱尔丹 Jourdan

佐隆 Thorn

三联经典文库第二辑简目

《游击战教程》　明凡 / 著

《游击战术纲要》　陶剑青 / 编著

《汪精卫卖国的理论与实践》　钱俊瑞 / 著

《抗战以来》　韬奋 / 著

《陕行纪实》　楚云 / 著

《随军散记》　沙汀 / 著

《被日寇囚系半载记》　王研石 / 著

《倭营历险记》　房沧浪 / 著

《活跃的新西北》　田影 / 编著

《保卫华北的游击战》　刘清扬　陈北鸥等 / 著

《徐州突围》　《徐州突围》编委会 / 编

《沦亡的平津》　长江　小方等 / 著

《淞沪火线上》　胡兰畦等 / 著

《瞻回东战场》　长江　罗平 / 著

《东线的撤退》　胡兰畦等 / 著

《抗战中的西北》　徐盈 / 著

《鲁闽风云》　徐盈等 / 著

《西线生活》　西北战地服务团集体创作

《中国解放区见闻》 ［美］福尔曼著 / 朱进译

《全面抗战论》 潘汉年 / 著

《日本的间谍》 范士白自述 / 尊闻译

《日本大陆政策的真面目》 国难资料编辑社 / 编

《民众动员论》 李公朴 / 著

《中国外交史》 钱亦石 / 编著

《太平洋军事地理》 蒋震华 / 著

《世界经济地理讲话》 思慕 / 著

《列强军力论》 ［德］马克斯·威纳尔著 / 宾符 仲持 梅益等译

《近代国际关系史》 张铁生 / 著

《太平洋现势手册》 沈志远 石啸冲 / 编著

《近代世界政治史》 钱亦石 / 著

《从战争到和平——一九四五年的世界政治》 乔木 / 著

《战后日本问题》 思慕 / 著

《最近一年间的国际动态（1946.7–1947.6）》 《东北日报》社 / 编

《论政党》 翟放 / 著

《法与宪法》 韩幽桐 / 编著

《中华民国宪法刍议》 罗家衡 / 著

《民主·宪法·人权——作之民》 费孝通 / 著

《宪法论初步》 潘念之 / 著

《对反民主的抗争》 韬奋 / 著

《农村改进的理论与实际》 江恒源 / 著

《上海产业与上海职工》（上下）　　朱邦兴　胡林阁　徐声 / 合编

《陶行知教育论文选辑》　　陶行知著 / 方与严编

《中国通货膨胀论》　　杨培新 / 著

《中国及其未完成的革命》　　H·普拉特著 / 蒋天佐译

《中国的建设问题与人的训练》　　卢作孚 / 著

《论中国特殊性及其他》　　艾思奇 / 著

《中国经济问题讲话》　　钱俊瑞　徐雪寒　王渔邨　姜君辰　骆耕漠 / 合著

《中国经济的道路》　　许涤新 / 著

《中国财政之病态及其批判》　　孙怀仁 / 著

《官僚资本论》　　许涤新 / 著

《五四运动之史的评价》　　陈端志 / 著

《中国通史简编》（上下）　　中国历史研究会　范文澜 / 主编

《论文学的工农兵方向——读〈在延安文艺座谈会上的讲话〉》　雪苇 / 著

《中国近代史（上编　第一分册）》　　武波 / 编著

《文学百题》　　傅东华 / 编

《中国史学之进化》　　周谷城 / 著

《论民族形式问题》　　胡风 / 著

《论批评》　　荃麟等 / 著

《中国史纲》（第一卷上下、第二卷上下）　　翦伯赞 / 著

《近代中国思想学说史》（1–4）　　侯外庐 / 著

《中国政治思想史》（上下）　吕振羽 / 著

《中国哲学史纲要》　向林冰 / 著

《中国政治史讲话》　钱亦石 / 著

《中国社会经济史纲》　王渔邨 / 著

《新财政学大纲》　千家驹 / 著

《太平天国革命运动论文集——金田起义百周年纪念》

华北大学历史研究室 / 编

《理性与自由——文化思想批评论文集》　胡绳 / 著

《战斗者的诗人》　黄药眠 / 著

《国语文法》　曹朴 / 著

《教育哲学》　张栗原 / 著

《妇女问题讲话》　杜君慧 / 著

《婚姻 · 子女 · 继承》　沙千里 / 著

《性教育新论》　布士克　雅各生合著 / 董秋斯译

《狱中杂感》　杜重远 / 著

《七人之狱》　沙千里 / 著

《爱迪生传》　伍况甫 / 译

《歌德自传》（上下）　歌德著 / 思慕译

《尼赫鲁自传》　［印度］尼赫鲁著 / 毕来译

《列宁传》　［苏］凯尔任采夫著 / 企程　朔望译

《罗斯福总统传》　C. Mackenzie 著 / 张尚之译

《托尔斯泰传》（1–3）　［英］阿尔麦 · 莫德著 / 徐迟译

《革命文豪高尔基》　［美］亚历山大 · 康恩著 / 韬奋编译

《鲁迅纪念特辑》　新中国文艺社 / 编

《回忆鲁迅先生》　萧红 / 著

《人民文豪鲁迅》　平心 / 著

《亡友鲁迅印象记》　许寿裳 / 著

《鲁迅思想研究》　何干之 / 著

《鲁迅研究》　夏征农 / 编

《过来的时代：鲁迅论及其他》　雪峰 / 著

《电影戏剧表演术》　洪深 / 著

《日常心理漫谈》　［美］约瑟夫·查斯特罗著 / 曾宝施译

《心理常识漫话》　朱智贤　杨云美 / 著

《读书的方法与经验》　王任叔 / 著

《美国黑人生活纪实》　［美］加德维尔　斯坦倍克著 / 董秋斯译

《初访美国》　费孝通 / 著

《事业与成功》　［美］马尔腾著 / 汪原放译

《萍踪寄语（初集)》　韬奋 / 著

《一生的幸福前途——〈生活周刊〉信箱选集》　生活书店 / 编选

《深刻的印象》　生活周刊社 / 编

《海外的感受》　生活书店编译所 / 编

ISBN 978-7-108-04588-1
9 787108 045881 >
定价：55.00元